农业干旱遥感监测方法研究与应用

张有智　吴　黎　编　著

哈尔滨工程大学出版社
Harbin Engineering University Press

内容简介

本书是关于农业干旱遥感监测方法及其应用的图书。其主要介绍了农业遥感监测土壤水分的常用技术方法;遥感数据的研究与处理数据的方法;基于温度植被干旱指数方法的黑龙江省干旱时空特征、趋势分析及影响因素研究。从温度植被干旱指数干旱等级划分标准、多年干旱时空分布特征分析,对干旱发展趋势等方面进行了系统性的研究,进而形成了适宜黑龙江省的干旱遥感监测体系。

本书可作为农业生产、灾害管理及决策部门的农业遥感研究人员、高等院校农业遥感相关专业师生的学习教材,也可作为遥感相关专业的科技工作者的参考资料。

图书在版编目(CIP)数据

农业干旱遥感监测方法研究与应用/张有智,吴黎编著.—哈尔滨:哈尔滨工程大学出版社,2023.11

ISBN 978-7-5661-4157-6

Ⅰ.①农… Ⅱ.①张… ②吴… Ⅲ.①卫星遥感-应用-农业-干旱-监测预报-研究 Ⅳ.①P426.615

中国国家版本馆 CIP 数据核字(2023)第 227475 号

农业干旱遥感监测方法研究与应用
NONGYE GANHAN YAOGAN JIANCE FANGFA YANJIU YU YINGYONG

选题策划 田 婧
责任编辑 张 彦 田雨虹
封面设计 李海波

出版发行 哈尔滨工程大学出版社
社　　址 哈尔滨市南岗区南通大街 145 号
邮政编码 150001
发行电话 0451-82519328
传　　真 0451-82519699
经　　销 新华书店
印　　刷 哈尔滨午阳印刷有限公司
开　　本 787 mm×1 092 mm 1/16
印　　张 17.25
字　　数 316 千字
版　　次 2023 年 11 月第 1 版
印　　次 2023 年 11 月第 1 次印刷
书　　号 ISBN 978-7-5661-4157-6
定　　价 69.80 元
http://www.hrbeupress.com
E-mail:heupress@hrbeu.edu.cn

前　言

现代社会中，粮食安全已成为广泛关注的话题，粮食问题更是直接关系到国计民生。2023 年中央一号文件，强调守好“三农”（农业、农村、农民）基本盘至关重要、不容有失。农作物种植情况、灾害监测、产量评估均是政府部门制定指导粮食政策的重要依据。干旱是我国影响最广、危害最重的气象灾害。了解干旱发生、发展规律，准确监测干旱发生、发展过程具有非常重要的意义。严重干旱、频繁干旱导致农业减产甚至绝收，给农民带来巨大损失。为保证农民增收，保障粮食安全，政府应及时掌握干旱发生的时间、严重程度等信息，使灌溉有效、合理并具有科学依据。对于长期规律性干旱，指导灌溉设施建设更具有现实意义。

近年来，受国际形势的影响，国家越来越重视农业的发展，在党的二十大报告中提出“加快建设农业强国”的目标，在 2023 年中央一号文件中提出“发展现代设施农业”。随着“3S”（RS，遥感；GPS，全球定位系统；GIS，地理信息系统）技术的不断发展，其对实时干旱发生、发展进行监测与预判，已成为政府部门快速掌握干旱发生的重要手段。根据历史影像灾害数据分析历史干旱发生、发展规律，对长期规律性干旱地区，可改善生态环境，兴建水利设施，搞好农田基本建设，采用喷灌、滴灌、地下灌溉等多种先进方式缓解干旱。

本书针对以上问题，基于编著者多年对农业遥感在灾害方面的技术积累，对农业遥感干旱监测中涉及的干旱方法的选择、干旱指标的确定、干旱等级的划分及多年干旱的规律分析趋势预测等方面进行了探讨和分析。

全书共 5 章。第 1 章主要对遥感监测土壤水分的研究方法、遥感干旱研究的现状、目前研究中存在的问题和不足逐一进行了简单的介绍。第 2 章简要介绍干旱研究的各种数据来源及数据处理的方法。第 3 章以河北省石家庄市栾城县为例，详细研究了改进的表观热惯量法反演土壤含水量。第 4，5 章以黑龙江省为例，采用温度植被指数法监测干旱，确定了适宜于黑龙江省的干旱等级划分标准，并以此标准为依据，对历时多年遥感数据进行分析，得到干旱时空分布特征和干旱趋势结果；将遥感干旱结果与遥感数据时间、地点相匹配的气象站点数据进行分析，得到影响干旱的气象因素。

本书是编著者及其多名同事在数年开展的农业遥感在干旱方面的监测研究的基础上实现的理论及应用总结。第 2 章数据处理的编写,得到了解文欢、李岩、吕志群、宋丽娟等的帮助。第 3 章的编写,引用了杨树聪在河北省石家庄市栾城县的试验部分。本书属多人共同努力的结果,在此对本书做出贡献的人表示感谢!

由于编著者水平有限,书中难免存在不足与疏漏之处,恳请广大读者批评指正。

编著者

2023 年 7 月

目　录

第1章　概　　论

土壤水分是自然界水分平衡的重要参量,是大气-植被-土壤-地下水系统的核心和纽带。土壤水分与干旱存在密切关系,而干旱是我国农业生产的最大威胁,在各种自然灾害中造成的损失列为首位,我国近60%的农业自然灾害是干旱造成的,土地每年直接经济损失达4亿~7亿元。土壤水分的变化及区域差异不但对区域水文有影响,而且通过植被、土壤等因素对气候产生很大影响。所以土壤水分监测在农业生产、旱情监测、农田水分管理、水资源管理、水文模拟和预报等许多方面都有重要意义。

传统监测土壤水分含量的方法包括质量法、中子仪法、张力计法、时域反射法等。但这些方法只能得到单点的数据,需要大量的人力物力,因为费时、成本高、代表性差,所以很难高效率地获取大范围的土壤水分。遥感监测土壤水分可以得到土壤水分在空间上的分布状况和时间上的变化情况,监测范围广,时效性、经济性较强,具备进行长期动态监测的优势。

遥感监测土壤水分是通过遥感器测量得到土壤表面反射或发射的电磁能量,然后分析、建立该信息与土壤水分之间的关系从而得到土壤水分含量。目前遥感监测土壤水分主要用到的遥感波段为可见光-近红外、热红外、微波。以下内容为在查阅了相关资料的基础上,就遥感监测土壤水分的方法进行的总结和展望。

1.1　遥感监测土壤水分研究方法概述

1.1.1　可见光-近红外波段反射率

土壤在可见光-近红外波段的反射率随波长增加而增大;对于给定类型的土壤,相同波段的反射率随土壤水分的增加而减小,可以建立土壤反射特性与土壤水分的关系来监测土壤水分。Bowers等1965年发现土壤水分的增加会引起土壤反射率的降低。随后Curran、Robinove、Henrickson、Everitt等学者的研究也证实了反射率与土壤水分含量存在密切关系,并通过建立不同模型反演土壤水分。国内刘培君等提出“光学植被覆盖度”的概念,通过分解像元从土壤中分离出植被信息,建立了利用 AVHRR 可见光与近红外通道资料监测土壤水分的模型;张仁华通过地面控制试验发现,采用不同遥感仪器研究近红外波段反射率与土壤水分之间的关系,仍然可以得到一致的结论,并建立了 10 cm 土层含水量与近红外波段反射率的线性关系模型;詹志明等提出了一个基于红光和近红外反射率光谱空间特征的土壤水分监测模型并进行了验证,取得了满意的效果。

1.1.2 植被指数

植被指数是反映植物生长状况的参数,是传感器不同通道数据的线性或非线性组合。最常用的植被指数为归一化差分植被指数(Normalized Difference Vegetation Index,NDVI)。归一化差分植被指数定义为

$$NDVI=(\rho_{NIR}-\rho_{RED})/(\rho_{NIR}+\rho_{RED}) \quad (1-1)$$

式中,ρ_{NIR} 和 ρ_{RED} 分别为近红外和红光波段的反射率。

在有植被覆盖地区,土壤水分状况越好则植被生长状况越好,植被指数越高,所以可建立土壤水分与植被指数之间的关系监测土壤水分。目前已经发展了很多用于监测土壤水分的植被指数模型,比较常用的有距平植被指数(Anomaly Vegetation Index, AVI)和条件植被指数(Vegetation Condition Index, VCI)。

距平植被指数 AVI 定义为

$$AVI=NDVI_i-\overline{NDVI} \quad (1-2)$$

式中 $NDVI_i$——某一特定年份某一时期(旬、月等)NDVI 值;

$\overline{NDVI}$——多年同一时期 NDVI 的平均值。

AVI>0 说明该时期植被生长较一般年份好,AVI<0 则说明植被生长较一般年份差,土壤水分亏缺,旱情出现。

条件植被指数 VCI 定义为

$$VCI=(NDVI_i-NDVI_{min})/(NDVI_{max}-NDVI_{min}) \quad (1-3)$$

式中 $NDVI_i$——特定年份第 i 个时期的 NDVI 值;

$NDVI_{max}$、$NDVI_{min}$——分别代表所研究年限内第 i 个时期 NDVI 的最大值和最小值。

国内陈维英等利用 NOAA 卫星数据通过计算 AVI 对 1992 年中国干旱状况

进行了监测;王鹏新等用VCI、AVI对陕西关中平原的土壤水分进行了监测;蔡斌等应用VCI结合常规资料进行综合分析对我国的干旱状况进行宏观动态监测。

用植被指数监测土壤水分的方法是建立在计算植被指数的基础上进行的,所以该方法只能应用于有植被覆盖地区,而在大区域范围应用时,由于地表覆盖状况非常复杂,需要判断是不是满足该方法的应用要求。

1.1.3 地表温度

地表温度(T_s)是大气-土壤-植被系统内物质(水分)和能量(热能)交换共同作用的结果。水的比热大,接受太阳辐射后温度变化较慢,白天下垫面温度的空间分布能间接反映土壤水分的分布,据此建立地表温度与土壤水分的关系来监测土壤水分状况。Mcvicar通过对地表温度的归一化处理提出了归一化温度指数(Normalized Difference Temperature Index,NDTI)的概念;Kogan提出了条件温度指数(Temperature Condition Index,TCI)概念并进行了干旱监测;国内刘志明研究发现白天地表温度与土壤水分存在较好负相关,而夜晚温度与土壤水分没有确定的相关关系,并利用该方法对四川省的土壤水分进行了动态监测;乔平林等利用TM6波段反演得到的地表温度,监测了甘肃石羊河流域民勤盆地区土壤水分,结果表明在某些土壤水分范围内可以获得成功;张树誉等利用NOAA/AVHRR的热红外通道对陕西省的土壤水分进行了监测;张仁华通过对地表温度归一化处理得到了一个相对温差模型:

$$K=\frac{(T_{max}-T_{min})}{(T_{max}-T_{min})} \tag{1-4}$$

式中,K为与天气、植被类型、季节等因素相关的系数。并建立了该温差模型与土壤水分的线性回归方程,结果表明用该模型与土壤水分建立的回归方程比单纯地利用地表温度效果要好。

地表温度对下垫面湿度状况敏感,反应迅速,该方法简单易行。但影响地表温度的因素很多,除土壤水分外,太阳辐射、显热、潜热、风、植被等因素都对地表温度有很大影响。到目前为止,遥感反演地表温度并没有非常完美精确的方法,另外土壤水分与地表温度的关系也比较复杂,如何找到两者合适的定量关系需要进一步研究。

1.1.4 温度植被干旱指数

土壤水分亏缺,植被受到干旱胁迫,为减少蒸腾引起的水分散失,植物叶片气孔关闭,导致潜热通量减少,感热通量增加,地表温度上升,可见土壤水分、地表温度、植被指数三者之间相互影响;单一使用植被指数或者地表温度都存在某些不足,如作物类型、地理位置、气候类型等对 NDVI 有影响,而地表温度除受土壤水分影响之外,地气之间传导作用、混合像元分解精度、发射率等都影响地表温度状况;毛学森发现冬小麦在受到水分胁迫时 NDVI 对土壤水分的反应具有一定的滞后性,所以将地表温度和植被指数联合起来监测土壤水分效果更好。

(1)Goetz 通过分析认为 NDVI 和 T_s 之间存在明显的负相关关系,主要原因是植被受到水分胁迫时下垫面温度会急剧升高,并估算了区域平均的土壤湿度条件,且认为传感器的分辨率对两者之间的关系没有太大影响;Price 等分析了不同卫星传感器得到的 NDVI 和 T_s 数据,认为 NDVI 和地表辐射温度构成的散点图呈三角形(图 1-1);Nemani 从理论上分析认为地表温度和植被指数之间应为梯形关系(图 1-2);Moran 等加入空气温度数据,通过建立植被覆盖度和植被指数之间的线性关系,定义了植被指数温度梯形图。

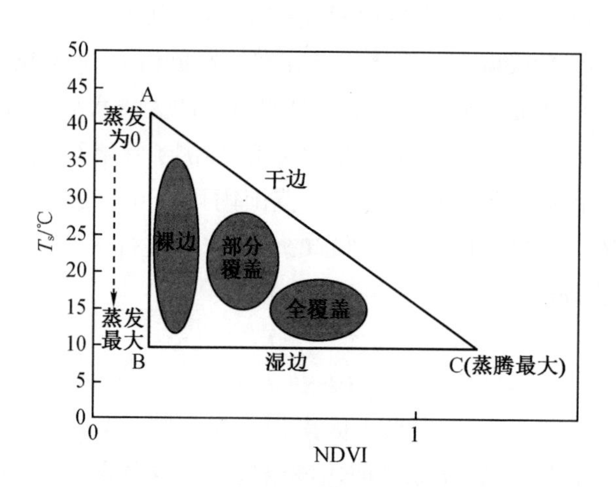

图 1-1 地表温度和植被指数构成的三角形空间

通过卫星资料得到区域的植被指数和地表温度,建立两者的散点图,确定干边、湿边和模型各个顶点的坐标,就可以得到区域上土壤水分的空间分布。国内外学者对此进行了大量的研究和应用。Sandholt 等在植被指数-地表温度特征空间时发现了很多条直线,据此提出了使用温度植被干旱指数(Temperture Vegetation Drought Index,TVDI)监测地表湿度状况,计算公式为

$$\mathrm{TVDI}=\frac{T_s-T_{s,\min}}{T_{s,\max}-T_{s,\min}}=\frac{T_s-(a_2+b_2\times \mathrm{NDVI})}{(a_1+b_1\times \mathrm{NDVI})-(a_2+b_2\times \mathrm{NDVI})}$$

式中 T_s——地表温度;

$T_{s,min}$——相同 NDVI 值的最小地表温度，对应 T_s-NDVI 特征空间的湿边；

$T_{s,max}$——相同 NDVI 值的最大地表温度，对应 T_s-NDVI 特征空间的干边；

a_1、a_2、b_1、b_2——回归系数。

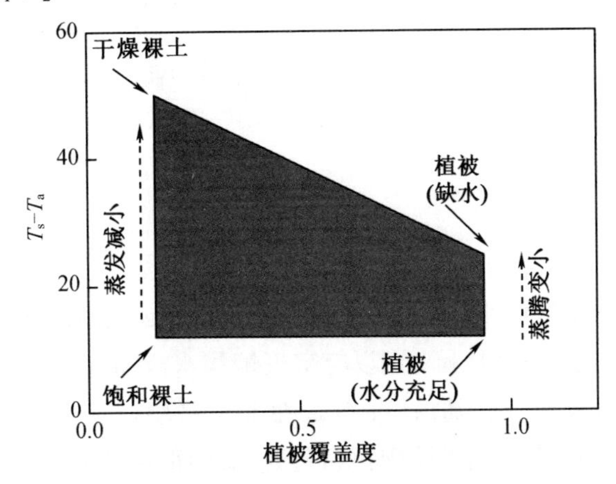

图 1-2　植被覆盖和叶气温差构成的温度梯形图

Lambin 研究认为在植被指数-地表温度组成的特征空间中，确定干、湿边后，可以进一步确定在相同植被覆盖条件下因土壤供水能力差异而造成的温差变化范围，并以此为条件反演得到土壤水分含量；韩丽娟等详细解释了 T_s-NDVI 构成的空间，并用蒸散和温度植被干旱指数解释了 T_s-NDVI 特征空间的内涵；刘良云等利用两者关系对地物进行分类，提取了植被覆盖和土壤水分的信息；姚春生利用中分辨成像光谱仪（Moderate-resolution Imaging Spectrordiometer，MODIS）数据得到的 TVDI 反演了新疆地区 2 个月的土壤水分；王鹏新等在 T_s-NDVI 构成的三角形空间和 TVDI 的基础上，提出了条件植被温度指数（VTCI）模型监测土壤水分和干旱。

（2）考虑到植被指数和地表温度与土壤水分的关系，Carlson 综合考虑植物受旱时在红光、近红外及热红外波段上的反应，提出了植被供水指数（Vegetation Supply Water Index，VSWI）：

$$VSWI = NDVI/T_s$$

VSWI 值越小，说明植被受干旱胁迫，土壤水分越少。该指数计算简单，易于实现，适用于植被覆盖区，尤其在作物覆盖良好的情况下效果很好。刘丽等应用 NOAA 资料建立了 VSWI 监测贵州干旱状况的模型，认为监测干旱 VSWI 方法效果较好，并适合常年植被覆盖较高地区；莫伟华等使用该方法根据 NOAA 资料对广西贵港地区进行了干旱遥感监测并均取得了良好的效果。

1.1.5 作物水分胁迫指数

Idso 在 Monteith 等研究的基础上 1981 年提出作物水分胁迫指数(Crop Water Stress Index,CWSI):

$$\mathrm{CWSI}=\frac{(T_C-T_a)-(T_C-T_a)_{LL}}{(T_C-T_a)_{UL}-(T_C-T_a)_{LL}} \tag{1-6}$$

式中 T_C——地表(灌层)温度;

T_a——空气温度;

下标 LL 表示充分湿润条件下的冠气温差,是冠气温差的下限;

下标 UL 表示极端干旱条件下的冠气温差,是冠气温差的上限。

Idso 认为冠气温差的上下限可以与空气饱和水汽压建立线性方程来计算,被称为 CWSI 的经验模式。随后,Jackson 在 Idso 经验模式的基础上,根据冠层热量平衡方程对冠气温差的上下限进行理论解释,得到新的计算模型:

$$\mathrm{CWSI}=1-\frac{ET}{ET_p}=\frac{\gamma\left(1+\frac{r_c}{r_a}\right)-\gamma\left(1+\frac{r_{cp}}{r_a}\right)}{\Delta+\gamma\left(1+\frac{r_c}{r_a}\right)} \tag{1-7}$$

式中 γ——干湿表常数;

r_a——空气动力学阻力;

r_c——冠层对水汽传输的阻抗(s/m);

r_{cp}——潜在蒸发条件下的冠层阻力,随植被类型变化而变化;

Δ——饱和水汽压随温度变化的斜率。

Jackson 的 CWSI 计算公式机理性较强,物理意义明确,结合冠层温度和微气象条件研究土壤水分状况。大量学者针对 CWSI 的计算模型和影响因素进行了深入研究,并广泛应用于土壤水分和干旱监测。张仁华通过重新定义水汽饱和活动面得到了一个新的 CWSI 微气象参数模型,并对模型进行了验证和灵敏性分析;田国良等利用 NOAA 资料和气象站资料,计算了 CWSI 并与气象站观测的 5~50 cm 土壤水分建立关系,对河南省进行了土壤水分估算;申广荣等在地理信息系统的支持下,通过分析 NOAA 遥感数据和地面气象站资料进行了黄淮海平原土壤水分监测;刘安麟等通过能量平衡方程对潜在蒸散的计算进行简化,得到一种计算 CWSI 的模型,根据 NOAA 数据和气象资料计算了 CWSI 并对陕西地区春季土壤水分状况进行了监测。

作物水分胁迫指数法基于明确的物理公式推导,意义明确、机理性强、精度较高,是监测土壤水分状况的理想方法。但一般计算作物水分胁迫指数的方法需要大量参数,特别是微气象参数在遥感中不易获得;另外差值过程也会产生一定的误差。

1.1.6 热惯量

土壤热惯量是度量土壤阻止其自身温度变化能力大小的物理量,反映土壤与周围环境能量交换能力的强弱,表征了土壤的热学特性。物理定义为

$$P=\sqrt{\lambda\times\rho\times c} \tag{1-8}$$

式中 P——热惯量;

λ——土壤热传导率;

ρ——土壤密度;

c——比热容。

土壤热传导率、比热容量、密度与土壤水分含量存在密切相关性,土壤热传导率、热容量随土壤水分的增加而增大,所以土壤热惯量随土壤水分增加而增大,可以通过建立热惯量 P 与土壤水分之间的关系来监测土壤水分。目前不可能通过遥感手段得到 3 个参数直接计算真实热惯量,遥感计算热惯量主要通过求解热传导方程和地表热量平衡方程来实现。Watson 在 1973 年提出了利用地表温度日较差计算热惯量的模型,随后很多学者发展了热惯量的计算模型;Kahle 在热量平衡方程中加入显热和潜热通量,计算了热惯量;Price 在地表能量平衡方程基础上通过引入所谓“地表综合参量”的概念,提出了一个热惯量计算模型:

$$P=2Q(1-A)/[\sqrt{\omega}(T_{午后}-T_{夜间})]-0.9B/\sqrt{\omega} \tag{1-9}$$

式中 Q——到达地表的太阳总辐射;

A——地表反照率;

ω——地球自转频率;

B——地表综合参量,需要地面实测数据计算。

由于 B 的计算比较困难,Price 简化以上热惯量的计算模型,提出表观热惯量的概念,并认为真实热惯量在某些情况下可以用表观热惯量计算。表观热惯量(Apparent Thermal Inertia,ATI)计算公式为

$$\mathrm{ATI}=1\ 000\times\pi\times(1-A)/(T_{1330}-T_{0230}) \tag{1-10}$$

分母部分为卫星数据反演得到的 13:30 时刻和 02:30 时刻的地表温度。如果只考虑研究区域的反照率和温度变化,上式可以进一步简化为

$$ATI=(1-A)/\Delta T \tag{1-11}$$

式中 ΔT——地表温度日较差。

表观热惯量计算模型简单,所需资料可以由卫星数据提供,并得到了广泛的应用。但是根据 Carlson 等的研究,当地表蒸发量很大的时候,表观热惯量为无效,在植被覆盖度较大和地表适度较大的情况下不能用表观热惯量代替真实热惯量。

热惯量遥感土壤水分的研究主要集中在热惯量计算模型和热惯量与土壤水分关系 2 个方面,并取得了很大进步。Xue、Cai 等对热惯量模型进行了深入研究,提出了不同的计算模型;Sobrino 等通过 3 个时刻的遥感信息建立了一种只用卫星数据计算真实热惯量的模型;国内也有很多学者提出了不同的热惯量模式;张仁华提出了一个考虑显热和潜热通量的热惯量模型:利用遥感影像中最干点和最湿点订正显热和潜热通量对热惯量计算的影响;余涛通过简化地表能量平衡方程,建立了地表综合参量与热惯量直接的关系,发展了一种计算真实热惯量的方法;郭茜利用表观热惯量对东北地区土壤水分进行了监测;黄妙芬提出一个利用地表辐射温度计算表观热惯量的模型;刘振华等提出了一个利用地表最高温度结合土壤热平衡方程和显热、潜热通量的真实热惯量模型。另外很多学者研究了各种因素对热惯量的影响,如李星敏分析了植被覆盖对热惯量的影响,陈怀亮分析了风速对热惯量的影响,这些研究提高了热惯量的反演精度。

表观热惯量模型相对简单,需要参数较少,有的表观热惯量模型可以只用遥感手段计算得到,对表观热惯量的研究是目前热惯量模式反演土壤水分的重点。但表观热惯量是表示热惯量相对大小的一个量,只能表达理论热惯量的一部分,并且热惯量模式监测土壤水分在裸土和低植被覆盖区效果较好,不能用在浓密植被覆盖地区。

1.1.7 微波

微波波段(1 mm~1 m)对云层和地表有较强的穿透力,不依赖太阳光,可以全天候工作,具有光学遥感不具备的优势,并且对水分具有较高的敏感性,成为遥感监测土壤水分的热点。根据工作原理差异可以分为主动微波遥感和被动微波遥感。

1. 主动微波遥感

主动微波遥感是通过遥感器主动发射已知的微波信号,然后接受所发射的微波信号与地表相互作用后的回波信号,通过分析两种信号的差异获取地表的后向散射系数(σ),而后向散射系数与地表介电常数(ε)直接相关。地表介电常数是描述地表电学性质的量,与土壤含水量密切相关:随着含水量的增加,地表的介电常数几乎呈线性增加。所以土壤含水量越高,介电常数也越高,导致雷达信号穿越深度越小,后向散射越强,回波强度越强,后向散射系数越大,根据以上原理可建立后向散射系数和土壤水分含量的关系用来反演地表水分。例如,通过试验数据的相关分析建立土壤水分与后向散射系数之间的线性回归,有的学者从面散射理论和介电常数模型等理论上建立两者之间的定量关系。Ulady 等在 1982 年针对两者的关系进行了定量研究,提出了一个后向散射模型对土壤水分进行了反演,并估算了植被覆盖对反演精度的影响;Dobson 等则认为对于太干或者太湿润的土壤不能用线性模拟; Narayannan 等对两者进行了相关的研究并发展了一个非线性算法反映两者的关系;国内李杏朝通过同步测量土壤水分、土壤后向散射系数和同步机载雷达图像,建立了土壤湿度与后向散射系数的线性关系;田国良等利用合成孔径雷达对冬小麦田进行了土壤水分监测。

2. 被动微波遥感

被动微波遥感是利用微波辐射计对地表本身发射的微波辐射进行测量来监测土壤水分。在微波波段,土壤的比辐射率从 0.6(湿土)变化到 0.9(干土)(100),通常利用微波辐射计算得到土壤的亮度温度,研究亮度温度与土壤水分的关系,通过建立亮度温度与土壤水分的关系反演得到土壤水分。常用的反演算法可以分为 3 类:基于数理统计的经验算法、基于正向模型的算法、神经网络算法。

(1)基于数理统计的经验算法是在统计描述和相关分析的基础上直接建立遥感参数与土壤水分之间的统计关系。经验算法应用简单,对于特定地区适用性较好,但是缺乏物理基础,普适性较差。

(2)基于正向模型的算法是充分考虑微波由地表到达传感器的物理过程,选择一个正向模型,然后建立模型参数与土壤水分之间的关系。优点是物理意义较明确,反演精度较高,但需要的模型参数较多,反演过程较复杂。

(3)神经网络算法是利用神经网络具有非常强大的模拟任意复杂的非线性关系这个优点来建立遥感数据与土壤水分的关系。该算法不需要复杂的物理模型和算法,但受到算法输入端参数特点的限制。

被动微波遥感用来监测地表土壤水分的历史更长,相对来说算法更为成熟。在 20 世纪 70 年代美国航空航天局(NASA)进行了航空平台的被动微波遥感试验;1987 年 Schmugge 根据试验结果得到了亮度温度与土壤水分的线性关系;大量学者针对地表粗糙度、植被信息等对亮度温度的影响进行了研究,提高了被动微波反演土壤水分的精度。

1.1.8　部分研究方法的优缺点

利用反射率监测土壤水分简单易行,但不同类型土壤发射率的差异对土壤的反射率的影响与土壤水分的作用在同一个量级甚至更大,加之太阳高度、大气条件和地表状况等引起的误差,使得利用这类方法监测土壤水分精度难以保证;植被指数法需要有较长时间的 NDVI 积累,对遥感数据要求较多;作物水分胁迫指数概念明确、考虑因素多,具有广泛的理论和实用价值,但在应用上受到参数的获取性困难和尺度转换问题的制约,且在作物地表植被较少时,可能会夸大植被的作用;在 TVDI 特征空间中,确定干湿边和顶点只是通过温度和 NDVI 散点图拟合得到,拟合时有一定的随意性,缺乏严格的物理定义;微波遥感除了受土壤水分含量的影响外,对地表粗糙度、植被覆盖、地形等参数同样敏感,如何区分是哪种因素对微波遥感信息的影响是需要认真对待的问题;很多的监测土壤水分和干旱模型都需要地表温度这个核心参数,但到目前为止,由于地表温度影响因素和热红外遥感的复杂性,遥感反演地表温度仍然是一个难点;目前建立的各种指标与土壤水分的关系很多是直接用线性回归,但线性、非线性回归模型都受到地点和时间的限制,扩展性较差。研究方法优缺点比较如表 1-1 所示。

表 1-1　部分研究方法优缺点比较

研究方法	优点	缺点
可见光-近红外波段反射率法	方法操作简单快捷,适宜地形平坦、地貌单一土壤组成较典型的区域	易受周围环境及自身成分性质的影响,简单的线性关系很难表达其与土壤水分之间的关系
植被指数	在整个作物生长期内,有较好的监测效果	需要时间序列的 NDVI 积累,对遥感数据要求较高
作物水分胁迫指数	该方法以蒸散为基础,物理意义明确,在有植被覆盖的条件下,精度高于热惯量法	计算复杂,一些要素依赖地面气象站提供,较难保证实时性

表 1-1(续)

研究方法	优点	缺点
热惯量	对于裸露或植被覆盖度较低的区域,该方法监测效果较好	对植被覆盖较高的地区该方法失效
微波	具有坚实的物理基础,具有全天候、高精度的优势;且对云层有较强的穿透力,对地球表面被云层覆盖时,体现其独特的优越性	其成本过高,使得我国在研究和应用方面受到了一定的限制

遥感方法监测土壤水分经过几十年的发展已经取得了巨大的进步,并且越来越显示出其优越性。但是土壤水分监测是一个非常复杂的问题,到目前为止并没有一种方法是完美的。本书认为可以加强以下方面的研究。

1. 地表温度的反演

目前监测土壤水分的方法中很多都依赖地表温度,但由于地表温度影响的复杂性,到目前为止各种遥感地表温度反演方法均存在一定的误差,即使利用地面仪器仍无法测得精确的地表温度,如何提高地表温度反演的精度一直是遥感学科的难点和重点。

2. 主被动微波结合

微波遥感具有全天时、全天候和一定的穿透性,并对土壤水分敏感。被动微波遥感方法时间分辨率较高,但空间分辨率较低;主动微波方法空间分辨率较高,对地表形态比较敏感,充分利用主被动微波的优点联合反演土壤水分,可以达到提高空间分辨率,提高土壤水分的反演精度的目的。

3. 土壤表层水分与深层水分的关系研究

到目前为止各种研究方法只能监测到土壤表层的湿度状况,但是对于农业生产来说,深层土壤的水分更具有意义,建立表层土壤水分与深层土壤水分的模型可以促进遥感监测土壤水分的发展。

4. 模型的优化与改进

遥感信息与土壤水分的关系受到辐射传输等多种因素的影响,两者之间的关系通常是复杂的非线性关系,需要从物理机制等方面入手深入研究,以建立遥感信息与土壤水分之间的科学模型。

1.2 遥感干旱研究的现状

干旱是一种气候,也是一种天气,是在地球上普遍存在的一种气象现象。相关国际组织认为,干旱是降雨量显著低于同期正常水平时的现象,会造成水文的失衡,同时严重威胁水资源生产系统。另外,有研究人员将干旱定义为水分收支失衡引发的持续缺水状态。由此可见,干旱最核心的因素是水,由于缺水引发的一系列状况导致条件恶化产生其他影响。在大部分情况下,干旱会对人类的生存环境造成破坏。从干旱的特点来看,其具有涉及范围广、持续时间长的时空特点,同时影响严重且容易引发次生灾害,因而解决的方法十分的困难与复杂。干旱是全球性的重大自然灾害之一,随着全球气候变暖,干旱现象出现的愈加频繁,对人类赖以生存的自然环境造成了严重的威胁,影响着世界范围经济、社会的可持续发展。严重的干旱问题发生在世界近一半的国家和地区,引起全世界的关注和重视。干旱的发生会对国家的农、林、牧、渔等产业造成严重的损害,是各类自然灾害中最容易造成经济损失的灾害之一。对农业造成的损害尤为严重,这是因为干旱最突出的特点,最直接的表现就是水分的缺失,而水是一切农作物生长的源泉,农作物在其生长周期的各阶段对水有着不同的需求。因此,可以说水是影响农业发展的决定性因素之一,而干旱通过缺水掐住了农业发展的咽喉,干旱引发的长时间缺水会造成农作物减产,严重时甚至绝收。我国幅员辽阔,气候条件复杂,不同的地域与气候条件形成了不同的作物种植结构,因而农业干旱的季节性和地域性差异非常明显。旱灾在我国的各个气候条件区域都时有发生,不论是从时间还是从空间的角度来看,干旱对我国农业造成的影响都是巨大的。统计数据表明,我国 1950—2008 年平均每年由于旱灾造成粮食损失高达 160 亿千克。在干旱灾害严重时,由于农业的受创甚至会影响国民经济的发展以及人民的正常生活。由此可见,旱灾已经成为我国粮食减产的主要灾害,也成为危害国家粮食安全的罪魁祸首之一。

解决干旱问题是极具挑战性的,其难点在于干旱作为一种自然现象的随机性,以及作为自然—社会共生事件的复杂性。因此需要对干旱进行长期的监测,以掌握其发生、发展规律,制定相应措施、政策,预防严重旱灾的发生。鉴于此,我国水利部门在各行政区域、流域建设水文测站,采集数据获取区域干旱信息。据 2014 年统计,我国水文系统共有各类水文测站 93 617 处,其中国家基本水文站 3 172 处、专用水文站 1 710 处、水位站 9 890 处、蒸发站 21 处、土壤墒情自动监测站 1 927 处、水质站 12 869 处、地下水监测站 16 990 处、试验站 58 处、向县级以上防汛指挥部门报送水文信息的水文测站 4 353 处。水文监测站通过采集站点周边实测数据,为防汛抗旱提供决策依据。然而水文测站在空间分布方面存在着布局离散、分布不均、部分区域无观测站点等问题。

卫星遥感技术兴起于 20 世纪 60 年代,是一种具备连续获取时空地表信息能力的新型空间探测技术,能够获取空间范围的地表水资源信息,具有监测范围大、监测周期短、监测频率高的特点。近年来,随着卫星遥感传感器及对地观测技术的发展,卫星遥感技术获取的大量数据已经被广泛地应用于资源普查、土地利用规划、全球植被探测等方面的研究,其中干旱监测就是遥感技术应用的一个重要领域。

基于卫星遥感技术的干旱监测方法是利用各种卫星数据,对陆地表面信息进行反演,遥感能够表现出地物电磁波辐射信息,能够对地表信息进行实时监测。遥感技术手段区别于传统信息,其优点显著,能够对及时获取的电磁波信息按照不同需求加以处理后完成成像。遥感的获取资源数据量大、时间序列长、波段丰富、精准的地理定位、精度高、成本低、受其他因素影响少、探测范围广等优势,能够弥补传统干旱监测方法的不足之处。随着遥感技术的不断发展和定量反演研究的继续深入,研究人员能够从遥感数据中挖掘出更多的地表参数和热量信息,不断丰富遥感干旱监测的理论基础,获取大范围、多时相的地表干旱信息,为防旱、抗旱工作提供及时、动态的技术支撑。

基于遥感技术的干旱监测方法由于其可以大面积的监测干旱发展变化,具备监测周期短、频率高的能力,可用于突发性的干旱灾害监测及时获取大面积旱情信息。相比传统干旱监测方法中地面监测站点稀疏、大面积数据获取及时性差等问题,遥感干旱监测具有巨大的优势。利用遥感技术研究干旱的发生、发展以及消亡是一个过程,首先需分析引发干旱的各种自然现象或干旱导致地表各种地物的反应,其物理基础是植被光谱反射曲线。农作物的叶片决定了其主要的波谱特征,健康植被的叶片细胞内富含充足的水分、叶绿素等。当农作物受灾后,外部形态结构特征、叶绿素含量以及冠层结构等自身的生理特征都会发生相应的变化。外部形态结构变化主要是由于灾害导致的机械损伤,如叶片变黄、破碎、成片倒伏等特征;内部生理特性的变化主要包括叶绿素的减少、水分含量降低、吸收能力变差等现象。无论是外部还是内部的变化,都会直接导致植被光谱反射曲线发生相应变化,这些变化可以反映植被受灾的程度,进而使研究人员理解并掌握这些现象与反应在遥感数据光谱、几何、纹理等方面的特征,利用这些特征构造针对干旱监测、预警的指标来识别干旱现象。研究基于卫星遥感技术的干旱监测方法,为制定有效的抗旱措施提供科学依据,对于防旱、抗旱、减灾具有十分重大的意义。

1.2.1 国外遥感干旱监测研究进展

从20世纪60年代以来,随着遥感技术的快速发展,国外的学者们开始运用该技术方法进行土壤水分以及干旱遥感监测的研究。Bowers等在研究土壤水分和反射率的关系时发现土壤中水分含量的增加会降低土壤的反射率,这成为后来利用遥感技术监测土壤水分变化的理论依据。近年来,国外许多学者围绕卫星遥感信息进行了大量的干旱监测研究,形成的方法主要包括3大类型,分别为热惯量监测方法、微波遥感监测方法、可见光-近红外干旱遥感监测方法。

1. 热惯量监测方法

自20世纪70年代以后,在遥感平台与技术的进步的背景下,利用遥感技术监测土壤水分的方法取得了较大的进步,其中基于热惯量的方法最先得到发展。Watson等最早提出了热惯量的简单计算模式,随后研究人员对土壤热惯量模式进行了改进与简化,并进一步发展了热惯量模型。Price根据地表能量平衡方程提出了土壤真实热惯量的模型,继而在此基础之上提出了表观热惯量的概念。England等在表观热惯量法的基础上,提出了辐射亮度热惯量(Radio brightness Thermal Inertia, RTI),发现RTI对土壤水分含量的敏感性高于ATI;自20世纪70年代以来,带有新型高精度探测仪器的卫星相继发射成功,如NOAA系列卫星和EOS-MODIS系列卫星等,围绕这些高精度探测仪器获得的遥感数据,运用遥感信息方法监测干旱的研究得到了大力发展。大量研究表明,利用热惯量理论监测土壤水分的方法适用于裸土区域或植被覆盖稀疏的地方,这是由于在植被覆盖程度较高的区域,遥感获取的土壤信息会受到其表面覆盖的植被信息干扰,土壤的热特性也会受到植物蒸腾的影响,从而降低利用热惯量法反演土壤湿度的精度。

2. 微波遥感监测方法

微波遥感技术在20世纪70年代末开始应用于土壤水分的监测。水的介电常数远大于干土的介电常数,土壤的介电常数随着土壤含水量的增加而线性递增,土壤含水量的不同造成了土壤介电特性的不同,进而影响其散射系数与辐射特性,这就是利用微波遥感进行土壤水分监测的理论基础。微波遥感监测方法的优势在于波长长、穿透力强,根据传感器获取地面信号的方式划分,主要分为主动微波遥感和被动微波遥感两类。

主动微波遥感监测方法主要是利用微波散射计进行电磁波的发射和接收,通过对土壤水分与后向散射系数的研究建立反演土壤含水量的相关模型。Ulaby 等研究了土壤含水量与雷达参数的线性关系。随后学者们对土壤含水量的反演进行了进一步研究,建立了一系列经验与半经验模型。Weimann 利用 ERS-1 的 SAR 图像,通过与土壤含水量实测数据的对比分析,建立了后向散射与土壤含水量之间的统计关系。Bindlish 等通过对植被后向散射系数的研究建立了植被覆盖区域的土壤含水量反演模型。Tansey 等在研究中发现,在不同尺度下,土壤含水量与后向散射系数的相关性在裸土或稀疏植被覆盖的区域较高,且会受到地表粗糙度的影响。

被动微波遥感监测方法在干旱监测方面的应用比较早,算法也比较成熟,即利用土壤含水量与辐射亮温的相关性。相比于主动微波的方法,被动微波遥感性测方法受地表粗糙度的影响较小,并且具有监测范围广、监测周期短等优势。Schmugge 等以美国亚利桑那州地区为研究区域,通过航空微波辐射计对农业试验区的土壤水分进行遥感监测分析,发现地表亮温与土壤水分具有较好的线性关系。在此基础上,Njoku 等利用辐射传输方程建立了地表亮温与土壤水分的非线性方程。Mohanty 等利用被动微波遥感方法研究了在不同下垫面土壤含水量的时空变化特征。Lacava 等提出了一种反映土壤含水量变化的微波遥感指数,并且验证了该指数的有效性。

3. 可见光-近红外干旱遥感监测方法

自 20 世纪 90 年代开始,基于可见光-近红外的遥感干旱监测方法随着可见光-近红外遥感技术的进步得到飞速的发展。学者们根据地面对干旱的响应条件及遥感技术的特点发展了种类繁多的干旱监测指标。

植被生长状态是干旱发生影响的重要地表状态之一,干旱的发生会造成植物水分缺失,从而对植被绿度造成影响。基于此,多种监测植被的遥感指数被应用于干旱监测,其中归一化植被指数(NDVI)应用最为广泛;考虑到 NDVI 空间分布及季节变化对干旱监测的影响,Kogan 提出了条件植被指数(VCI),该指数可以有效地反映植被在干旱环境下所受影响的过程、程度等,并且能够用来分析农作物对土壤水分状况的响应能力。

由于植物生长状态在干旱发生一段时间后才会出现显著变化,因此 NDVI 对干旱的监测具有一定的滞后性,而与之相比,地表温度的变化对干旱的发生具有更好的时效性。在裸土区域,地表温度就是土壤表层的温度,由于干土与水的比热容不同,土壤温度变化会受到土壤含水量的影响。而对于高植被覆盖区,地表温度表征的是植被冠层温度。当植物缺水时,会关闭叶片气孔以减少体内水分的散失，同时体内的热量无法随之发散而造成叶面冠层温度上升。基于此，Mcvicar 等提出了归一化温度指数（Normalize Difference Temperature Index，NDTI）。Kogan 等提出了温度条件指数（Temperature Condition Index，TCI）。TCI 从地表温度的角度出发，根据温度变化与土壤、植被的关系表征干旱状态，能有效地反映地面干旱情况。

综合考虑植被和温度对干旱的响应，将植被指数与地表温度结合，会使干旱监测的效果更加理想。Kogan 等将 VCI 和 TCI 进行组合，提出了植被健康指数（Vegetation Health Index，VHI）。Carlson 等在研究中发现，当区域的植被覆盖度从低到高均有涵盖时，地表温度（Land Surface Temperature，LST）和 NDVI 的散点图呈三角形，被称作 LST-NDVI 特征空间。基于此，Sandholt 等提出了温度植被干旱指数 TVDI，TVDI 对应用区域要求较高，适用于大范围的区域干旱监测。

随着遥感平台与技术的发展，遥感数据不断积累，不少研究学者开始着眼于利用时间序列数据进行干旱分析。Verbesse 等提出归一化近红外指数（Normalized Difference Infrared Index，NDII），并使用 SPOT 时间序列数据对植被含水量的变化进行了分析，试验结果与气象数据实测结果一致。Vicente 等利用不同时间尺度的植被指数与干旱指数对早期农业干旱预测结果进行了分析。数据挖掘的理论也被引入利用时间序列数据进行干旱监测的研究中，Tadesse 等利用多种干旱指数的时间序列数据分析了大气与海洋参数变化对干旱的影响。

近年来，遥感干旱监测方面的研究也有很多的突破。Wang 等利用近红外和短波红外的 3 个水分敏感波段进行组合，提出了归一化多波段干旱指数（Normalized Multi-band Drought Index，NMDI），该方法提高了干旱监测敏感度并且同时适合土壤和植被覆盖区的含水量监测。Ghulam 等结合植被覆盖度对垂直干旱指数（Perpendicular Drought Index，PDI）进行了改进，提出了改进型垂直干旱指数（Modified Perpendicular Drought Index，MPDI），研究结果表明改进型垂直干旱指数在有植被覆盖的区域适应性更强。Bajgiran 等通过对 NDVI、VCI 与降水数据的分析与研究，验证了 NDVI 与降水数据有更好的相关性，相较于 EVI 对早期干旱信息更具敏感性。Reshmidevi 等根据稻田的特点，以土壤水分平衡方程为理论基础建立了模型反演土壤含水量，并利用地面实测数据验证了模型的有效性。Bartsch 等提出了一种适应于湿润地区的土壤含水量遥感反演模型。Summeren 等对被动遥感数据在土壤含水量监测中应用潜力进行了研究与分析。Krishna 等使用 NDVI 对印度地区进行了干旱监测及分析。Rhee 等通过对不同基于植被的遥感干旱指数进行分析，提出了尺度干旱状态指数（Scaled

Drought Condition Index，SDCI）并进行适应性分析，结果表明，该指数可以有效地监测旱情，不仅适用于干旱半干旱地区，同样也适用于湿润地区的干旱监测。Bolten 等利用集合卡尔曼滤波数据同化系统对帕尔玛土壤湿度模型进行了改进，有效地降低了不确定性误差。Gutierrez 等使用 Landset 数据对干旱地区的土壤含水量的时序演化特征进行了分析。Jain 等利用 NDVI、WSVI、VCI 等多种干旱遥感指数与气象监测方法进行了对比分析，验证了遥感干旱监测方法的优越性。Mand 等通过对地表反射率的分析，结合有效叶面积指数进行旱情监测，取得了良好的效果。Caccamo 等研究了 8 种基于 MODIS 数据的干旱指数在悉尼盆地生物区的表现，认为降雨模式的改变对植被含水量的影响大于对植被绿度的影响，在高生物量生态系统中 NDIIb6 更适合用于干旱监测。Rojas 等利用不同等级干旱发生的经验概率计算方法对非洲地区的旱情进行分析。Zhang 等利用多源微波遥感数据研究了半干旱区域的气象干旱，效果显著。Huang 等使用 TVDI 对黄淮海地区的干旱时空变化进行了研究。

近年来，遥感干旱监测的研究更加深入，取得了丰富的研究成果，而 MODIS 数据由于其获取方便、光谱分辨率高、历史资料积累较久等特点，在干旱监测领域中得到了进一步深入的研究和广泛的应用。Wu 针对中国空间尺度大、地势复杂等条件改进了 ISDI 指数并对中国地区进行了干旱监测与分析。Western 等利用 NDVI 时间序列数据对非洲大草原的极端干旱进行了预测与分析。Holzman 等使用 MODIS 数据利用增强植被指数和地表温度计算了 TVDI，对土壤含水量进行了评估并预估了大豆和小麦的产量。Wu 等利用 MODIS 数据分析了 NDVI、NDWI（归一化水指数，Normalized Difference Water Index）、NMDI、NDII6、VCI、VHI、PDI7 种遥感干旱指数在美国玉米种植区的适应性，结果表明 NDII6 对密集作物区域中长期降雨压力和土壤水分缺失更加敏感。Gulácsi 等使用 MODIS 数据的红、近红外、短波红外 3 个波段的组合，提出了差异干旱指数（Difference Drought Index，DDI），并对匈牙利 8 月的干旱期进行了评估。Bajgain 等利用 MODIS 数据 2000—2013 年的时间序列数据研究了 NDVI、EVI 和地表水分指数（Land Surface Water Index，LSWI）对美国俄亥俄州高草草原干旱评估的敏感性。Dhorde 等在 TVDI 的基础上利用叶面积指数（Leaf Area Index，LAI）代替归一化植被指数提出了 L-TVDI，验证了其有效性并使用其进行了印度西部末旱的时空变化特征分析。Cao 等利用 2000—2012 年的 MODIS 时间序列数据建立了综合植被-温度特征空间，通过提取数据的干湿边对 TVDI 进行了改进。

1.2.2 国内遥感干旱监测研究进展

国内开展的干旱遥感监测研究比国外起步晚，从20世纪80年代开始才有学者沿着国外研究的脚步利用遥感技术进行旱情监测的研究。随着科技的进步和科研工作者的不断努力，我国的干旱遥感监测技术已经取得了长足的进步，缩小了与发达国家的差距。

应用研究方面，我国从20世纪80年代末就开始有学者进行土壤热惯量方法的研究。张仁华等对热惯量模型进行了多次改进与应用。余涛等对地表能量平衡方程进行了简化，通过获取真实热惯量的方式反演土壤含水量并对华北地区的土壤含水量进行了监测。李星敏等使用NOAA/AVHRR数据分析了热惯量法在陕西干旱遥感监测的应用，结果表明，热惯量法在下垫面较均一的情况下表现更好。杨宝钢等使用NOAA/AVHRR获取表观热惯量及植被指数，在考虑植被的情况下对表观热惯量估算土壤含水量的方法进行了研究。雷少刚等则利用TM数据研究了高分辨率的表观热惯量模型。在使用微波对干旱进行遥感监测方面，国内学者取得了很多重要成果。田国良将雷达图像散射系数法、NOAA/AVHRR数字图像热量惯性法和CWSI 3种方法监测的土壤水分结果，与常规气象方法、绿度指数法和温差法所监测的土壤水分结果进行对比分析，认为雷达图像散射系数法对土壤水分含量的反演比较准确可行。李杏朝等以全球卫星定位系统为依据，利用雷达后向散射系数法对土壤水分含量进行反演，发现利用雷达影像对土壤水分含量的监测方法可行，此结果说明在土壤水分含量反演研究中，微波法前景广阔。高峰等对利用主被动微波监测方法对土壤水分含量进行遥感监测研究的进展、原理和算法发展趋势进行了全面的说明，并主张将运用主动微波监测方法对土壤水分含水量反演研究重视起来，而利用被动微波监测方法对土壤水分含量进行遥感监测研究因其方法成熟等特点，将是大尺度区域的土壤水分监测的重要手段。李震等通过建立一个半经验公式模型，综合利用主被动微波数据，对土壤水分含量进行遥感监测。杨虎利用多时相50 m分辨率Radarsat Scan SAR雷达数据对土壤水分含量进行反演，并与实测土壤水分含量进行对比分析。马媛等研究认为，微波极化差异指数对土壤水分含量的时空异常变化响应较为敏感。王永前等基于温度、NDVI和微波数据综合分析，提出了温度微波植被干旱指数法（Temperature Microwave Vegetation Index，TMVDI）。陈修治等通过研究发现，土壤水分含量与基于被动微波数据的干旱指数的相关性关系为负。赵天杰等将辐射亮温与雷达后向散射反演的地表粗糙度相结合，对土壤水分含量进行反演研究，表明该方法可以有效提高土壤水分反演精度。彭丽春等基于卫星的亮温数据,发现利用对数三次多项式对土壤水分含量进行反演是可行的。扈培信针对风云三号 B 星数据,以微波辐射计数据作为对比数据,对其数据处理和亮温质量评价进行了分析研究。武胜利等通过对风云三号 A 星微波成像仪数据的分析,认为利用该数据进行干旱遥感监测,其方法和结果与国际上同类数据相比具有明显优势。田辉等将主动微波数据应用在黄河上游地区,对其土壤水分含量进行反演研究,并对其时空分布特征进行分析。王树果等利用 3 个时期相近的微波数据影像对黑河草地土壤水分含量进行反演研究,并将其与实测土壤水分含量进行比较,误差在 6%以内。胡蝶等通过利用 SAR 数据对土壤水分含量反演的研究发现,10 cm 和 20 cm 的土壤水分含量与雷达后向散射系数均存在比较高的相关性。

基于可见光和近红外的遥感干旱监测研究起步于 20 世纪 90 年代,蔡斌等使用 NOAA/AVHRR 数据,结合 VCI 指数和地面实测降水资料研究了我国在 1991 年的干旱情况。肖乾广等使用 LST 和 NDVI 比值,计算植被供水指数(Vegetation Spply Wu ater Idexn,VSWI)进行干旱监测。综合考虑了植被和温度的遥感干旱监测方法由于敏感度更高、监测效果更好,受到了广泛的关注、研究与应用。姚春生等基于 MODIS 植被指数和地表温度产品,利用 TVDI 对新疆的土壤含水量反演进行了研究。齐述华等利用 TVDI 进行了全国干旱监测,并进一步评价了多种参数组合的 TVDI 的表现。王鹏新等对比分析了 VCI、TCI、AVI、VTCI 等指数在陕西的适用性,结果表明,综合考虑植被和温度的 VTCI 更适合研究地区的旱情监测。吴孟泉等研究了 TVDI 在云南红河州复杂山区干旱监测中的效果。孙丽等在全国冬小麦主产区对 TVDI 和 VSWI 进行了比较,认为 TVDI 相比于 VSWI 在区域旱情变化监测中更有优势。刘利文等在研究中引入了 DEM 数据进行地形校正,指出经过地形校正后的 TVDI 对农业干旱监测的效果更佳。林巧等研究了多个时间尺度的 VTCI 在陕西省关中平原的适用性。季国华等利用 Landsat8 数据对比了 TVDI 和改进型温度植被旱情指数(Modified Temperature Vegetation Drought Index,MTVDI)在土壤含水量反演中的效果,结果表明,MTVDI 反演土壤含水量的精度更高。

理论创新方面,刘良明从云层对干旱影响的角度出发,另辟蹊径地提出了基于云指数的 MODIS 干旱遥感预警模型。杨娜结合云参数干旱模型和集合卡尔曼滤波进行了土壤含水量数据同化的研究。向大享通过建立云背景场和时空动态阈值的方式对云参数法进行了改进。许国鹏等利用改进型植被指数和地表温度构建了 MSAVI-LST 特征空间,提出了 MTVDI。王鹏新等根据 LST-NDVI 特征空间,提出了条件植被温度指数(Vegetation Temperature Condition Index,

VTCI)。杜灵通综合利用遥感数据和地面资料，使用分类回归树建模软件，提出了综合干旱模型并对山东省2000—2010年的干旱时空特征演化进行了分析。董婷等基于短波红外的光谱特征空间，通过对不同地物类型在光谱特征空间分布特点的分析，提出了MODIS短波红外水分胁迫指数（MODIS Shortwave Infred Water Stress Index，MSIWSI）。郝小翠等将波文比引入遥感干旱监测领域，并使用MODIS数据应用波文比指数以甘肃河东地区为研究区进行了应用研究。

在干旱等级划分方面，多数研究集中在利用统计模型进行干旱等级划分对比上，而关于划分方法的研究目前较少。王素艳等分析了降水量距平百分率（Pa）（K）、标准化降水指数（SPI）、帕默尔干旱指数（PDSI）和综合气象干旱指数（CI）等几种干旱评估指标在宁夏干旱中与实际情况干旱等级的差异，重点比对了几种干旱指数在干旱等级一致性、干旱频率以及空漏评估率与实测干旱结果的差异，认为K指数和CI综合指数在宁夏的评估效果较好，但仍然需进一步的改进。薛昌颖等利用河南省农业气象观测站点多年的观测数据，通过对土壤相对湿度和水分亏缺指数关系的分析，建立了二者的线性关系模型，从而建立水分亏缺指数的干旱等级划分标准。张树誉等根据气象干旱指数的等级划分标准对VTCI进行了等级划分，通过统计和分析每一类的VTCI取值，计算划分在每一等级中的VTCI均值的置信区间，制定了VTCI的等级划分标准，并利用气温和降水等数据验证了VTCI干旱等级划分结果的可用性。张成才等利用降雨量、受旱面积、产流模数和综合缺水指数等指标，根据信息扩散理论计算各类评价指标的超越概率，结合实测旱灾资料的对比分析，建立了各评价指标的旱情等级分级标准。

1.2.3 目前存在的问题与不足

1.传统方法类别齐全，但各有其适用条件，无法满足长时间、大范围区域干旱监测的要求

遥感干旱监测方法种类繁多，但是各类遥感干旱指数都有其适用条件，有些方法对植被覆盖有要求，如热惯量法和垂直干旱指数只适用于裸土或低植被覆盖区，而VSWI则只适用于高植被覆盖区；有些方法对研究区域有要求，如温度植被干旱指数要求研究区域涵盖从低到高的植被覆盖度。这些限制条件使得各种方法无法在单独对复杂气候、生态等环境的区域干旱进行监测。在我国旱情监测的具体应用中，通常以行政区域或以流域为单位进行区域范围的旱情评估，而在这些区域范围内往往气候条件复杂、生态特征多样，在干旱监测时使用一种遥感干旱指数并不能准确表达全部时间域和空间域的旱情，而分别使用

不同的遥感干旱指数监测则会由于指数标准的不统一增加旱情评估的不确定性,因此需要研究综合多种干旱指数构建的模型或方法对同一区域进行统一标准的、长时间序列的干旱监测。

2. 缺少合理的遥感干旱等级划分方法

目前遥感干旱监测的相关研究主要集中在研究能够反映地表干旱状况的指数,但是在将指数与地表干旱等级对应即直接利用遥感指数进行干旱等级划分的相关研究却寥寥无几。通常采用的方法是根据遥感干旱指数与地面实测数据资料的线性关系建立对气象数据的反演模型,再根据气象数据的干旱划分标准进行干旱等级评价。

第2章　研究数据和数据处理

2.1　研究数据

2.1.1　遥感MODIS数据

NASA自1991年开始实施对地观测系统(EOS)计划,EOS项目是由一系列卫星、一些科学研究小组和一个数据系统构成的,用于对地球的陆地表面、生物圈、大气和海洋进行研究,为系统研究地球提供科学数据。目前总计发射的卫星在26颗以上,携带有大于45个不同用途、不同性能的传感器。这一系列对地观测卫星中,有2颗卫星引起遥感应用界的瞩目,它们是:TERRA和AQUA,因为这两颗卫星都搭载有MODIS传感器。TERRA于1999年12月18日、AQUA于2002年5月4日发射成功,目前均处于正常运转中。

MODIS(Moderate-resolution Imaging Spectroradiometer)——中分辨率成像光谱仪,是TERRA和AQUA卫星上同时搭载的重要传感器,也是目前卫星系统中携带的最有特色的传感器之一。MODIS是“图谱合一”的光学传感器,该传感器总共设计有36个光谱通道,其空间分辨率包括了250 m(1~2波段)、500 m(3~7波段)和1 000 m(8~36波段)三个尺度(表2-1)。MODIS数据具有多通道、多空间分辨率的特点,对地球的综合观测和深入研究提供了非常宝贵的数据;此外,携带MODIS传感器的TERRA和AQUA卫星都是太阳同步卫星,对于某地区来说,TERRA卫星在地方时上午过境,AQUA卫星在地方时下午过境,TERRA与AQUA卫星上的MODIS传感器在时间更新频率上相互配合,加上晚间过境数据,对于接收MODIS数据来说,可以得到每天至少2次白天和2次黑夜更新数据。这样的数据更新频率是其他传感器无法实现的,它们对资源、环境的研究和监测具有独一无二的优势。

由于MODIS波段多(36个),时间频率高(4次/天),相对应的其数据量非常巨大,数据处理工作量也巨大。为解决这个问题,NASA对MODIS数据处理和管理方面采取了分别处理的方法,为此根据不同的目的和任务组建了 MODIS 数据处理与应用的研究队伍,分为 4 个研究小组:大气、陆地、海洋、定标定位。每个小组根据各自的目的建立了 MODIS 数据处理模式和算法。其中 NASA 的各个科研小组利用 MODIS 数据制作了 4 类产品:大气产品、陆地产品、海洋产品、定标定位产品,分别由 4 个数据中心提供。

表 2-1　MODIS 的波段与应用领域

波段	光谱范围/nm	光谱带宽/nm	地面分辨率/m	主要应用领域
1	620~670	50	250	植物叶绿素吸收
2	841~876	35	250	云、植物、土地覆盖
3	459~479	20	500	土壤、植被差异
4	545~565	20	500	绿色植被
5	1 230~1 250	20	500	冠层差异
6	1 628~1 652	20	500	雪云差异
7	2 105~2 135	50	500	土地、云特征
8	405~420	15	1 000	海洋水色、浮游生物
9	438~448	10	1 000	
10	483~493	10	1 000	
11	526~536	10	1 000	
12	546~556	10	1 000	海水水色、沉积物
13	662~672	10	1 000	沉积物、大气
14	673~683	10	1 000	叶绿素荧光
15	743~753	10	1 000	气溶胶特征
16	862~877	15	1 000	气溶胶、大气特征
17	890~920	30	1 000	云、大气温度
18	931~941	10	1 000	
19	915~965	50	1 000	
20	3 660~3 840	180	1 000	海面温度
21	3 929~3 989	50	1 000	林火、火山
22	3 929~3 989	50	1 000	云、表面温度
23	4 020~4 080	50	1 000	
24	4 433~4 498	50	1 000	大气温度
25	4 482~4 549	50	1 000	

表 2-1(续)

波段	光谱范围/nm	光谱带宽/nm	地面分辨率/m	主要应用领域
26	1 360~1 390	30	1 000	气溶胶
27	6 535~6 895	360	1 000	大气湿度
28	7 175~7 475	300	1 000	
29	8 400~8 700	300	1 000	表面温度
30	9 580~9 880	300	1 000	臭氧
31	10 780~11 280	500	1 000	云、表面温度
32	11 770~12 270	500	1 000	云顶高度、表面温度
33	13 185~13 485	300	1 000	云顶高度
34	13 485~13 785	300	1 000	
35	13 785~14 085	300	1 000	
36	14 085~14 385	300	1 000	

NASA 对 MODIS 数据在接收和使用方面采取全世界范围内免费接收和鼓励使用的政策,故从数据使用和经济角度看,MODIS 数据具有其他商用卫星无可比拟的优势。

MODIS 标准数据产品分级系统由 6 级数据构成,它们分别是:0 级、1 级、2 级、3 级、4 级和 5 级。级别越高,产品的质量越好,一般认为 2 级以上的产品通过了较严格质量控制,具有较高的精确度,是可以直接用来做科学分析的数据类型。NASA 发布的 MODIS 数据有两个版本:临时的 V003 和经确认的 V004。V003 版本的数据质量没有经过确认,一般情况下不能用来做科学分析;V004 版本的数据通过了具有代表性的测试和确认,可以直接用来做科学分析,研究中采用的 MODIS 产品数据均为经过 V004 及以上版本确认。

MODIS 产品都是以 HDF 格式存储。HDF(层次型数据格式,Hierarchical Data Forma)是 NASA 开发的一种共享科学数据格式。由于 MODIS 数据量巨大并分散,各个研究机构和大学的研究人员需要将研究成果统一起来,这就是 HDF 格式产生的原因。

MODIS 数据产品的地理投影方式采用正弦投影。正弦投影(projection,SIN),是将全球在纬度上分为 18 个,经度上分为 36 个,每个块(tile)占据 10°×10°的面积,左上角表示为 h0v0,右下角表示为 h35v17。SIN 投影的好处是可以根据所要研究区域的经纬度确定 tile 的行列号,直观明了,从而方便下载数据,如图 2-1 所示。

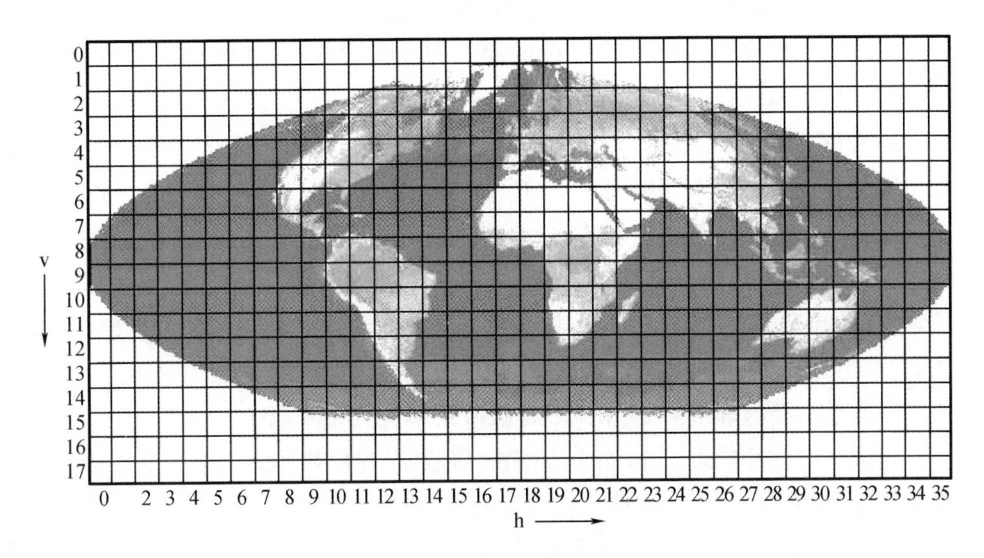

图 2-1　MODIS 数据 tile 分布

EOS/MODIS 数据在农业旱情监测上有以下优势。

(1) MODIS 传感器的灵敏度和量化精度要比 AVHRR 高，仪器的辐射分辨率达到 12 bit，温度分辨率可达到 0.03 ℃，量化等级也要比其他传感器的等级高，因此更适合旱情的监测，对于旱情发现与监测也更准确。

(2) MODIS 传感器每天至少在全国范围内过境进行对地观测一次，一般情况为两次，高时效性解决了对旱情进行连续观测时难以获得数据源的问题。

(3) MODIS 的可见光-近红外波段范围比 AVHRR 的范围窄，在描述植被信息时比 AVHRR 的干扰明显减少；MODIS 的近红外波段的水汽吸收区被剔除，因而这个红外波段对植物叶绿素的吸收就更为敏感。

因此，MODIS 传感器非常适合对大范围、长时期、动态的土壤水分和干旱的监测。

2.1.1.1　MODIS 数据获取方法

MODIS 数据除能够在国内外相关网站获取外，还能够在接收站获取。

1. MODIS 数据的直接获取——MODIS 数据接收地面站

利用 NASA 对 MODIS 直接广播的数据政策，全世界范围内均可以免费、自由通过建立地面接收站的方式直接获取数据。

MODIS 小型地面站采用 3 m 天线就能够满足数据接收需要,必要的硬件设备包括:天线面、适应 X 波段的变频器,适应 2 颗卫星 MODIS 直播数据的解调器以及相应的计算机等。相应的软件系统包括卫星自动跟踪、直播数据接收和处理系统等。地面接收站的建设在工程上的要求表现在设备组装对防磁、防雷、防静电、抗风、防雨等。

MODIS 数据接收范围比较宽,除了 MODIS 数据本身设计的特点外,数据接收角度和数据覆盖范围与地面接收站所处的环境有较大关系。在一般情况下,如果以在北京 3 度角起始接收的话,可以接收到覆盖我国大多数面积的数据。

我国 MODIS 共享平台设计了 4 个不同地理位置数据汇集系统,包括北京、乌鲁木齐、拉萨和三亚。这样可以保障全国数据和我国邻接地区的数据的获取。

2. 通过直接与邻近的 MODIS 数据接收站单位联系获取

我国目前已经建设了 30 余个 MODIS 接收站,这些接收站不同程度地接收、存储数据。用户也可以与这些单位联系获取 MODIS 数据。除了国家卫星气象中心、中国科学院地理科学与资源研究所、中国农业科学院农业资源与农业区划研究所、中国科学院新疆生态与地理研究所以外,还有中国科学院遥感研究所、国家卫星海洋应用中心、北京市生态环境监测中心、北京市园林绿化局、自然资源部第一海洋研究所、内蒙古大学、中国农业科学院草原研究所、内蒙古师范大学、内蒙古自治区气象局、华中科技大学、南京大学、南京信息工程大学、杭州市气象局、陕西省气象局、云南省气象局、青海省气象局、西藏自治区气象局、贵州省气象局、甘肃省气象局、广东省气象局、新疆维吾尔自治区气象局等。

3. 通过建立通信卫星数据广播接收站获取数据

国家对地观测系统 MODIS 共享平台正在建设通过通信卫星采取数据直接广播的方式发布 MODIS 数据。数字卫星电视系统(Digital Satellite TV System),DVB-S,是通过租用通信卫星信道,由 MODIS 数据中心将处理后的 0 级数据(PDS 数据)以二次广播的方式向全国用户主动分发,它由广播中心和用户接收小站组成。DVB-S 适应所有用户,不管用户是否对数据具有时效要求。首先国家 MODIS 数据中心建设 DVB-S 上行站,采用一点对多点的广播模式进行数据广播,接收小站采取标准网络接收方式。DVB-S 中心由播出服务器、打包机、DVB-IP 路由设备、播出软件及用户管理软件组成,用户端安装终端接收设备,包括天线(最小尺寸为 1.2 m,1.8 m)、接收机、DVB 路由器、PC 机等硬件以及相应的软件配套系统(图 2-2)。

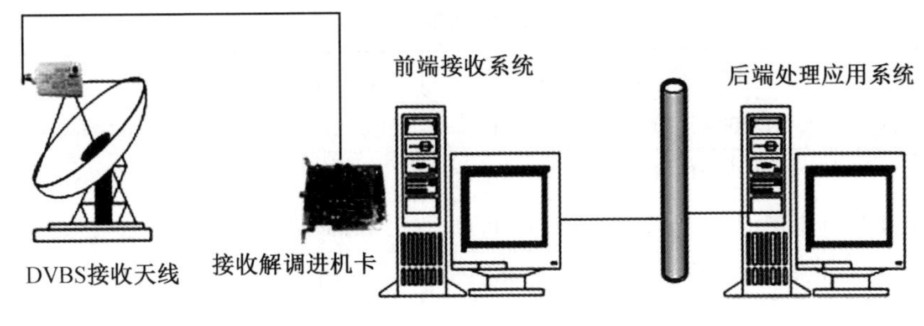

图 2-2　硬件系统组成

目前,平台广播的数据有:中国 FY-1D 卫星资料;美国 NOAA16 卫星资料;美国 NOAA17 卫星资料;美国 NOAA18 卫星资料;美国 EOS/AUQA(MODIS)卫星资料;美国 EOS/TERRA(MODIS)卫星资料。

2.1.1.2　MODIS 数据产品

1. MODIS 地温产品

MODI 数据共有 7 种地表温度产品,分别是 MOD11_L2、MOD11A1、MOD11B1、MOD11A2、MOD11C1、MOD11C2、MOD11C3(表 2-2)。MOD11_L2 是条带数据,空间分辨率为 1 km,没有地图投影。MOD11A1 和 MOD11A2 将条带数据进行了投影,分辨率仍为 1 km,可用于局部地区地表温度的遥感监测和分析,两者的区别是时间分辨率不同,用户可以根据实际需要选择日产品(MOD11A1)或 8 日平均产品(MOD11A2)。MOD11B1 产品是将 MOD11A1 产品经重采样形成的,空间分辨率为 5 km,B1 产品的主要目的是生成全球产品 MOD11C1,因而 MOD11B1 也是中间产品。MOD11C1、MOD11C2、MOD11C3 均为全球产品,空间分辨率均为 0.05°,它们之间的区别也是时间分辨率的不同。MOD11C1 产品由 B1 产品拼接后重采样生成,C2 产品由 C1 产品 8 d 的数据简单的平均而得到,而 MOD11C3 产品由 MOD11C1 产品一个月的数据简单的平均而得到。

表 2-2　MODIS 地表温度产品种类

LST 产品种类	行列号	空间分辨率	时间分辨率	地图投影
MOD11_L2	2 030×1 354	1 km	swath(scene)	None(lat,lon referenced)
MOD11A1	1 200×1 200	1 km	daily	Integerized Sinusoidal
MOD11B1	240×240	5 km	daily	Integerized Sinusoidal

表 2-2(续)

LST 产品种类	行列号	空间分辨率	时间分辨率	地图投影
MOD11A2	1 200×1 200	1 km	8 days	Integerized Sinusoidal
MOD11C1	360°×180°	0. 05°×0. 05°	daily	equal-angle geographic
MOD11C2	360°×180°(global)	0. 05°×0. 05°	8 days	equal-angle geographic
MOD11C3	360°×180°(global)	0. 05°×0. 05°	monthly	equal-angle geographic

(1)MOD11_L2 产品。

MOD11_L2 产品是根据 MODIS 的传感器辐射率数据产品(MOD021 KM)、地理信息产品(MOD03)、云掩膜产品(Cloud Mask Product MOD35_L2)、季度地面覆盖产品(the Quarterly Landcover MOD12Q1)、雪产品(MOD10_L2)形成的。输出文件包含地表温度科学数据集(Science Data Sets,SDSs)、质量保证(QA)、地表温度误差、波段 31 和 32 辐射率、天顶角可见和时间、经度和纬度(每一组的经度和纬度对应条扫描线和 5 个像素)、局部属性全局属性。这种产品是利用广义破裂窗算法生成的。为了完整的全球覆盖,MOD11_L2 产品必须使用全球上所有景数据包括极地地区的白天夜晚数据产生。

MOD11_L2 产品包含如下数据项: LST(地表温度)、QC(质量控制)、Error_LST(差错地表温度)、Emis_31(波段 31 辐射率)、Emis_32(波段 32 辐射率)、View_angle(观测角度)、View_time(观测时间)、Latitude(纬度)和 Longitude(经度)。其中前 7 个数据集是 1 km 像素。后 2 个为粗糙分辨率(5 行×5 列)的经纬度数据。LST 中每个集合都对应一个 5 行×5 列区域的中心像素。全局属性 StructMetadata. 0 中规定了地理定位数据到前期科学数据集(SDSs)的映射关系。HDF-EOS SDPTK 工具包在数据处理过程中建立了这些映射关系。将地理定位数据绘制到 SDSs 中去的偏移值为 2,增益值为 5。即地理定位 SDS 中的元素(0,0)对应于 LST SDS 中的元素(2,2),然后从地理定位数据到 LST SDS 元素沿十字坐标或直线坐标方向以 5 个元素递增。

LST(地表温度)以及 Emis_31 和 Emis_32 波段辐射率的数据域,MOD11_L2 产品特征如下:具有 L1b 辐射率数据;晴天情况(99%的可信度);针对陆地和内陆水。

MOD11_L2 产品包含数据如图 2-3 所示。

(1354×2030):Land-surface Temperature
(1354×2030):Quality control for daytine LST and enissivity
(1354×2030):Lond-surface Temperature Error
(1354×2030):Band 31 emissivity
(1354×2030):Band 32 emissivity
(1354×2030):zenith angle of MODIS viewing at the pixel
(1354×2030):Tine of Land-surface Teaperature observation
(270×406):Latitude of every 5 scan lines and 5 pirels
(270×406):Longitude of every 5 scan lines and 5 pixels

图 2-2　MOD11_L2 产品数据

(2)MOD11A1 产品。

MOD11A1 产品为每日的三级水平的地表温度产品在 1 km 的空间分辨率是普通 LST 产品正弦投影网格的基础。其覆盖面积约为 1 100×1 100 km,影像大小为 1 200×1 200,空间分辨率为 1 km(实际为 0.93 km),投影方式为等面正弦投影(SIN)。这种产品能够提供每个像元的地面温度和发射率,由 MODIS 的地理信息数据、辐射率、云掩膜、大气温度、水含量、雪覆盖和地表覆盖参数计算得到。而地面温度又可以作为参数从而形成更高级的产品,同时也可以为全球温度分布图和变化监测提供数据。在陆地上,土壤和灌丛温度是影响植被生长比率主要的因素,能够判断出植物生长的开始和终止。水分的蒸发、雪及冰的融合都能够很明显地影响地表温度,根据这一原则,可以利用地表温度来分类。

MOD11A1 产品的数据集包括 LST_Day_1km, QC_Day, Day_view_time, Day_view_angle, LST_Night_1km, QC_Night, Night_view_time, Night_view_angle,Emis_31, Emis_32, Clear_day_cov, Clear_night_cov,如表 2-3 所示。值得注意的是,V5 Level-3 MODIS LST 产品的尺度因子和 Day_view_angle 白天的较多观天顶的地表湿度的弥补和 Night_view_angle 当地太阳对夜晚的地面温度观测已经改变, 所以一个负面的视角意味着 MODIS 卫星数据网格是从东方观看的。MODIS 卫星数据信息的浏览网格从东面还是西面对理解视角效果 LSTs 时间的变化也许是很重要的,特别是在崎岖不平的地区。

表 2-3　在 MOD11A1 的产品

数据集名	属性名称	数字类型	单位	有效范围	填充值	比例系数	增加偏移
LST_Day_1km	1 km 分辨率的白天地表温度	无符号整数 16	K	7 500~65 535	0	0.02	0.0

表 2-3(续)

数据集名	属性名称	数字类型	单位	有效范围	填充值	比例系数	增加偏移
QC_Day	白天地表温度和发射率的质量控制	无符号整数 8	无	0~255	0	NA	NA
Day_view_time	(当地太阳时)白天的地面温度观测	无符号整数 8	hrs	0~240	255	0.1	0
Day_view_angle	白天的角度观天顶的地表温度	无符号整数 8	deg	0~130	255	1.0	-65.0
LST_Night_1km	1 km 分辨率的夜晚地表温度	无符号整数 16	K	7 500~65 535	0	0.02	0.0
QC_Night	夜晚地表温度和发射率的质量控制	无符号整数 8	无	0~255	0	NA	NA
Night_view_time	(当地太阳时)夜晚的地面温度观测	无符号整数 8	hrs	0~240	255	0.1	0
Night_view_angle	夜晚的角度观天顶的地表温度	无符号整数 8	deg	0~130	255	1.0	-65.0
Emis_31	波段 31 辐射率	无符号整数 8	无	1~255	0	0.002	0.49
Emis_32	波段 32 辐射率	无符号整数 8	无	1~255	0	0.002	0.49
Clear_day_cov	白天晴空覆盖	无符号整数 16	无	0~65 535	0	0.000 5	0
Clear_night_cov	夜晚晴空覆盖	无符号整数 16	无	0-65 535	0	0.000 5	0

(3)MOD11A2 产品。

MOD11A2 为 8 d 的地表温度,选择 8 d 的合成时期是因为两次这样的时期是确切的地面轨道周期重复地平台。LST 是超过 8 天的 MOD11A1 产品 LST 的平均。每日的 MOD11B1 LST 产品采用在从对白天和夜晚 7 个 MODIS TIR 波段(bands 20, 22, 23, 29, and 31~33)观察昼夜产生的 LST 域算法的结果。

MOD11A2 产品介绍见表 2-4。

表 2-4　MODIS11A2 产品介绍

MOD11A2				
数据集名	最小值	最大值	单位	尺度
LST_Day_1km	7 500	65 535	K	0. 02
QC_Day	—	—	—	0
Day_view_time	0	240	hrs	0. 1
Day_view_angl	0	130	deg	1
LST_Night_1km	7 500	65 635	K	0. 02
QC_Night	—	—	—	0
Night_view_time	0	340	hrs	0. 1
Night_view_angl	0	130	deg	1

(4)MOD11C1 产品。

MOD11C1 产品提供温度和发射率的值在 0. 05°纬度/经度气候模型网格(CMG),确切的区域的大小随纬度网格平等的角度变化。

MOD11C1 中温度和发射率的值是由二次投影和在每日 MODIS 卫星数据产品(MOD11B1 域/ E)在 6 km 区域网格正弦投影的平均导出。LST 值从那些用来补充 LSTs 取出昼夜在网格域算法在没有有效的白天与黑夜的观察(通常是高纬地区的地区)的分裂窗算法推广聚集到 6 km 网格。由于这些 LST 补充,LST 的空间覆盖比在 MOD11C 收回的发射率产品的空间覆盖范围大。

MOD11C1 产品中有 16 个数据集,与 MOD11B1 产品的数据集很相似,除了 LST_Day_6km 到 LST_Day_CMG 和 LST_Night_6km 到 LST_Night_CMG 的变化,不包括 LST_Day_6km_Aggregated_from_1km 和 LST_Night _6km_Aggregated_from_1km。

(5)MOD11C2 产品。

LST 产品提供 8 d 混合和 0. 05°纬度/经度网格(CMG)的平均温度和发射率的值,以及平均观察倍和白天和夜间天顶 LSTs 角度。

MOD11C1 产品经过 8 d 简单复合和平均得到温度和发射率的值。

MOD11C2 产品包含 17 个数据集,如表 2-5 所示。

表 2-5　MOD11C2 产品的数据集

数据集名	全称	数据类型	单位	有效范围	填充值	比例系数	增加偏移
LST_Day_CMG	8-day daytime 3 min CMG Land-surface Temperature	无符号整数 16	K	7 500~65 535	0	0. 02	0. 0
QC_Day	Quality control for daytime LST and emissivity	无符号整数 8	无	0~255	0	NA	NA
Day_view_time	Averaged time of daytime LST observation (UTC)	无符号整数 8	hrs	0~120	255	0. 2	0
Day_view_angle	Averaged view zenith angle of daytime land-surface temperature	无符号整数 8	deg	0~130	255	1. 0	-65. 0
* Clear_sky_days	the days in clear-sky conditions and with validate LSTs	无符号整数 8	无	0~255	0	NA	NA
LST_Night_CMG	8-day nighttime 3 min CMG land-surface temperature	无符号整数 16	K	7 500~65 535	0	0. 02	0. 0
QC_Night	Quality control for nighttime LST and emissivity	无符号整数 8	无	0~255	0	NA	NA
Night_view_time	Averaged time of nighttime LST observation (UTC)	无符号整数 8	hrs	0~120	255	0. 2	0
Night_view_angle	Averaged view zenith angle of nighttime land-surface temperature	无符号整数 8	deg	0~130	255	1. 0	-65. 0
* Clear_sky_nights	the nights in clear-sky conditions and with validate LSTs	无符号整数 8	无	0~255	0	NA	NA
Emis_20	Band 20 emissivity	无符号整数 8	无	1~255	0	0. 002	0. 49
Emis_22	Band 22 emissivity	无符号整数 8	无	1~255	0	0. 002	0. 49
Emis_23	Band 23 emissivity	无符号整数 8	无	1~255	0	0. 002	0. 49

表 2-5(续)

数据集名	全称	数据类型	单位	有效范围	填充值	比例系数	增加偏移
Emis_29	Band 29 emissivity	无符号整数 8	无	1~255	0	0.002	0.49
Emis_31	Band 31 emissivity	无符号整数 8	无	1~255	0	0.002	0.49
Emis_32	Band 32 emissivity	无符号整数 8	无	1~255	0	0.002	0.49
Percent_land_in_grid	Percentage of land in the grid	无符号整数 8	无	0~100	0	1.0	0

* 在相应的白天或晚上,每一位在 8 位无符号整数表示晴空(1)而不是(0)。位 00 用于第一天白天或者晚上,位 7 则用于 8 d 里的最后一个白天或晚上。

(6)MOD11C3 产品。

LST 产品提供以月为单位的和 0.05°纬度/经度网格(CMG)的平均温度和发射率的值,以及平均观察和白天和夜间天顶 LSTs 角度。

MOD11C1 产品的温度和发射率的值由一个日历月简单的复合和平均产生。

MOD11C3 产品中同样包含 17 个数据集。

(7)MOD11B1 产品。

每日的三级 LST 产品在 6 km 的空间分辨率是每日的 LST 产品在正弦投影网格的基础。一个 200×200 的基础网格包括 200 行、200 列。6 km 的空间分辨率的确切网格尺寸是 5.56 km。

每日的 MOD11B1 LST 产品采用在从对白天和夜晚 7 个 MODIS TIR 波段(bands 20, 22, 23, 29, and 31~33)观察昼夜产生的 LST 域算法的结果。

昼夜域算法的约束条件包括:

①白天太阳天顶观测角度不大于 75°;

②黑夜太阳天顶观测角度大于 90°(在晚上没有太阳辐射观测);

③时刻昼夜差异现象不能超过 32 d;

(4)亮度温度 Tb31(昼间)>=198 K 和 Tb31(夜间)>=195 K,因为资料信噪 MWIR TIR 波段 20(用于昼夜算法)在较低的温度下会变得非常小。

这些约束域/率明显限制极地检索。因为一个 12-bit 线性量化用于所有的 MODIS TIR 波段,MWIR 波段 20 和 22 在夏季白天的干旱和半干旱地区充满热点。昼夜域算法不能用于饱和情况是因为在波段 20 和 22 缺乏有效的数据。

MOD11B1 产品的数据集包括 LST_Day_6km, QC_Day, Day_view_time, Day_view_angle, LST_Night_6km, QC_Night, Night_view_time, Night_view_angle,Emis_20, Emis_22, Emis_23, Emis_29, Emis_31, Emis_32,Percent_land_in_grid, LST_Day_6km_Aggregated_from_1km and LST_Night_6km_Aggregated_from_1km。最后的两个数据集是 level-2 MOD11_L2 产品通过 1 km 波段 316 km 网格的辐射观产生的白昼和夜晚的 LSTs。它们可以用来补充 LST_Night_6km 和 LST_Day_6km,为全局浏览图像。它们的细节都显示在表 2-6 中。

表 2-6 MOD11B1 产品的数据集

数据集名	全称	数据类型	单位	有效范围	填充值	比例系数	增加编语
LST_Day_6km	Daily daytime 6 km grid land-surface temperature	无符号整数 16	K	7 500~65 535	0	0.02	0.0
QC_Day	Quality control for daytime LST and emissivity	无符号整数 8	无	0~255	0	NA	NA
Day_view_time	(local solar) Time of daytime land-surface temperature observation	无符号整数 8	hrs	0~120	255	0.2	0
* Day_view_angle	View zenith angle of daytime land-surface temperature	无符号整数 8	deg	0~130	255	1.0	-65.0
LST_Night_6km	Daily nighttime 6 km grid land-surface temperature	无符号整数 16	K	7 500~65 535	0	0.02	0.0
QC_Night	Quality control for nighttime LST and emissivity	无符号整数 8	none	0~255	0	NA	NA
Night_view_time	(local solar) Time of nighttime land-surface temperature observation	无符号整数 8	hrs	0~120	255	0.2	0

表 2-6(续)

数据集名	全称	数据类型	单位	有效范围	填充值	比例系数	增加编语
* Night_view_angle	View zenith angle of nighttime land-surface temperature	无符号整数 8	deg	0~130	255	1.0	-65.0
Emis_20	Band 20 emissivity	无符号整数 8	无	1~255	0	0.002	0.49
Emis_22	Band 22 emissivity	无符号整数 8	无	1~255	0	0.002	0.49
Emis_23	Band 23 emissivity	无符号整数 8	无	1~255	0	0.002	0.49
Emis_29	Band 29 emissivity	无符号整数 8	无	1~255	0	0.002	0.49
Emis_31	Band 31 emissivity	无符号整数 8	无	1~255	0	0.002	0.49
Emis_32	Band 32 emissivity	无符号整数 8	无	1~255	0	0.002	0.49
LST_Day_6km_Aggregated_from_1km	Daily daytime 6 km grid LST aggregated from 1 km	无符号整数 16	K	7 500~65 535	0	0.02	0
LST_Night_6km_Aggregated_from_1km	Daily nighttime 6 km grid LST aggregated from 1 km	无符号整数 16	K	7 500~65 535	0	0.02	0
** QC_Emis	Quality control for retrieved emissivities	无符号整数 8	无	0~255	0	na	na
Percent_land_in_grid	Percentage of land in the grid	无符号整数 8	无	0~100	0	1.0	0

注：* 一个从东地球表面 MODIS 卫星数据的观点在天顶视角指出的负面标志。

** 四位元的 03~00 是同时观察(如果 LST_Day_6km 有效时夜晚观察,反之白天观察)的标志角度,0~15 为指标的角度范围的同时次级观察:0~7 如果是东面视角(0 在西部末端的扫描行);8~15 如果是西面视角(15 在东部末端的扫描行)。这三位 06~04 用于与 MODIS 昼夜观察的时差,0~7 作为一对时间,7 代表范围从 7~16(14~32 d)。点 7 是 DEM 坡度标志,key 0=DEM 坡度不被考虑或者 1=DEM 坡度考虑在昼夜算法。在全局角度从天定表面 0°~65°有八个视角范围,分别是 0°~10°, 10°~20°, 20°~30°, 30°~39°, 39°~47°, 47°~54°, 54°~60°和 60°~65°度。

2. MODIS 植被指数数据产品

MOD13 为植被指数产品,包括以下几种数据:

①MOD13Q1:16-day 250 m VI (high resolution/ limited production);

②MOD13A1:16-day 500 m VI (high resolution/ globally produced);

③MOD13A2:16-day 1 km VI (standard resolution/ globally produced);

④MOD13A3:Monthly 1 km VI (standard resolution/ globally produced);

⑤MOD13C1: 16-day 25 km VI (coarse resolution (CMG)/ globally produced);

⑥MOD13C2: Monthly 25 km VI (coarse resolution (CMG)/globally produced)。

MODIS 植被指数数据产品以 tile 为基本单位,其投影方式为 integerized sinusoidal (ISIN) grid 投影。植被指数是以 L2 每天的表面反射率产品(MOD09 series),反射率产品经过了分子散射、臭氧吸收,以及气溶胶校正,最后合成了 16 d 的 250/500 m 或者 1 km 植被指数产品,其中 1 km 植被指数产品需要将 250 m 和 500 m 数据像元利用“MODAGAGG”算法规划至 1 km。

植被指数产品包含了许多 SDSs:16 d 的 NDVI、EVI 值,16 d 的 NDVI、EVI 的质量评估(QA),剩余的红(band1)、近红(band2)、中红(band6)以及蓝(band3)的反射产率,卫星高度,太阳高度以及相对的方位角,250 m EVI 利用到了 500 m 分辨率的去除气溶胶效应的蓝波段。

(1) MODIS MOD13Q1 (MODIS/Terra VegetationIndices 16-Day L3 Global 250 m SIN Grid) 数据是采用正弦投影方式的三级网格陆地植被数据产品,拥有 250 m 的空间分辨率 16 d 间隔高时相大尺度数据。

MODIS MOD13Q1 数据产品一共有 NDVI, EVI, VI_Quality, red_reflectance 12, NIR_reflectance, blue _reflectance 等 12 个波段。其中,MODIS 归一化植被指数(NDVI) 是对 AVHRR(NOAA 数据产品) 的 NDVI 产品的有益补充,提供了更高分辨率持续性的时间序列影像数据。MODIS 新的增强型植被指数(EVI) 最大限度地减少了树冠背景的变化,并保持了茂密的植被条件的敏感性。

MODIS 植被指数可用于植被状况的全球监测和产品展示，土地覆盖和土地覆盖变化，可以利用这些数据模拟全球生物地球化学和水文过程与全球和区域气候，表征地表生物物理性质和过程等。

(2) MOD13A1(500 m 分辨率植被指数 16 d 合成产品)。

MOD13A1 数据是 MODIS 的 3 级产品，内容为栅格归一化植被指数和增强型植被指数(NDVI/EVI)，该产品在 1B 数据的基础上，对由遥感器成像过程产生的边缘畸变进行校正，提供每 16 d 为周期将全年划分为 23 个时段的 500 m 空间分辨率的 3 级正弦投影产品。

(3) MOD13A2(1 km 分辨率植被指数 16 d 合成产品)。

MOD13A2 为 16 d 合成正弦曲线投影网格产品，空间分辨率为 1 km，内容包括归一化植被指数(NDVI)和增强型植被指数(EVI)。

(4) MOD13A3(1 km 月植被指数 L3 产品)。

全球 MOD13A3 数据提供每月 1 km 分辨率的 3 级正弦曲线投影网格产品，包含每月的 NDVI, EVI, VI_Quality, red_reflectance 12, NIR_reflectance, blue_reflectance 等 11 个波段。月产品加工过程中，算法吸收全部 16 d 覆盖全月的 1 km 产品，若大气中无云，采用时间加权平均方法，或者采用最小值以防云影响。植被指数用于全球植被状况的监测和显示土地覆盖及土地覆盖变化产品。这些数据可作为模拟全球生物地球化学和水文过程全球、区域气候的输入。这些数据也可以用于刻画地球表面生物属性和过程，包括初级生产和土地覆盖转变。

2.1.2　气象数据

1. 国家气象站监测数据

黑龙江省气象站点分布如表 2-7 所示，气象数据(2000—2019 年)包括各站点监测的逐月(5~9 月)平均气温和降水量数据，其来源于国家气象信息中心，有效数据近 6 000 个。

表 2-7　黑龙江省气象站信息

台站名称	经度/(°·min)	纬度/(°·min)
漠河	122.31	52.58
塔河	124.43	52.21
新林	124.2	51.42

表 2-7(续)

台站名称	经度/(°·min)	纬度/(°·min)
呼玛	126.39	51.43
黑河	127.27	50.15
嫩江	125.14	49.10
孙吴	127.21	49.26
北安	126.31	48.17
克山	125.53	48.03
富裕	124.29	47.48
齐齐哈尔	123.55	47.23
海伦	126.58	47.26
明水	125.54	47.10
伊春	128.55	47.44
鹤岗	130.16	47.2
富锦	131.59	47.14
泰来	123.25	46.24
绥化	126.58	46.37
安达	125.19	46.23
铁力	128.01	46.59
佳木斯	130.17	46.49
依兰	129.35	46.18
宝清	132.11	46.19
哈尔滨	125.15	45.42
通河	126.46	45.45
尚志	128.44	45.58
鸡西	127.58	45.13
虎林	130.56	45.18
牡丹江	132.58	45.46
绥芬河	129.36	44.34
肇州	131.10	44.23

2. 地面实测数据

地面实测数据包含土壤墒情、土壤相对含水量等，在干旱监测模型的研究中，主要用于地面验证时与遥感反演数据进行拟合，验证干旱监测模型的精度和准确度，为干旱的定量化反演提供参考和依据。

土壤墒情即田间土壤含水量及其对应的作物水分状态，土壤含水量是干旱的指标之一，它在地表与大气界面的水分和能量交换中起重要作用；土壤墒情数据也是决定土地沙化、植被覆盖和干旱的重要因素之一，是旱情监测的基础，旱情监测主要针对农业耕地，通常以耕层土壤含水量为指标。

(1)在气候领域，土壤含水量决定太阳辐射能用于潜热和显热的比例，影响土壤的蒸发和植被的蒸腾；

(2)在水文方面，土壤含水量与降雨、径流和入渗密切相关；

(3)在农业生产上，土壤水分是农作物发芽、生长发育的基本条件，它还影响着土壤侵蚀和蒸发，土壤水分是气候、水文、作物生长模拟等模型中的重要初始参数。

土壤墒情有两种度量方法：一种是质量含水量，是指一定体积土壤中水分的质量占干土(在 105℃条件下，烘干至恒重的土壤)质量的百分比；另一种是容积含水量，指土壤中水分的容积占土壤总容积的百分比。二者之间可以相互转化，容积含水量等于质量含水量与土壤容重的乘积。

本书用到的土壤墒情数据是每旬观测一次(每月的 1 日、15 日、30 日各观测一次)，包括 10 cm、20 cm、30 cm、40 cm、50 cm 深度的土壤含水量数据，取值范围在 0~99%，代表了土壤绝对湿度。土壤绝对湿度数据受土壤质地的影响，不能明确用于评价土壤旱情。为了消除不同质地对旱情评价的影响，需要对土壤绝对湿度数据进行修正处理，得到土壤相对含水量数据。为此，引入各站点的田间持水量数据。田间持水量是一个土壤水分常数，是衡量土壤保水性能的重要指标。将质量含水量与田间持水量做比较，可以得到土壤相对含水量，即土壤相对含水量(relative soil moisture，RSM)的计算公式为

$$\mathrm{RSM}=\frac{\text{质量含水量}}{\text{田间持水量}}\times 100\%$$

土壤相对含水量可以在一定程度上抵消土壤质地的影响，同时也能起到简化旱情评价指标的作用。因为土壤相对含水量与旱情等级之间有一个统一的标准，可以划分干旱等级来进行干旱程度的评价。本书涉及数据包括 10 cm 和 20 cm 土壤相对含水量数据，分别用于分析遥感干旱指数在不同土壤深度的适用性以及对土壤水分的敏感性。

由于天气、人为等因素的影响,各个测点并不是每旬都有土壤含水量数据,如冬季我国北方地区土壤封冻,不能测量土壤水分,所以墒情监测站点数据具有不均匀性和不稳定性。土壤水分观测站点空间分布的不均匀性和季节性等不可抗拒的因素对土壤水分观测的限制,会影响土壤水分资料的时空分布的不均匀性和时间的不连续性,会对资料数据的分析产生影响。由于部分采集站点数据不连续,部分年份的土壤相对含水量数据存在缺失或无观测的现象,为保证试验的准确性,将试验时间内观测数据缺失严重的站点排除,最后统计出可用站点的土壤相对含水量数据参与试验分析。

2.1.3 耕地数据

耕地提取的方法很多,这里从 MODIS 三级数据土地覆盖类型产品提取耕地。MODIS 三级数据土地覆盖类型产品(Land Cover Data)是 Terra 和 Aqua 一年观测数据经过处理的结果,描述了土地覆盖的类型。该土地覆盖数据集中包含了 17 个主要土地覆盖类型,根据国际地圈生物圈计划(IGBP),其中包括 11 个自然植被类型,3 个土地开发和镶嵌的地类和 3 个非草木土地类型定义类。

MODIS Terra+Aqua 三级土地覆盖类型年度全球 500 m 产品 MCD12Q1 采用 5 种不同的土地覆盖分类方案,信息提取主要技术是监督/决策树分类。下面是该数据中包含的 5 个数据集,总体分类精度范围在 74.8%±1.3%,5 个分类方案如下:

(1)土地覆盖分类 1:IGBP 的全球植被分类方案;

(2)土地覆盖分类 2:美国马里兰大学(UMD 格式)方案;

(3)土地覆盖分类 3:基于 MODIS 叶面积指数/光合有效辐射方案;

(4)土地覆盖分类 4:基于 MODIS 衍生净初级生产量(NPP)方案;

(5)土地覆盖分类 5:植物功能型(肺功能)方案。

MCD12Q1 是 HDF 格式的,包含 13 个数据集,如表 2-8 所示。

表 2-8 MCD12Q1 数据集说明

数据集全名	简称	描述	单位	数据类型	有效范围	填充值
Land Cover Type 1	LC_Type1	Annual IGBP classification	Class#	8-bit unsigned	1~17	255

表 2-8(续)

数据集全名	简称	描述	单位	数据类型	有效范围	填充值
Land Cover Type 2	LC_Type2	Annual UMD classification	Class#	8-bit unsigned	0~15	255
Land Cover Type 3	LC_Type3	Annual LAI classification	Class#	8-bit unsigned	0~10	255
Land Cover Type 4	LC_Type4	Annual BGC classification	Class#	8-bit unsigned	0~8	255
Land Cover Type 5	LC_Type5	Annual PFT classification	Class#	8-bit unsigned	0~11	255
Land Cover Property 1	LC_Prop1	LCCS1 land cover layer	Class#	8-bit unsigned	1~43	255
Land Cover Property 2	LC_Prop2	LCCS2 land cover layer	Class#	8-bit unsigned	1~40	255
Land Cover Property 3	LC_Prop3	LCCS3 surface hydrology layer	Class#	8-bit unsigned	1~51	255
Land Cover Property 1 Assessment	LC_Prop1_Ass	LCCS1 land cover layer confidence	Percent ×100	8-bit unsigned	0~100	255
Land Cover Property 2 Assessment	LC_Prop2_Ass	LCCS2 land use layer confidence	Percent ×100	8-bit unsigned	0~100	255
Land Cover Property 3 Assessment	LC_Prop3_Ass	LCCS3 surface hydrology layer confidence	Percent ×100	8-bit unsigned	0~100	255
Land Cover QC	QC	Product quality flags	Flags	8-bit unsigned	0~10	255
Land Water Mask	LW	Binary land (class 2)/ water (class 1) mask derived from MOD44W	Class#	8-bit unsigned	1~2	255

在软件中分别打开 Land_cover_type1 到 Land_cover_type5，是五类分类方案的分类图，图像上的 DN 值各个值都代表某一地物类型，具体意义如表 2-9 所示。

表 2-9　五类分类方案 DN 值代表地物类型表

数据集	Land_cover_type1	Land_cover_type2	Land_cover_type3	Land_cover_type4	Land_cover_type5
	分类方案				
DN 值	IGBP 的全球植被分类	马里兰大学植被分类	由 MODIS 数据得到的叶面积指数/植被光合有效辐射分量	由 MODIS 数据得到的净初级生产量	植物功能型分类
0	水	水	水	水	水
1	常绿针叶林	常绿针叶林	草地/谷类作物	常绿针叶植被	常绿针叶林
2	常绿阔叶林	常绿阔叶林	灌木	常绿阔叶植被	常绿阔叶林
3	落叶针叶林	落叶针叶林	阔叶作物	落叶针叶植被	落叶针叶林
4	落叶阔叶林	落叶阔叶林	热带草原	落叶阔叶植被	落叶阔叶林
5	混交林	混交林	阔叶林	一年期落阔叶林植被	灌木
6	稠密灌丛	稠密灌丛	针叶林	一年期草地植被	草地
7	稀疏灌丛	稀疏灌丛	非植被	非植被用地	谷类作物
8	木本热带稀树草原	木本热带稀树草原	城市	城市	阔叶作物
9	热带稀树草原	热带稀树草原	—	—	城市和建筑区
10	草地	草地	—	—	雪和冰
11	永久湿地	—	—	—	稀疏植被
12	耕地	耕地	—	—	—
13	城市和建筑区	城市和建筑区	—	—	—
14	农用地/自然植被拼接	—	—	—	—
15	雪和冰	—	—	—	—
16	稀疏植被	—	—	—	—
254	未分类	未分类	未分类	未分类	未分类
255	背景值	背景值	背景值	背景值	背景值

研究耕地信息采用 Land_cover_type1 数据集的 IGBP 全球植被分类中 DN 值为 12 的相元,总体分类精度范围在 74.8%±1.3%。

2.2　数据处理

1. 投影变换

利用 ModisTool 工具,将 MOD11A2 和 MOD13A2 产品数据进行投影转换,投影采用 Albers Equal Area,分辨率为 1 000,基准面为 WGS-84,输出格式为 GEOTIFF,具体步骤如图 2-5 所示。

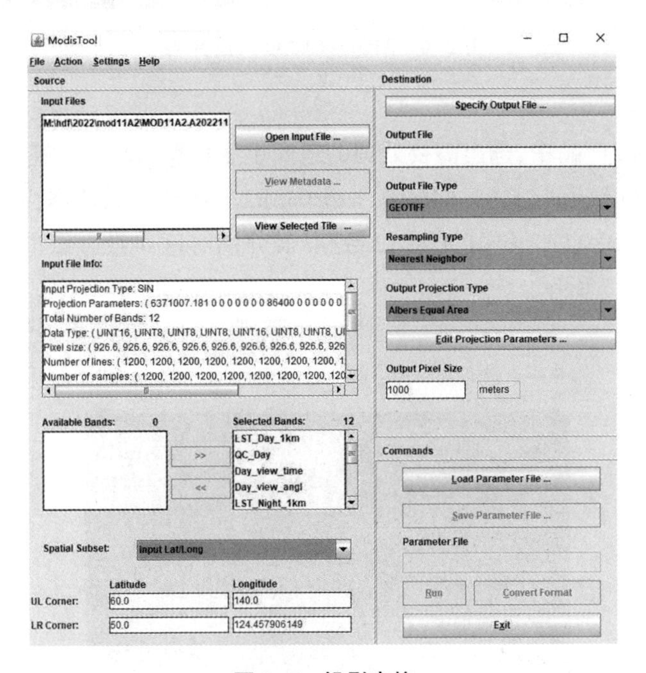

图 2-5　投影变换

2. MOD11A2 数据合成

MOD11A2 产品为 8 天合成,MOD13A2 产品为 16 d 合成,同时用 MOD11A2 和 MOD13A2 产品分析需先将两个产品时间相匹配,统一为 16 d 合成。因此,采用最大值合成方法原则将两景 MOD11A2 产品合成新的 MOD11A2 16 d 合成产品。此步骤在专业软件 ENVI 中进行,如图 2-6 所示。

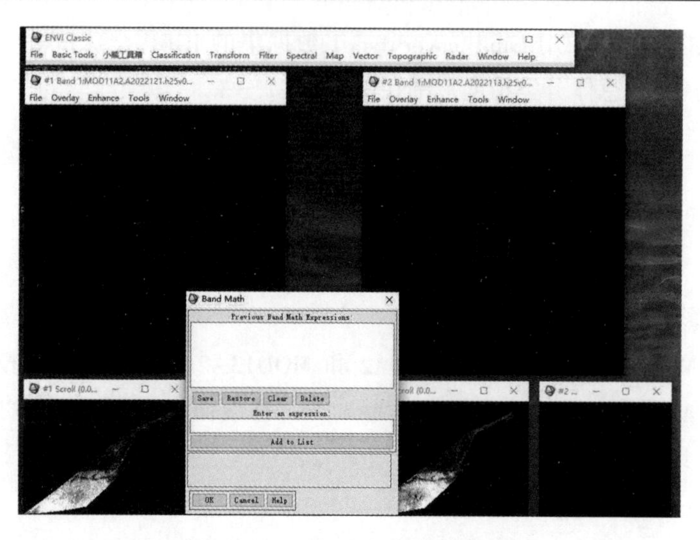

图 2-6　MOD11A2 最大值合成

3. 影像镶嵌

MOD11A2 产品中,选出需要处理的地面温度数据(LST)。覆盖黑龙江省全区需要 MODIS 轨道 h25v03、h26v03、h26v04、h27v04 共 4 景数据,要得到黑龙江全区覆盖的 MOD11A2 和 MOD13A2 数据,需分别对这 4 景影像进行影像镶嵌。其过程如图 2-7 所示。

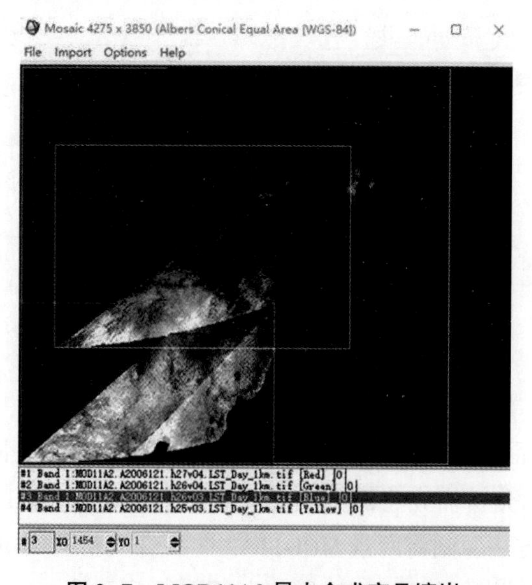

图 2-7　MOD11A2 最大合成产品镶嵌

4. 影像裁切

对镶嵌完的 MOD11A2 和 MOD13A2 数据,分别利用黑龙江省矢量图进行研究区的裁剪,并得到研究区内 1 km 分辨率的 LST 产品和 NDVI 产品。黑龙江省边界矢量图与 MOD13A2 数据共同加载显示,裁切后即为黑龙江省域范围内的 MOD13A2 结果。

5. 波段运算

MOD11A2 产品中的 LST 数据和 MOD13A2 产品中的 NDVI 数据的 DN 值均不是其代表数据的正常值,如 LST 值在 0~400,NDVI 为 0~1,模型计算中需要输入数据的真实显示值,需对 LST 及 NDVI 的 DN 值进行转换,转换公式如下:

$$DN_{NDVI真值} = DN_{NDVI} * 0.0001 \tag{2-2}$$

$$DN_{LST真值} = DN_{LST} * 0.1 \tag{2-3}$$

第3章　改进的表观热惯量法反演土壤含水量研究

3.1　研究进展

土壤热惯量是度量土壤阻止其自身温度变化能力大小的物理量,它是物质热特性的一种综合量度,反映了物质与周围环境能量交换的能力。对于确定的土壤类型,热惯量随土壤水分增加而增大,据此建立两者关系监测土壤水分。遥感土壤含水量的基本原理是:当土壤含水量低时,就会出现干旱;当土壤干燥时,昼夜温差大,而土壤含水量高时,昼夜温差小。只要用遥感方法获得一天内土壤的最高温度和最低温度,通过模型就可以计算出土壤含水量,这种方法也称为热惯量法。

通常只要装载有多波段传感器即可遥感监测地表热特性及其变化,常用的有多光谱航空遥感、热容量制图卫星以及 TIROSS、NOAA 系列气象卫星的图像资料。航空遥感虽分辨率高,但价格昂贵,较适宜于试验研究。在我国目前情况下,用 NOAA 系列气象卫星的数字图像计算热惯量、估算土壤水分是较为有效和经济的方法。NOAA 气象卫星的甚高频辐射计 AVHRR 有 5 个通道,其中第 1、2 通道为可见光,第 3、4、5 通道为红外通道;其空间分辨率在星下为 1 km×1 km,晴天条件下每天可获得两次资料,时间和空间分辨率都能满足大面积监测土壤水分变化趋势的需要。资料获取方便,一般有卫星资料接收装置的单位都能接收,并且成本低。因此,其资料在我国目前被广泛采用。

最早 Watson 以地表温度日较差为核心提出了一个热惯量计算模型,并将热惯量模型用于地质分类研究;Kahle 等运用可见光和红外波段得到了第一个热惯量影像,此后 Kahle 在热辐射传输的基础上,利用有限差分技术将地气间的显热通量和潜热通量引入地表能量平衡方程中来计算热惯量,并且对已有的热惯量模型进行了改进。随后 Price 在地表能量平衡方程基础上,加入“地表综合参量”,提出了一个表观热惯量概念并用来估算了土壤湿度状况;隋洪智用数据计算热惯量,得到植被覆盖度较低条件下土壤表观热惯量与土壤水分的一元线性关系。肖乾广等从土壤的热性质出发,在求解热传导方程的基础上引入了"遥感土壤水分最大信息层"概念,并以此理论建立了多时相的综合土壤湿度统计模型,认为采用幂函数模型比线性模型好。陈怀亮等以热惯量为基础,在GIS的支持下,通过计算地形参数,间接考虑了风速对用NOAA/AVHRR资料监测土壤水分的影响。该方法用数字高程模型(DEM)计算风速和地形参数F、R,计算结果表明:考虑风速后,遥感土壤水分的精度比单用热惯量方法有所提高,风速对遥感土壤水分的影响主要限于土壤浅层。赵玉金和张晓煜考虑了不同植被覆盖率和地理位置、土壤类型等对地表温度日较差的影响,对获得的昼间和夜间通道4亮温的差值进行订正,用订正后的亮温差与土壤水分建立线性模型,在山东和宁夏浅层土壤相对湿度的监测中取得了较好的监测效果。England、Kahle、Bijleveld、张仁华、余涛、刘振华等学者都对热惯量监测土壤水分进行了研究和应用。Majumdar等将热惯量与地表,地质和地理参数如地震、地貌等进行了对比。由于土壤热惯量与土壤水分含量的关系非常密切,在土壤含水量比较高的情况下,土壤热惯量较大,土壤阻碍温度升高或者降低的能力比较强,使得昼夜温差小。因为其模型涉及很多物理参数如近地表气温、陆面温度、空气湿度、风速及表面粗糙度等,因此很难投入实际应用。

以Xue和Cracknell为基础,Sobrino和EI Kharraz利用一天4个时次过境的AVHRR数据,提出了一个无须任何地面数据的算法来进行地表真实热惯量的计算。此算法的一个主要优点就是不需要获得地表比辐射率和大气水汽的信息,直接从遥感数据中获得相应信息。但是,该算法要求应用一天中4个时次的卫星信息,一方面,由于云的存在及其快速变化,一天中同时获得4个时次高质量的卫星图像有一定的困难;另一方面,图像之间的多次配准也带来了更多的问题。Majumdar利用白天和夜间连续的AVHRR数据得到了区域热惯量图。Miltra和Majumdar利用遥感数据获得热惯量信息,根据热惯量信息来探测油田的热异常以及潜在的油田信息。

热惯量法仅采用卫星提供的可见光-近红外反射率和热红外波段提供的地表温度计算热惯量并估算土壤水分状况,这是目前遥感法监测土壤水分状况的主要方法之一。我国热惯量的研究起步比较晚,土壤光谱反射特性是土壤遥感的物理基础,研究不同土壤含水量条件下的光谱反射特性,对于遥感监测土壤水分是重要的,也是必要的。土壤光谱反射特性的研究虽开展得较早,但是直至20世纪70年代后才得以广泛深入地研究,这也主要得益于卫星感遥技术的迅速发展。我国也有不少人就此基础性工作进行了研究。20世纪80年代初,朱永豪等应用光谱辐射计分别研究了可见光-近红外波段和微波波段内表层土壤水分含量对土壤光谱反射率的影响,发现土壤光谱发射特性与土壤含水量可能并非总呈线性关系,这也成为后来热惯量模式修正的依据。同时指出,表观热惯量是对热惯量的简化模型,它与真实热惯量之间有一定的关系。徐彬彬、季耿善等也对土壤光谱反射特性做了较为深入的研究。对土壤水分遥感监测的热惯量模式的研究,我国主要集中于两个方面,即热惯量模式的解析表达式的研究和热惯量与土壤水分含量之间统计模型的研究。

喻光明在阐述了渍害遥感识别的原理的基础上,分析了渍害田湿润土壤的热惯量变化规律,建立了渍害遥感模式,并进行了应用性试验。此外,还有不少人就热惯量模式开展了各种应用性试验,也有一些单位尝试投入业务应用,研究和应用近年来有日趋发展之势。

刘兴文和冯勇进等用可见光-近红外多光谱航空扫描日、夜影像资料求算土壤热惯量,论证了“真实热惯量”与地表反照率、昼夜温差之间的非线性关系,建立了一个二元三次回归方程模型,并据此编制了土壤水分图,用于土壤水分状况的监测和预报。

隋洪智等使用 NOAA/AVHRR 数据计算了热惯量,得到在植被覆盖度较低的条件下,土壤表观热惯量与土壤水分的一元线性关系。肖乾广等用 NOAA 气象卫星资料,研究利用热惯量模型来监测土壤水分,引入了“遥感土壤水分最大信息层”的概念,建立了多时相的土壤水分监测的幂函数模型。结果表明,其精度要高于线性模型。

国内外对热惯量还有许多研究。余涛和田国良则从 Price 等的研究出发,发展了地表能量平衡方程的一种新的化简方法,这样处理以后,可从 NOAA/AVHRR 资料直接反演得到真实热惯量和土壤水分含量的分布。孙晓敏提出了一种利用土壤热通量板、红外测温仪、数据采集器等附加装置,在土壤遮阳降温过程中连续快速地测定土壤热通量和土壤红外辐射温度来估算土壤热惯量的新方法,开创了采用不同水分含量的土壤样本进行热惯量测定的试验方法;肖青等分析了野外实测土壤热红外发射率光谱特性,认为在 8~9.5 μm 土壤的发射率随土壤含水量的增加而增大,由此提出了热红外光谱数据反演土壤含水量的方法。薛勇和马蔼乃用 NOAA/AVHRR 数据根据表观热惯量,考虑地表温度变化的振幅和相位信息,借助于傅里叶级数,推导出了地表真实热惯量,并利用土壤热惯量与土壤含水量的关系计算出了裸土的土壤含水量。

张仁华等则在热惯量模式的改进方面做了很多研究工作,提出了一个可操作的排除显热、潜热输送干扰的热惯量模型,建立了以微分热惯量为基础的地表蒸发全遥感信息模型，其关键是以微分热惯量提取土壤水分可供率而独立于土壤质地、土壤类型等局的参数，以土壤水分可供率推算波文比（感热与潜热之比）而摆脱气温、风速等非遥感参数，并通过净辐射通量和表观热惯量对土壤热通量的参数比较，实现了以全遥感信息反演裸地蒸发（潜热）的目标。

影响土壤热惯量的因素很多，除了土壤含水量外，地形、植被、土壤质地、有机质含量、颗粒矿物组成、土壤表面粗糙度以及空气温度、湿度等都会对土壤热惯量产生影响，只是影响程度的数量级不同。薛勇和马蔼乃的研究表明，地形和植被对热惯量的影响较大。很多模型都不考虑地形和植被对热惯量造成的影响，也就是说，只考虑在平原地区无植被覆盖或者是植被覆盖很少情况下土壤的热惯量。上述几种模式基本上可以反映我国目前在土壤热惯量模式的研究和改进方面所取得的进展和真实水平，尽管研究还不够广泛，但进步却是十分明显的。

目前热惯量模型有很多种，根据所需参数不同表达方式多种多样，但其核心都是通过地表能量平衡方程来实现的。Price 等在能量平衡方程的基础上，经过系统地总结热惯量法及热惯量的遥感成像原理，提出了表观热惯量的概念，从而使采用卫星提供的可见光-近红外通道反射率和热红外辐射温度差来计算热惯量，并估算土壤含水量成为可能；Watson 等提出利用地表温度日较差计算热惯量的方法；徐军、刘兴文、冯勇进、张仁华等诸多学者研究证实了不同类型土壤含水量与相应的热惯量之间呈现显著相关的关系。热惯量方法用于土壤温度监测较稳定，只要能准确得到土壤昼夜温度差，就可以得到相对干旱的程度，估算含水量精度比较高，而且易于实现。更多研究表明，热惯量模型法有以下局限性：

（1）主要是针对土壤裸露地区或作物生长初期（即低植被覆盖）的地区土壤含水量的监测；

（2）要求同时获得白天、夜晚的晴空数据；

（3）昼间和夜间卫星过境被监测地区都要处于两条轨道基本重合的范围。但此方法在植被覆盖达到什么程度后会失效却很少有人提及。

3.2　热惯量遥感信息模型

热惯量是地物阻止其稳定变化幅度的一个物理量。对某一物质来说，热惯量是该物质固有的属性。当地物吸收或释放热量时，地物温度变化的幅度与地物的热惯量呈反比,即热惯量大的物体,其温度的变化幅度小,相反如果物体的热惯量小,则其温度的变化幅度大。因此,热惯量是引起物质表层温度变化的内在因素,可将热惯量作为识别地物的条件之一。

从微观的角度看,热惯量是阻止物体内部分子运动速度变化的阻力。物体的热惯量在热力学中是一个不变的物理量,对应相同特性的地物如岩石、土壤、水体和植被等,其热惯量是常量。根据这个特点,当热惯量有差别时,可以用热惯量来识别地质岩性、监测地表土壤水分、识别植被类型等,特别是在区域尺度上反演土壤热惯量,对监测干旱半干旱地区的土壤水分具有重要的意义。遥感技术的出现,使得热惯量在水文、地质等方面的作用越来越重要。

土壤的热惯量反映了土壤的热特性。关于热惯量方法监测土壤水分的研究已做了大量工作,其理论基础是土壤水分与土壤温度变化的关系。遥感数据各波段在一定程度上含有土壤水分的信息。土壤表面温度的昼夜变化与土壤热特性(热惯量)以及气象因子如太阳辐射、空气温度、相对湿度、风速等有关。气象因子是土壤表面温度昼夜变化的驱动力,土壤热惯量是阻碍土壤表面温度昼夜变化的惯性(物理量)。由于热传导系数和比热容都随土壤水分的增加而增加,所以,土壤水分大其热惯量也大,昼夜温度差变化小,反之亦然。如湿润、含水量高的土壤,在白天受到太阳辐照后,由于其热容量大,升温相对较慢、温度升幅较小,晚上散热也较慢、温度降幅较小;而干燥、含水量低的土壤,其昼夜温度升降幅度大。利用土壤含水量不同所具有的热特性差异,人们提出了监测昼夜土壤的温差,反求土壤含水量的方法。

计算地表表观热惯量所需参数可以完全由卫星传感器提供的数据计算得到,通过建立表观热惯量与土壤水分的关系达到监测土壤水分的目的,这一方法成为目前热红外波段监测土壤水分的主要方法。热惯量监测土壤水分的研究主要集中在以下两个方面:

(1)卫星遥感数据与表观热惯量的解析模型;

(2)表观热惯量与土壤水分含量之间的关系模型。

3.2.1 热惯量模型

土壤热惯量是度量土壤阻止其自身温度变化能力大小的物理量,反映土壤与周围环境能量交换能力的强弱,表征了土壤的热学特性。物理定义为

$$P=\sqrt{\lambda\times\rho\times C} \tag{3-1}$$

式中 P——土壤热惯量;

λ——土壤热传导率;

ρ——土壤密度；

C——比热容。

由于遥感方法不能直接获得土壤热传导率、土壤密度和土壤比热3个参数，以遥感为数据源的热惯量模型主要是通过求解能量平衡方程和热传导方程实现的。在一定情况下，热惯量可近似表示为地表温度的函数，而地表温度主要是由能量平衡和土壤本身热性质决定的，其基本原理是能量平衡和热传导方程。

地表能量平衡方程为

$$R_n = H + \mathrm{LE} + G \tag{3-2}$$

热传导方程为

$$\rho c \frac{\partial T}{\partial t} = \lambda \frac{\partial^2 T}{\partial z^2} \tag{3-3}$$

式中　R_n——地表净辐射，$\mathrm{W/m^2}$；

H——显热通量；

LE——潜热通量；

G——土壤热通量，$\mathrm{W/m^2}$；

T——地表温度，K；

z——土壤深度单位，m。

地表能量平衡方程是描述地表所获得的能量的公式，表征有多少能量到达地表被土壤吸收，与土壤热量状况密切相关；热传导方程是描述地表所获得的能量向土壤中传输过程的公式，表征不同地下深度所获得的热量，与土壤温度密切相关。地表能量平衡方程和热传导方程共同决定了地表温度状况，是计算热惯量的核心。

Price在地表能量平衡方程基础上，考虑到潜热通量的计算，简化潜热公式，通过引入综合参数“B”的概念，提出了一个计算真实土壤热惯量的模型：

$$P = \frac{2Q(1-A)}{\left[\sqrt{\omega}\,(T_{1330} - T_{0230})\right]} - 0.9B/\sqrt{\omega} \tag{3-4}$$

式中　P——土壤热惯量，$\mathrm{J \cdot m^{-2} \cdot s^{-1/2} \cdot K^{-1}}$；

Q——到达地表的太阳辐射，$\mathrm{W/m^2}$；

A——地表反照率，是无量纲数据；

ω——地球自转频率；

B——表征土壤发射率等天气和地表情况的综合参量，需要地面实测数据计算；

T_{1330}、T_{0230}——分别代表中午和晚上的地表温度,K。

由于综合参数 B 的计算比较困难,需要大量地面实测气象数据和其他多种非遥感数据,所以 B 不能由遥感方法获取,限制了热惯量法监测土壤水分状况的应用。随后 Price 简化以上热惯量的计算模型,提出了 ATI 的概念,并通过分析认为 ATI 可以表示真实热惯量的相对大小,其方法是通过简化综合参数 B 的概念完成的。对于均匀的大气条件和平坦地表来说,综合参数 B 可认为是常量,并将地球自转频率 ω 也当作常数,这样热惯量方程进一步简化为

$$\mathrm{ATI}=2Q(1-A)/(T_{1330}-T_{0230}) \tag{3-5}$$

式中,参数意义同上。

该计算模型只需太阳短波辐射、反照率、地表温度三个参数就能计算得到地表热惯量,随着遥感卫星的不断发射和传感器性能的不断发展,表观热惯量模型中所需的三个参数很容易得到。该模型具有划时代的意义,实现了完全由卫星提供数据源计算热惯量的目的,一经提出,就引起了遥感和土壤学者的广泛关注,使遥感法监测土壤水分提升到了一个新的高度。

大量学者针对表观热惯量进行了研究,提出了更简便的计算模型。进一步对太阳辐射项进行简化,不考虑测地的纬度、太阳偏角、日照时数等,式(3-5)可以进一步简化为

$$\mathrm{ATI}=(1-A)/\Delta T \tag{3-6}$$

式中 ΔT——地表昼夜温差。

该模型具有更简单的形式,只需要卫星提供的可见光-近红外反射率和热红外波段提供的地表温度两个参数就能计算热惯量,因此得到了广泛的应用。

3.2.2 热惯量与土壤含水量关系模型

1. 土壤含水量的表示

土壤是由固态的颗粒、液态的水分、气态的空气和生命态物质组成的多太复合体。土壤中所含水量的多少,是由水分在土体中所占相对比例表示的,称为含水率,习惯上称为含水量,通常有以下几种表示方法。

(1)质量含水量。

质量含水量是指土壤孔隙中水分的质量与相应固相物质质量的比值,以百分数 $W\%$表示。以 G_s、G_g 分别表示一个体积元中水分和固相物质的质量,则:

$$W=\frac{G_s-G_g}{G_g}\times 100\% \tag{3-7}$$

（2）体积含水量。

体积含水量 θ 是土壤中水分占有的体积与土壤总体积的比值。对于土壤任一点 P（物理点）处体积含水量 θ 的定义为

$$\theta=\frac{V_w}{V_s} \tag{3-8}$$

式中　V_w——P 点处体积元内水分占有的体积；

V_s——土壤的总体积。

不难推导土壤体积含水量与质量含水量存在如下的关系：

$$\theta=W\cdot C_w \tag{3-9}$$

式中　C_w——土壤容重。

（3）饱和度。

饱和度 ω 是一个体积元内水的体积 V_w 与孔隙体积 V_v 的比值，表示孔隙被水充满的程度，即

$$\omega=\frac{V_w}{V_v} \tag{3-10}$$

此外，也有用贮水深度（一定厚度土层中，所含水量折算成的水层深度）或用所占田间持水量的百分数表示土壤中所含水分的多少。

2. 土壤含水量与真实热惯量的关系

由地理学基本知识可知，沙漠中日温差大，海水中日温差小。长期以来人们只是认为这是由沙与水的质量比热容不同所致，干沙比热容最小，水的比热容最大。实际上这是不完全的解释，除了比热容以外，地物所固有的密度、热传导系数以及热扩散系数的不同也会导致以上的现象。比较全面的认识，实际上是热惯量的不同。然而本书通过以上的推导得到的只是地物的表观热惯量，而真正决定地物温差大小的物理量是真实热惯量。

实际上没有绝对的干土，土壤的孔隙中或多或少总会积存有一定的水分。一般天然的土壤中都含有水分，同样的土粒密度，由于含水量不同，将引起土壤质量密度、比热容和热传导系数的变化，因此土壤的热惯量也会随之发生变化。

土壤的表观热惯量求解关于 P 的一元二次方程，即可得到真实热惯量 RTI（P）的表达式：

$$\mathrm{RTI}=\frac{\sqrt{2a^2-B^2}-B}{\sqrt{2\omega}} \tag{3-11}$$

式中　$a=\dfrac{2(1-A)S_0C_1A_1}{\Delta T}=2\mathrm{ATI}S_0C_1A_1$；

B——线性边界层的线性函数；

ω——地球自转的角速度，即周日的角频率；

$$A_1=\frac{2}{\pi}\sin\delta\sin\varphi\sin\psi+\frac{1}{2\pi}\cos\delta\cos\varphi(\sin 2\psi+2\psi)$$

式中　φ——当地纬度；

$\psi=\arccos(\tan\delta\tan\varphi)$。

通过公式可知，要得到真实热惯量 P，需要确定参数 C_1、B、ω、δ、φ、S_0 和 ATI。

马蔼乃提出用表观土壤含水量代替真实土壤含水量的观点，以热惯量和土壤密度作为独立因子，建立了如下的表观土壤含水量 ASW 遥感信息模型：

$$\mathrm{ASW}=a_0(\mathrm{ATI})\cdot\left(\frac{D}{d}\right)^{a_1}\left(\frac{\rho_s}{\rho}\right)^{a_2} \tag{3-12}$$

式中　d——土壤颗粒粒径；

D——土壤土层厚度；

ρ_s——土壤的密度；

ρ——水体密度；

a_0、a_1、a_2——地理参数。

上式的含义是表观土壤含水量是表观热惯量的函数，是相对土壤密度的函数，也是相对土层厚度的函数。遥感所计算的表观土壤含水量与实测的土壤含水量成正比关系，即表观土壤含水量大，实测的土壤含水量也大；表观土壤含水量小，实测的土壤含水量也小。

事实上，除了土壤含水量对土壤热惯量有影响外，对地形、植被、土壤质地、有机质含量、颗粒物成分等都有影响，只是影响的数量级不同。地形与植被影响较大，在平原地区，当遥感时相为出苗期时，可以排除地形与植被的干扰。土壤质地、有机质含量及矿物成分等可以用土壤的密度来代表。

关于土壤热惯量的研究是热工学的问题。世界上许多学者都研究过热传导系数 K、热扩散系数 DH、密度 p、比热容 c_v 与土壤含水量 W 的关系，但至今大都仍是经验公式。计算得到表观热惯量后，通过与土壤水分含量进行相关和回归分析，从而建立针对特定地区的表观热惯量与土壤水分之间的模型，以达到通过遥感法计算表观热惯量监测土壤水分的目的，所建立模型的精度将直接影响到最终的土壤水分监测结果。目前热惯量与土壤水分之间的关系模型主要是以统计模型为主，基于物理机制的理论模型还没出现。线性模型监测土壤水分的一般步骤为：计算所研究区域特定地点的热惯量；实测热惯量对应地点的

土壤水分;建立热惯量与土壤水分之间的数学关系模型。其中最常用的为线性回归模型,其一般形式为

$$W=a+bP \tag{3-13}$$

式中　W——土壤水分含量;

P——热惯量;

a、b——回归系数。

其他形式的关系模型如表 3-1 所示。

表 3-1　热惯量与土壤含水量关系模型

模型类型	数学形式
指数函数模型	$W=a+P^b$
对数函数模型	$W=a+b\cdot\log(P)$
幂函数模型	$W=a+b^P$
特殊函数模型	$W=\dfrac{1}{a+(b/P)}$

注:P、W、a、b 意义同上。

在获得土壤热惯量后,还需要大量对应研究区域内实测的土壤水分含量,然后通过分析热惯量与土壤水分之间的关系,确定最适合该地区的关系模型。在大量分析样本数据的基础上,就可以通过热惯量反演得到地表湿度状况,达到根据热惯量快速监测区域土壤水分的目的。

就热扩散系数与土壤水分的关系来看,在水分少的地方,其热扩散系数是随着水分的增加而增加的。因此,在一定的水分含量时表观为极大值;当超过此水分含量时,热扩散系数即减。呈现出极大热扩散系数的水分含量,是因土壤而异的。对于热传导系数来说,也有相类似的关系,图 3-1 所示为热传导系数 K、热扩散系数 DH 与土壤水分的体积分数 θ 之间的关系。

隋洪智等的试验表明:热惯量与土壤含水量之间存在密切的一元线性相关关系。在不考虑土壤类别的情况下,土壤含水量与热惯量的关系可表示为

$$W=-61.058+0.081P$$

其相关系数达 0.990 8。对当地的自然条件参量考虑得越多,通过热模型计算的理论热惯量就越接近真实值,估算出的土壤水分精度也就越高;热惯量与土壤类型几乎没有关系,在用卫星遥感数据估算土壤水分时,可以忽略其影响。另外,他们还验证了热惯量与土壤体积含水量也存在线性相关关系:

$$\theta=-11.32+15.42P$$

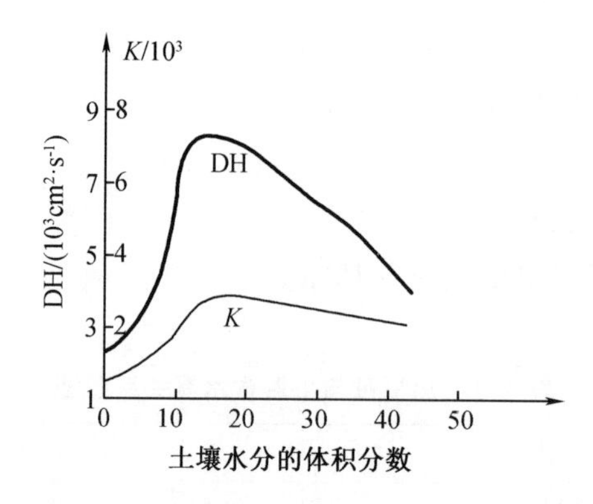

图 3-1 热传导系数、热扩散系数与土壤水分的关系

其相关系数达到了 0.91。因此可以证明,热惯量估算土壤水分含量的方法是可行的。但是,也有试验证明,热惯量对土壤水分的反演精度随着土层深度的增加有逐渐下降的趋势。这是由于土壤湿度的日较差 ΔT 是随土壤深度变化的,表层日较差最大,越向深层 ΔT 越小,到一定深度后,ΔT 将为 0,这个深度通常称为日变化消失层。对于不同含水量的土壤,日变化消失层在 30~100 cm 变化。

另外,肖乾广等通过在华北平原的试验认为:土壤含水量与热惯量之间使用幂函数模型比线性模型拟合精度高、效果好。

$$W=ab^{P} \tag{3-14}$$

式中 P——热惯量;

W——土壤含水量;

a、b——拟合系数。

类似的经验模型还有苏联农业地理学家考虑土壤密度和温度传导率因素而提出的热惯量与土壤容积含水量经验公式。综合这些方法,可以总结出运用热惯量方法监测旱情的基本思路,其信息传递过程如图 3-2 所示。

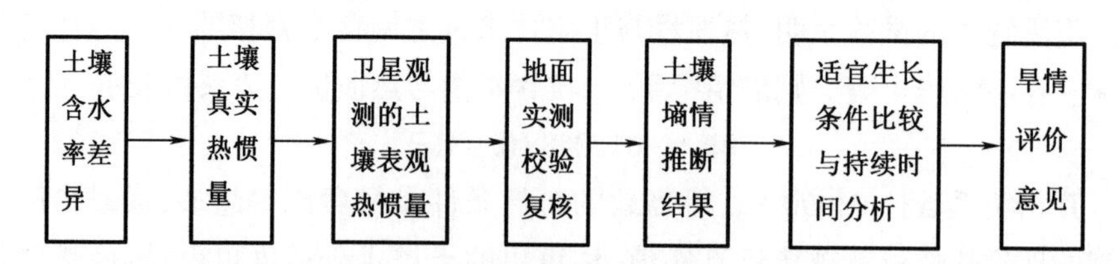

图 3-2 热惯量方法信息传递机理

3.2.3　热惯量遥感信息模型监测旱情的适用范围及其误差分析

在应用热惯量遥感信息模型监测旱情的实际工作中,会发现有许多因素影响结果的精度,因而要考虑其适用的范围,并对结果的误差进行评估。

第一,热惯量方法只有在大气层结稳定、没有云的情况下使用效果比较好。虽然热惯量方法是所有干旱监测方法中物理过程表述最清晰的方法之一,但在有云影响的大气条件下,就无法得到观测目标昼夜均为晴空的数据像对,因而该方法的使用便受到限制。如在我国长江以南地区,常年晴空条件差,所以很难运用该方法。即使在晴空前提下,由于卫星过境时获取卫星图像数据的时间并不一定就是热惯量模型中所需的日最高、最低气温出现的时刻,而且日最高、最低温度的出现时刻在不同的天气条件下也是逐日变化的,因而模型中的日较差 ΔT 的计算显然存在误差。另外,卫星接收的土壤信息尤其是温度信息,在经过大气的传输过程中由于受到大气透明度等的影响,所以从获得的遥感数据像对求得的辐射亮温实际是土壤辐射亮温与大气辐射亮温的叠加结果,如何滤除大气影响带来的误差,只有借助地面同步观测数据的辅助才能较好地得到解决。

第二,热惯量方法通常认为只适用于裸土或者表层植被覆盖很少情况下的土壤含水量监测。这是因为如果土壤表层植被覆盖度比较高,那么植被的蒸腾就会影响到土壤水分传输平衡及热量的分配,相应地土壤温度必定受到影响而变化,这必然会影响卫星对土壤热惯量监测的准确性。因此,在地面覆盖有植被(或作物)的情况下,运用热惯量方法监测土壤含水情况就受到一定的限制。马蔼乃曾提出了有植被覆盖情况下监测土壤含水量的热惯量遥感信息模型,由于其模型在应用中涉及参数较多且难以测定,所以也仅限于理论上的探讨,在实际应用中难以引入。据此,热惯量遥感信息模型只适用于我国北方地区晚秋、冬季和早春时作物植株稀少接近裸土状况土壤含水量的测定,尚不能用在南方四季常绿的背景环境和北方作物完整生长过程的土壤墒情监测。

第三,热惯量方法在地形起伏不大的平原地区使用效果较好。土壤的温度辐射具有方向性,其辐射半球中最长的辐射矢量方向是地表面元的法线方向。不同的地势,其面元的法线方向与卫星接收方向间夹角各异,因此地形起伏直接影响卫星接收到的地面辐射温度场传递过程的一致性。因此在地形起伏较大的地区使用该方法,需要使用较高精度的数字地形模型(DTM)对卫星接收到的地面辐射温度进行法矢量方向矫正。

第四,土壤不是朗伯体——黑体,土壤质地的差异,即土壤的物质组成不同、内在和表层结构形态不同(如气孔分布、起垄),或多或少会影响到土壤的辐射发射率。前文述及的热惯量经验公式均依据地面辐射亮温差反演土壤的表观热惯量,这与依据地面真实温度差反演土壤真实热惯量显然是有区别的。实际应用中逐点测定所有被观测目标的比辐射率是难以做到的,因此用卫星得到的土壤辐射亮温近似地代替其真实温度,显然有一定的精度损失。根据极少数有可能对比的点上取得的实测资料与应用卫星遥感数据通过模型求得的结果对比得到的结论,其可靠性还有待验证。

另外,热惯量遥感信息模型中参数的获取还受到许多因素的影响,因此在未做严格动态辐射校正的情况下,传感器增益、大气窗口及太阳高度角等随机因素会影响热惯量计算精度,其影响程度究竟如何还有待深入研究。

3.2.4 改进的表观热惯量模型

在前人研究基础上,经过地面试验研究和验证,提出了以下表观热惯量模型:

$$\mathrm{ATI}=\frac{R_{\mathrm{n}} \cdot \sqrt{\Delta t}}{T_{\mathrm{day}}-T_{\mathrm{night}}} \tag{3-15}$$

式中 ATI——地表的表观热惯量,$\mathrm{W \cdot m^{-2} \cdot s^{1/2} ℃^{-1}}$;

R_{n}——地表净辐射,$\mathrm{W \cdot m^{-2}}$;

T_{day}、T_{night}——地表同一日中白天和夜晚的地表辐射温度(℃),分子部分表示地表的昼夜温差;

Δt——一天中两个时刻温度获取的时间差,以秒(s)为单位。

该模型与前人的研究相比主要存在两点差异。

①净辐射项的改进。热惯量是基于地表温度计算得到的,地表净辐射是影响土壤热储量和地表温度的主要因素之一。地表的一切能量来源最初都是太阳(短波)辐射,太阳辐射在传输过程中经过与大气和地表的相互作用后其能量形式已经发生了改变,基于地表能量平衡方程,用地表的净辐射代替传统的总辐射,更具有物理意义。

②对地表昼夜温差的选择。根据前人的研究,热惯量研究所需的地表昼夜温差最好用昼最高温度和最低温度的差值,且温度为地表真实温度。编者通过地面试验发现,温差用昼间温度和夜间温度即可,且不考虑地表比辐射率而直接用地表辐射温度计算热惯量,效果也很好,这样就避开了地表比辐射率测量和反演这个复杂的问题,使本模型在实际应用中更具操作性。

该模型中的两个关键参数为地表辐射温度和地表净辐射的反演和计算(其中地表辐射温度的获取在后文有详细说明,这里不做具体介绍),对于地表净辐射的计算主要是依据地表能量平衡方程,下面详细介绍地表净辐射的推导。

当太阳辐射到达地表后与地表相互作用时,主要有反射、吸收、透射三个物理过程,其中透射占了非常小的部分,一般忽略不计;地表吸收太阳辐射后本身温度升高,然后再以辐射的形式向外散发能量。由于地表温度(300 K)相对太阳的温度(6 000 K)来说较低,根据维恩位移定律,地表辐射最大辐射强度在波段 10 mm,属于远红外波段;太阳辐射的最大辐射强度在 0.48 mm,属于可见光的绿波段,所以一般将太阳辐射称为短波辐射,地表辐射称为长波辐射,用来描述地球表面的热辐射。

从辐射传输过程分析,太阳辐射到达地球大气层顶后,一部分被大气散射,一部分被大气层吸收,从而造成大气温度升高,其余的部分可以直接传输到地表。大气散射的部分属于全反射,其中部分向下方向的可以到达地表;大气本身吸收太阳辐射温度升高后发射长波辐射,向下的部分也可以到达地表。所以地表的能量都来自太阳辐射,接收到的辐射分为两部分:太阳短波直接辐射和天空长波漫射辐射;入射到地表的太阳短波辐射中一部分被地表反射,地表实际吸收的太阳短波辐射能量为

$$R_s\downarrow - R_s\uparrow = (1-A)R_s\downarrow = (1-A)Q \tag{3-16}$$

式中　A——地表全波段反照率;

$R_s\downarrow$ 和 Q——入射的太阳短波辐射;

$R_s\uparrow$——地表反射的太阳短波辐射,单位都是 $W \cdot m^{-2}$。

地表在吸收太阳辐射后和大气长波辐射后本身温度升高,会以波长较长的辐射形式向外发送辐射,地表净辐射方程可以表示为

$$R_n = (1-A)R_s\downarrow + R_L\downarrow - R_L\uparrow \tag{3-17}$$

式中　R_n——地表净辐射;

$R_L\downarrow$——大气向下长波辐射;

$R_L\uparrow$——地表本身发射的长波辐,单位都是 $W \cdot m^{-2}$,其他符号意义同上。

从以上分析可以看出,要得到地表的净辐射,需要得到 4 个参数,其中地表长波辐射可以通过以下方法确定:

$$R_L\uparrow = \varepsilon\sigma T_0^4 \tag{3-18}$$

式中　ε——地表比辐射率;

σ——斯蒂芬-波尔兹曼常数($5.669\ 7\times10^{-8}\ W \cdot m^{-2} \cdot K^4$);

T_0——地表温度,K。

由式(3-18)可知,地面向上长波辐射与地表温度的变化相一致,在地表性质大致相似的情况下,地表温度 T_0的大小决定了地面长波辐射值的强弱。式(3-18)中的难点是确定地表比辐射率 e 的大小,在热红外遥感中,地表比辐射率的确定一直是难点,本书采用 Van De Griend 的研究成果,用归一化植被指数 NDVI 估算地表发射率,如下所示:

$$e=\varepsilon=1.0094+0.047\ln(\mathrm{NDVI}) \tag{3-19}$$

联立式(3-16)~式(3-19),再结合太阳总辐射、大气向下长波辐射,就可以计算地表的净辐射:

$$R_n=(1-A)R_s\downarrow+R_L\downarrow-(1.0094+0.047\ln(\mathrm{NDVI}))\sigma T_0^4 \tag{3-20}$$

式中,各参数意义同上。

式(3-20)表明,要计算得到地表净辐射,需要获取太阳短波辐射、大气向下长波辐射(大气逆辐射)、植被指数、反照率、地表温度,下面说明每个参数的获取方法。

3.3 地面试验

3.3.1 试验区概况

地面验证试验在河北栾城农田生态系统国家野外科学观测研究站(简称栾城站)完成。栾城站位于河北省石家庄市栾城县,创建于 1981 年,1989 年加入中国生态系统研究网络(CERN),1999 年成为全球陆地生态系统观测网络(GTOS)成员,2005 年成为国家生态系统观测研究网络(CNERN)台站。地理位置为 37°53′N,114°41′E,海拔高度 50.1 m,属于太行山山前冲积洪积平原,土壤类型以潮褐土为主,气候类型为暖温带半湿润半干旱气候,多年平均气温 12 ℃,≥10 ℃积温为 4 251 ℃,无霜期 191 d,年均日照时数 2 544 h,年均风速 2.6 m/s,多年平均年蒸发量 1 644.5 mm,多年平均降水量为 500 mm。

栾城站总占地面积 28 万 m^2,建筑面积 5 000 m^2,根据研究布局和 CERN 监测规范,建有设施完备的水分平衡场、养分平衡场、气象场、综合观测场、小麦育种场等,并配备了先进的涡度相关、波文比、大型蒸渗仪、遥感铁塔、光谱仪等仪器设备。

遥感铁塔为地面验证试验的顺利进行提供了必要条件。该研究的地面试验区位于栾城站遥感铁塔下的大田中,种植作物为冬小麦。为了计算不同植被覆盖下的农田热惯量,在试验区设置 5 组 10 个小区,如图 3-3 所示。

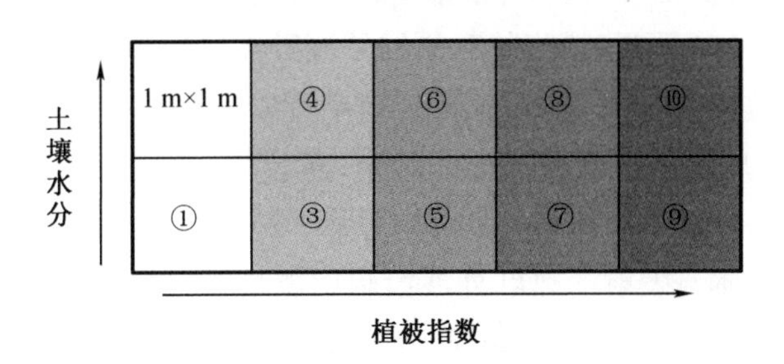

图 3-3　试验小区设置

每个试验小区面积为 1 m×1 m,2 个小区为一组,每组尽量保证植被覆盖相同而土壤水分不同以便于数据分析对比。为了阻止小区与小区之间、小区与周围土壤之间存在水平方向的土壤水分交换,将每个小区用玻璃板与周围隔开。玻璃板长宽为 50 cm×100 cm,竖直埋藏于土壤中,土壤中的埋藏深度约为 35 cm,这样就保证了小区与小区之间、小区与周围土壤之间至少在 35 cm 深度内没有水分交换。为了验证不同植被指数下的热惯量模型,要对试验小区的植被覆盖度进行控制,通过控制种植密度实现。其中 1 组 2 个小区按照正常密度种植,其他的小区初始播种密度分别按照正常种植密度的 70%、50%、30%播种;另外的 1 组 2 个小区为裸地。冬小麦于 2009 年 10 月 3 日种植,2010 年 6 月 13 日收获。试验过程中通过灌溉次数、灌溉时间和灌溉量控制每个小区的土壤水分含量,在有降水的时候用塑料布遮盖,以保证土壤水分状况由人工控制。

3.3.2　地面数据获取方法

联立式(3-15)和式(3-20),为计算不同植被覆盖下的地表表观热惯量,需获取以下 5 个参数:地表辐射温度、太阳短波总辐射、天空向下长波辐射、归一化植被指数、全波段反照率;另外为了验证表观热惯量的适用性,还需要测量每个小区的土壤水分含量。下面分别介绍在地面试验基础上的这 5 个参数以及土壤水分含量的获取方法和所用仪器。

(1)地表辐射温度。

地表温度是地物分子不规则震动的结果,是地表热量平衡的表现,是构成土壤热惯量的基本因素,是研究地表土壤水分状况等物理性质的重要信息,是计算热惯量精度的最关键参数。

在太阳辐射中,3~5 μm 和 8~14 μm(热红外波段)两个波段可以穿透大气到达地表,同样的,地表长波辐射中以上两个波段也可以穿过大气到达卫星传感器,这两个波段称为大气窗口;根据维恩位移定律,地面物体(±40 ℃)的辐射峰值波长在 9.7 μm 附近,恰好位于热红外波段 8~14 μm 大气窗口内;并且在 8~14 μm这个波段,对于地表物体,其反射率可以认为是不变的,可以将物体当作“灰体”对待,所以测量地表温度的波段一般位于波长为 8~14 μm 的区间。

本试验中获取地表温度的工具为热像仪。地表不断地向外辐射能量,热像仪主动接收地表本身发射的热红外波段辐射能量并根据一定的公式将能量转换为温度,通过存储器将其保存和显示出来,其工作原理为斯蒂芬-波尔兹曼定律(Stefan-Boltzmann Law)。由于地表具有一定的温度,并时时刻刻都在向外发射能量,所以热像仪不直接依赖于可见光,晚上仍然可以工作。

所用仪器为日本 NEC 公司的 Thermo Shot 系列热像仪,型号为 F30。该热像仪的技术参数为:

①工作波段:9~13 μm;

②视场角 FOV:28°×21°;

③图像大小:160×120 像素;

④温度分辨率(灵敏度):<0.1 K(环境温度 30 ℃);

⑤可测温度范围:-20 ℃~100 ℃;

⑥发射率可调范围:0.01~1;

⑦有效距离:0.1 m 到无限远。

F30 工作流程如图 3-4 所示。

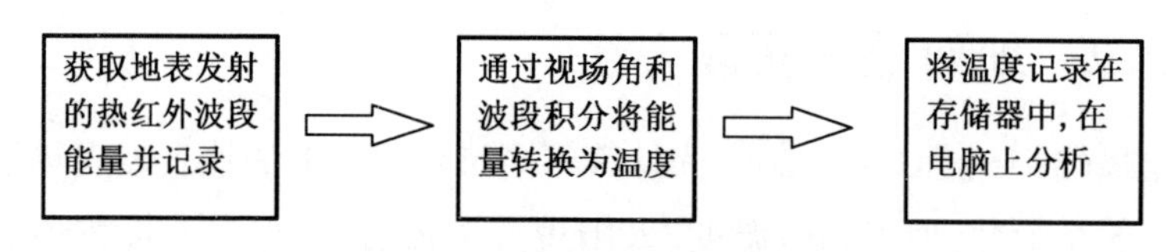

图 3-4　F30 工作流程

从以上技术参数可以看出,该热像仪的工作波段恰好位于通常热红外遥感波段范围内(8~14 μm)。

遥感铁塔位于试验区的中央,通过人站在铁塔 10 m 高度平台上用热像仪垂直向下对每个试验小区观测。根据该热像仪的视场角推算,当距离目标地物为 10 m 时,可以观测的地面实际面积为:3.75 m×5 m,每个像元代表的地面实际面积为:3.1 cm×3.1 cm。由此可见,该热像仪可以具有非常高的“空间分辨率”,能过获取每个试验小区中(1 m×1 m)非常细微的温度差异;同时该热像仪的灵敏度较高(0.1 K),其“温度分辨率”也非常高,经过研究证明,该仪器完全可以满足研究的需要。

本研究采用热像仪而不采用目前广泛使用的热红外温度计是基于以下原因考虑:

①尽管红外温度计的读数速度很快,但其镜头能测量的面积很小,即使站在铁塔上每次也只能观察 0.1 m 半径范围的面积;

②地表温度受多种因素的影响,即使气象条件的微小变化也会引起观测温度的较大变化,这样即使在 30 s 的测定时间内对于同一个物体其温度仍然存在着一定的变数;

③热成像仪是对一定面积区域同时成像同时测量的,这样就避免了由于微气象等因素引起的地表温度在短时间内的波动,数据相对更稳定。

(2)太阳短波总辐射、天空向下长波辐射。

本研究中所需的太阳短波总辐射、天空向下长波辐射是指地表所接收到的太阳直接短波辐射(太阳光直接照射)和天空发射的长波辐射中向下的部分(大气逆辐射)。栾城站作为中国生态系统研究网络(CERN)华北典型高产农田的代表,是 CERN 中 16 个农业生态系统中的一个,具备完善的观测仪器。其中小气候自动观测系统中包含了完善的辐射观测项。

栾城站的辐射观测系统可以检测农田生态系统的向下短波辐射(太阳总辐射)、向上短波辐射(地表反射的太阳总辐射)、向下长波辐射(大气逆辐射)、向上长波辐射(地表发射的长波辐射)、紫外辐射(UV)、光合有效辐射(PAR)、净辐射等项目。其中净辐射是针对小气候观测系统的下垫面的净辐射,是根据辐射平衡方程得到的,因为本研究是针对不同的植被覆盖度,即不同的下垫面类型,所以不能直接用该数据。式(20)表明计算净辐射需要使用的辐射为向下短波辐射和向下长波辐射两项。

辐射观测系统安装在小气候观测系统的顶端,距离地表 1.5 m,所用仪器为荷兰 Kipp & Zonen 公司的产品,型号为 CNR-1,属于世界气象组织(WMO)一类产品。该辐射观测系统传感器为热电型,原理为当辐射照射到辐射表上时,感应面吸收辐射本身温度升高,与热电堆的冷热接点间产生温差进而感应出电动势,通过建立辐射表输出的电压与辐照度之间的关系,得到辐射强度。CNR1 总共有 4 个辐射传感器,包括两个短波辐射传感器和两个长波辐射传感器。太阳辐射通过两个短波辐射传感器进行测量,其中一个传感器测量从天空入射的太阳辐射,另外一个则向下测量反射的太阳辐射;远红外辐射通过两个长波辐射传感器进行测量,其中的一个用来测量来自天空的长波辐射,另外一个测量来自地表的长波辐射。CNR-1 具有可靠的性能和准确度,得到了广泛的应用,其基本情况如下:

①辐射计类型:Kipp & Zonen CM3 短波辐射传感器,CG3 长波辐射传感器,PT100 铂电阻;

②光谱波长:短波辐射传感器 305~2 800 nm,长波辐射传感器 5 000~50 000 nm;

③灵敏度:7~15 $\mu V/W\ m^2$;

④输出值:短波辐射值 2 个,长波辐射值 2 个;

⑤单位:W/m^2(1 min 内的平均值);

⑥输出:短波辐射传感器 0~50 mV,长波辐射传感器±5 mV;

⑦每日精度误差:±10%;

⑧视角:短波辐射传感器 180°,长波辐射传感器 150°;

CNR-1 技术性能参数如表 3-2 所示。

表 3-2　CNR-1 技术性能参数

测量要素	测量范围	准确度/%
太阳总辐射	305~2 800 nm;0~2 000 W/m^2	5
向下长波辐射	305~2 800 nm;4~50 μm;0~2 000 W/m^2	5
向上短波辐射	305~2 800 nm;0~2 000 W/m^2	5
向上长波辐射	305~2 800 nm;4~50 μm;0~2 000 W/m^2	5
紫外辐射	209~400 nm;0~100 W/m^2	15~20
光合有效辐射	400~700 nm;0~10 000 $\mu mol/(s \cdot m^2)$	±5

在辐射观测系统中,每种辐射输出项每分钟记录 1 次,可以 24 小时不间断工作,数据通过数据采集器存储到 SD 卡中。由于太阳辐射和天空向下辐射在空间上的变化相对较小,本试验区所占的面积仅约为 100 m^2,所以认为在不同试验小区相同时间内其平均天空短波辐射、平均天空长波辐射两者是相同的,而平均地表短波辐射、平均地表长波辐射通过公式计算得到。在得到以上 4 项之后根据辐射平衡方程计算得到每个小区的平均净辐射。

(3)归一化植被指数。

归一化植被指数是遥感研究中最常用的一个表征地表植被状况的指标,主要反应植被在可见光、近红外波段反射与土壤背景之间的差异。本章是基于地面试验分析,每个试验小区面积都很小(1 m×1 m),所以用卫星遥感获取的植被指数是不可行的(卫星平台提供的数据计算得到的 NDVI 地面分辨率较低,一般远大于 1 m^2)。

为了能够准确获取每个小区的植被指数,采用日本 TELRACAM 公司的多光谱冠层指数测量仪(Agricultural Digital Camera,ADC)。该数字成像仪是一个多光谱系统,其工作波段为可见光的红光波段、绿光波段和近红外波段,类似于 TM 数据的 TM2、TM3 和 TM4,可以获取红光、绿光、近红外波段的辐射能量,该数字成像仪已经广泛应用于农业和地表观测中,如将该成像仪安装在飞机中用于获取植被指数等地面参数。

基本参数如下:

①分辨率:2 048×1 536 像素;

②工作波段:等同于 TM2(绿光波段:约 0.55 μm)、TM3(红光波段:约 0.66 μm)、TM4(近红外波段:约 0.9 μm);

③成像时间:<3 s。

在获取每个小区的红光波段和近红外波段的辐射能量后通过特定软件系统可以非常方便地计算每个小区的 NDVI。该数字成像仪具有非常高的分辨率,通过站在高塔上,竖直向下对试验小区进行测量就可以获取每个小区的数字图像。在获得图像后通过特定的处理软件(PM2),就可以非常简单快捷的获取试验小区中每个像素所对应的 NDVI,然后取平均值就获得了每个小区的 NDVI。

(4)全波段反照率。

遥感中,反照率定义为在波长范围为 0 的入射辐射能量与反射的辐射能量之比。但太阳能量主要集中在 0.31~1.5 μm 这个波段范围(占到太阳辐射总能量的 80%以上),所以可用可见光-近红外波段的反射率来近似的代替全波段反照率。

考虑到地面试验的性质,采用便携式光谱仪获取反照率,所用仪器为日本 EKO 公司(英弘精机) MS-720 便携式光谱辐射度计。MS-720 是手持光谱仪,本身带有 LCD 显示和内存,内部装有一个小型光栅光谱仪,光谱辐射度由二极管阵列测量。该产品的相关参数如下:

①波段:350~1 050 nm;

②光谱分辨率:1 nm;

③视场角:90°;

④输出单位：$W/m^2/nm$；

⑤测量时间：0.005～5 s；

在每个试验小区，用 MS-720 向上测量一次，得到每个小区在 350～1 050 nm 范围每 1 nm 的入射太阳辐射能量，然后向下测量一次，得到每个小区每 1 nm 的反射能量，计算得到总的入射能量和总的反射能量，两者相除就得到了每个小区的全波段反照率。该仪器测量时间非常短，10 个小区可以控制在 5 min 内完成，在晴天情况下这么短的时间内太阳辐射变化不大，认为是同时完成的。

(5)土壤水分含量。

通过地面实验获取热惯量模型所需的参数后就可以计算各个小区的热惯量，为了验证热惯量与土壤水分的关系，还需获取土壤水分含量。

由于每个试验小区的面积只有 1 m×1 m，如果采用传统的取土称重法计算土壤水分会破坏小区，而本试验是相对较长时间内的定位试验，决定了不能破坏试验小区的土壤结构和地表覆盖，所以称重法不可取。为了快速获得每个小区的土壤水分含量，采用德国 IMKO 公司的 Trime 系列便携式土壤水分速测仪，型号为 TRIME-PICO64，其原理为时域反射技术（Time Domain Reflectometry，TDR）。电磁波在真空中以光的速度进行传播，在土壤中传播时，由于土壤的阻碍作用，电磁波的传播速度比光速小，其传播速度主要与介电常数有关。通过记录探头发射的电磁波和接收电磁波的时间差，可以计算出土壤的介电常数，而介电常数与土壤水分之间存在密切联系。通过建立土壤介电常数与土壤水分的关系，可达到用 TDR 监测土壤水分的目的。

TRIME-PICO64 的相关参数如下：

①测量范围：0～100%（土壤体积含水量）；

②测量精度：±1%（土壤体积含水量为 0～40%）；

③重复测量精度：±0.5%；

④工作温度：-15～+50 ℃；

⑤测量体积：1.25 L；

⑥探针长度：160 mm。

该 TDR 可以快速（3 s 内）获取地表某一点的土壤体积含水量，试验证明该仪器具有较高的精确度，与传统的称重法相差在 1%以内，完全可以满足该研究中对土壤水分含量的精度要求。

不管是称重法还是 TDR 法所测量的土壤水分都是单点数据，单点数据都不具有面积的概念，而本研究的对象是针对小区进行的，是一个平均土壤水分含量的概念,所以为了获得小区范围的土壤湿度状况,需要采取多次测量取平均值的方法。具体为在每个试验小区(1 m×1 m)范围内至少测量 12 个单点数据,然后取这 12 个点的平均值作为该小区的土壤含水量。

由于 TDR 具有快速、方便的优点,实际上测量每个小区 12 点的数据时间可以控制在 2 min 内,这样 10 个小区的土壤水分测量时间可以控制在 30 min 内,在这个时间段内每个小区的蒸散忽略不计,认为土壤水分没有变化。

3.4　改进热惯量模型法在 MODIS 数据中的应用

3.4.1　基于地面试验的表观热惯量与土壤水分关系

1. 表观热惯量计算

本研究是基于地面试验完成的,地表辐射温度和归一化植被指数这两个计算表观热惯量关键参数是通过热像仪和可见光-近红外数字成像仪获得的,遥感铁塔为这两个参数的获取提供了必要的条件。遥感铁塔的高度为 36 m,共分为 6 层,其中第 3 层高度为 10 m,根据所用的热像仪和数字成像仪的视场角,在铁塔的 10 m 高度处,热像仪和 ADC 都可以用两张图像完全覆盖每个试验小区,所以试验主要在遥感铁塔 10 高度平台和位于铁塔下方的试验小区中完成。

在完成所有准备工作后,于 2010 年 5 月正式开始试验,具体为 2010 年 5 月 12 日到 2010 年 6 月 8 日。具体试验实施方案为:热惯量模型要求获得每天两次的地表温度以计算地表温差,所以试验数据获取每天分两次进行,时间分别为每天 5:30 开始和 13:30 开始。

中午需要测量的项目和流程分 5 步。①地表温度 T_s:人站在 10 m 高铁塔,用热像仪 F30 竖直向下对每个试验小区地表温度进行测量成像,记录下观测日期、时刻和每个图像的编号以便分析每个小区的地表温度,这个过程在 1 min 内完成。②归一化植被指数 NDVI:用可见光-近红外成像仪 ADC 竖直向下对试验小区测量成像,记录每个小区的数字图像成像日期、时刻和编号,整个过程在 1 min 内完成。③全波段反照率 A:在测量完 T_s 和 NDVI 后迅速从铁塔回到地面试验区,打开便携式光谱仪,竖直向上测量天空向下太阳总辐射,然后竖直向下测量试验小区反射的太阳总辐射,记录下最后完成测量的时刻和编号,以此类推,得到 10 个小区中每个小区的入射太阳辐射和地表反射的太阳辐射从而计算反照率。整个过程可以控制在 5 min 内完成。④土壤体积含水量：在以上工作完成之后测量每个小区的土壤含水量。在每个小区平均选取 12 个点，用 TDR 测量每个点的土壤水分含量，并在试验本上记录下每个小区每个点的数据和时间、日期、编号，12 个小区测量时间可以在 20 min 内完成。⑤辐射项：以上工作需要大概 40 min 的时间，所有实测数据完成后去试验站辐射观测系统中将太阳总辐射和天空向下长波辐射下载到电脑中。辐射观测仪器 CNR-1 是以 1 min 为计数单位，根据地表温度测量的开始时刻和全波段反照率测量的结束时刻，将这段时间内的数据取算数平均值当作这个时间段内任意时刻的辐射通量。

清晨只需要测量地表温度 T_s，测量方法同上。

基于地面试验研究，为了与遥感平台的研究相对应，只选取了 5、6 月份的晴天进行，基于以下两点考虑：

辐射因素，卫星平台的研究所获取的辐射是大气层顶的辐射，由此计算地表辐射，而在云量过多的情况下，该计算过程会产生较大误差；

地表温度因素，地表温度的反演一直是遥感的重点和难点，其中云是决定地表温度反演精度和是否成功的重要因素，为了尽量消除云的影响，故选取晴天进行。

从 2010 年 5 月 12 日开始到 2010 年 6 月 8 日冬小麦收获结束，下面以 5 月 28 日为例分析不同植被覆盖下各个小区表观热惯量参数和热惯量的特征。

（1）热像仪黑体校正。

在野外观测时，由于太阳光的直接照射等原因，热像仪的机壳内壁温度和调制片温度不一致，造成所测得的数据产生漂移，所以必须进行黑体源标定才能得到真实地表温度。其方法为：

①黑体放置在室内，打开空调使室内温度达到最低，将热像仪对准黑体源；

②待室内温度稳定后，记录下此时黑体源本身的温度（y_1）和热像仪温度（x_1）；

③将空调关闭，室内温度逐渐升高，以 2 ℃为步长，观测黑体源所显示的室内温度（y_2），并记录热像仪温度（x_2）；

④以此类推，获取黑体温度（$y_1, y_2, y_3, y_4, \cdots, y_n$）和热像仪温度（$x_1, x_2, x_3, x_4, \cdots, x_n$），当室内温度达到最大时，停止测量；

⑤假定热像仪温度升高过程中是线性变化的，对获取的黑体温度和热像仪温度线性回归，求出直线斜率，建立直线方程；

⑥将热像仪获取的地表温度代入直线方程中，就可得到经过黑体校正后的

地表辐射温度。

按照以上方法，采用在上海福源光电技术有限公司定制的黑体源，对热像仪进行黑体校正。进行黑体校正后的温度才是实际地表辐射温度，相关校正公式如图 3-5 所示。

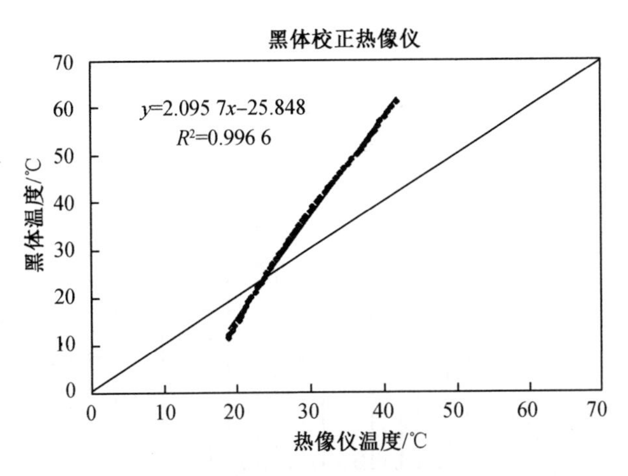

图 3-5　热像仪 F30 黑体校正公式

经过黑体校正后，再通过距离校正、环境温度校正就得到每个试验小区中每个像素的平均辐射温度，然后根据小区的边界，取小区内所有像素的温度平均值作为这个小区的实际地表辐射温度。

(2)试验小区概况。

地面验证试验共设计了 5 组 10 个试验小区，分别给予(1，2……，n)编号。每个小区的面积相同(1 m×1 m)，每组的两个试验小区植被覆盖尽量相似，土壤水分含量存在差异。2010 年 5 月 28 日当天，试验小区的 NDVI 和土壤体积含水量存在较明显差异。NDVI 表征试验小区植被覆盖度，其值越大表示植被覆盖越大，下文将直接用 NDVI 来代表植被覆盖度，不再特殊说明。

在 2010 年 5 月 28 日中午，NDVI 在 0. 1～0. 8，土壤体积含水量在 20%～35%，变化幅度都比较大。以 NDVI 为标准，对试验小区的植被覆盖度进行分类：编号为 1、2 的试验小区定义为裸土，NDVI 在 0. 1 以下；3、4 定义为低植被覆盖，NDVI 在 0. 1～0. 4；5、6、7 定义为较高植被覆盖，NDVI 在 0. 5～0. 6；8、9、10 为全植被覆盖，NDVI 在 0. 6 以上。在每组试验小区中，对应的两个小区土壤水分存在 5%左右的差异，表明小区的试验设计达到了预定的目的。

(3)中午和早晨的地表温度。

经过黑体校正后，采用所得到的校正公式对热像仪的结果进行校正作为计算热惯量所需参数,如图 3-6 所示。

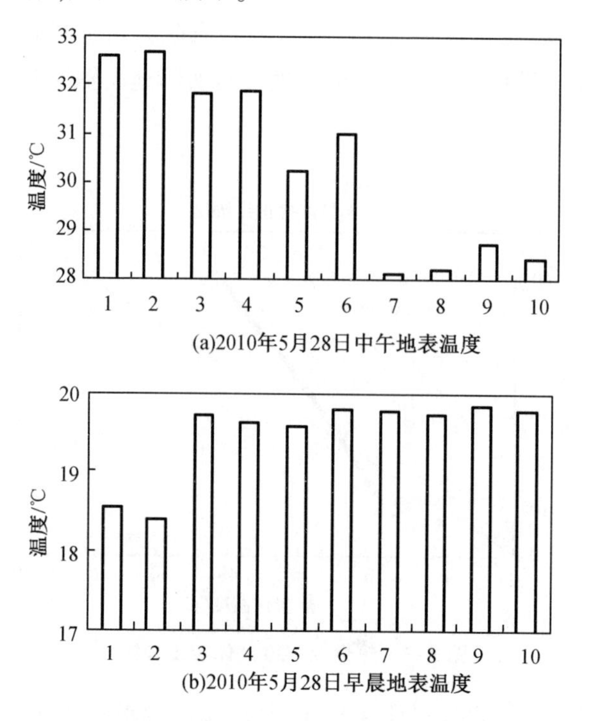

图 3-6 试验小区中午和早晨地表温度特征(2010 年 5 月 28 日)

从图 3-6 中可以看出,不同植被覆盖不同土壤水分状况的地表,早晨和中午的地表温度显示出不同的分布特征。中午地表温度,在植被覆盖相似的条件下,土壤水分越高地表温度越低;随着植被覆盖度的增加(NDVI 增大)地表温度明显有下降,植被覆盖度对地表温度影响最大,说明土壤水分和植被指数都会影响地表温度的差异,而植被指数的影响力要大于土壤水分的影响;而凌晨的地表温度各个小区差别不大,各类地物表面温度接近,说明晚上和凌晨地表温度主要受土壤本身所储存的热量影响。以上分析表明:白天地表温度主要受土壤含水量和植被覆盖度的影响,而晚上温度主要受土壤本身的热学性质影响。

(4)反照率和净辐射。

利用便携式光谱仪测量 350~1 050 nm 波段(可见光-近红外)的入射太阳辐射能量和每个小区反射的太阳辐射,计算了每个小区的反照率;结合观测到的太阳辐射和天空长波辐射,利用式(3-13)计算得到了 2010 年 5 月 28 日每个试验小区的净辐射,如图 3-7 所示。2008 年 3 月 28 日试验小区的反照率位于 0.08~0.15,通过与 NDVI 比较发现两者呈现相反变化趋势,说明反照率主要受地表植被覆盖度的影响。植被覆盖越高,反照率越大,这是由绿色植物叶绿素和叶子内部构造造成的。在可见光波段内，光谱特征主要受到植被色素-叶绿素的支配。叶绿素对红光和蓝光波段存在强吸收，对绿光强反射；近红外波段反照率主要受叶片结构控制，整体上看吸收比例很低，反射作用占主要地位，在 740~1 300 nm 形成高反射。

各个小区的净辐射位于 510~570($W \cdot m^{-2}$)，其变化特征与反照率相反，随着植被覆盖的增加而减小，主要是受到地表反照率和地表温度的影响，与太阳短波辐射相比较小。以上说明植被覆盖是影响地表反照率和净辐射的决定因素，土壤水分对两者影响力很小，其作用主要是通过影响地表温度从而对净辐射产生影响。

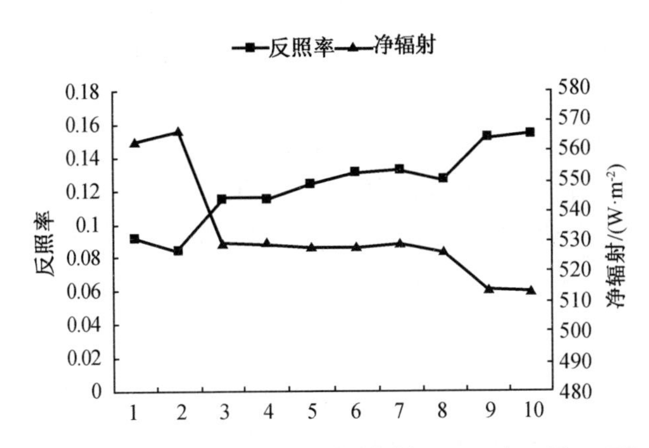

图 3-7　试验小区反照率和净辐射特征(2010 年 5 月 28 日)

(5)热惯量特征。

将地表温度、反照率、净辐射、时间差带入式(3-15)，得到了 2010 年 5 月 28 日每个试验小区的地表表观热惯量 ATI，如图 3-8 所示。其中表观热惯量 ATI 单位用 $W \cdot m^{-2} \cdot s^{1/2} \cdot ℃^{-1}$ 表示，下文所有的表观热惯量 ATI 都采用此单位，不再做特殊说明。

图 3-8 的结果显示，编号为 1、2、3、4 的 4 个小区符合以上规律，表观热惯量越高，土壤体积含水量越大，表现出较明显规律性。高植被覆盖区 5~10 没有显示出相应的规律。结合 10 个小区的植被指数，可以得到以下初步结论：对于编号为 1~4 的植被覆盖较低的 4 小区，由于 NDVI 较小，植被覆盖低，是符合热惯量适用条件的；而对于 5~10 小区，其植被覆盖高，植被层掩盖了土壤的热特征，不满足热惯量的适用条件，NDVI 可以作为判断热惯量是否适用的标准。

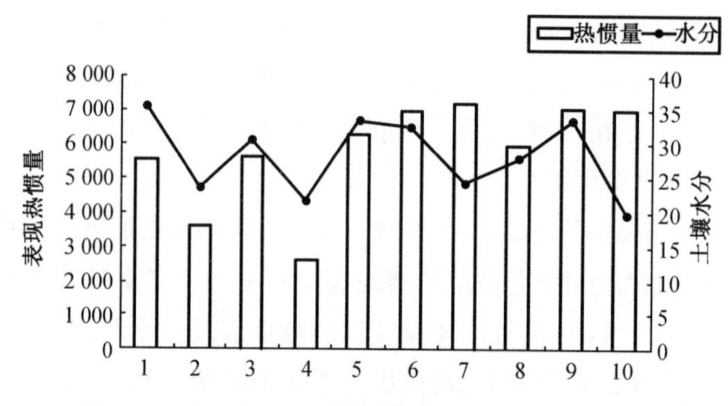

图 3-8　试验小区表观热惯量特征(2010 年 5 月 28 日)

2.不同植被覆盖下表观热惯量与土壤水分的关系

对试验时间段内所有计算得到的表观热惯量与土壤体积含水量分析,结果如图 3-9 所示。

下文中 ATI 表示计算得到的地表表观热惯量值,单位为 $W \cdot m^{-2} \cdot s^{1/2} \cdot ℃^{-1}$;SWC 表示土壤体积含水量(%),不再做特殊说明。

图 3-9 显示的是将本地面试验所得到的全部土壤表观热惯量与土壤水分做散点图后进行线性回归的结果。从图中可以看出,两者之间分布非常散乱,没有对应关系,并且斜率小于 0,表示土壤水分随热惯量的增大而减小,明显与事实不符。

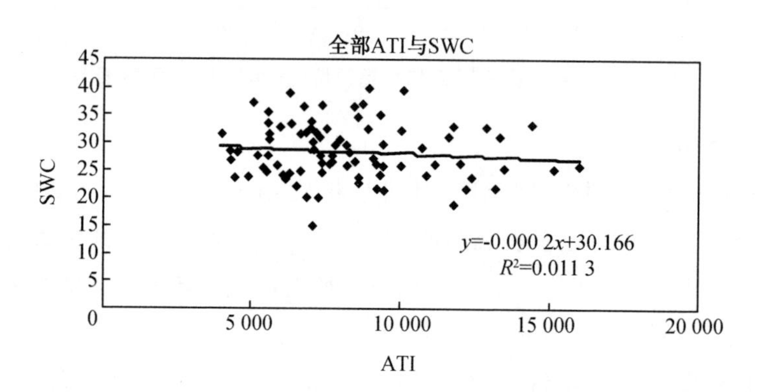

图 3-9　表观热惯量 ATI 与土壤水分关系

根据前文分析和前人的研究结果,植被覆盖是影响热惯量监测土壤水分是否适用的决定条件,所以需要根据不同的植被覆盖情况,对热惯量与土壤水分之间的关系进行分组讨论与研究。研究将 NDVI 作为植被覆盖度的参考指标,根据研究时间段内 10 个试验小区的 NDVI 分布情况,将热惯量与土壤水分之间的关系分为 4 种情况：极低植被覆盖(NDVI<0. 1)、较低植被覆盖(0. 1<NDVI<0. 35)、较高植被覆盖(0. 35<NDVI<0. 6)和高植被覆盖(NDVI>0. 6)。下面分别对 4 种情况进行分析和讨论。

(1)极低植被覆盖。

所谓极低植被覆盖，是指 NDVI 值小于 0. 1，在试验小区中对应编号 1、2，地表覆盖类型为裸土。计算结果如图 3-10 所示。

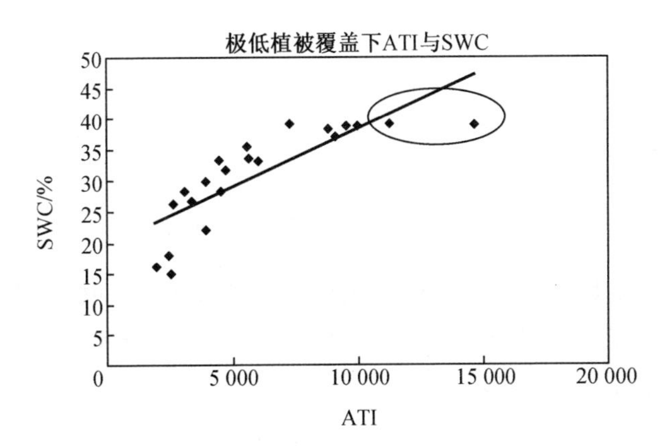

图 3-10　极低植被覆盖下表观热惯量与土壤水分关系

从图 3-10 中看出，在 NDVI 小于 0. 1 的情况下，表观热惯量与土壤水分之间存在较好的相关性，随着表观热惯量增大，土壤水分也增加，表现出明显的正相关关系。但在土壤体积含水量大于 35%时，热惯量变化非常不规律，最大达到 16 000($W \cdot m^{-2} \cdot s^{1/2} \cdot ℃^{-1}$)，而最小仅为 10 000($W \cdot m^{-2} \cdot s^{1/2} \cdot ℃^{-1}$)。通过查找当时试验记录，发现这些小区的测量时为刚刚经过充分灌溉后不到 2 h，此时土壤处于饱和和超饱和状态，土壤水分含量远远大于田间持水量，所得到的结论：对于超饱和的土壤，研究提出的热惯量模型并不能反映土壤的湿度状况。其原因是：在用遥感数据计算地表热惯量的过程中有一个假设，即在裸土区，地表温度受地表本身热学性质影响；在有植被覆盖区，地表温度受潜热和显热控制。在此基础上通过求解热传导方程实现用遥感数据计算地表热惯量。当土壤水分过饱和时，土壤水分会直接通过蒸发进入大气，而蒸发与地表潜热之间存在非常密切的关系。在这种情况下，从能量平衡角度来讲，潜热改变了地表温度的变化，地表温度受到潜热和传导控制从而导致热惯量计算出现错误。针对栾城站的潮褐土，土壤体积含水量大于 35%热惯量法已经失效。

将土壤水分大于 35%的点去除，再分析地表表观热惯量与土壤水分之间的关系,结果如图 3-11 所示。

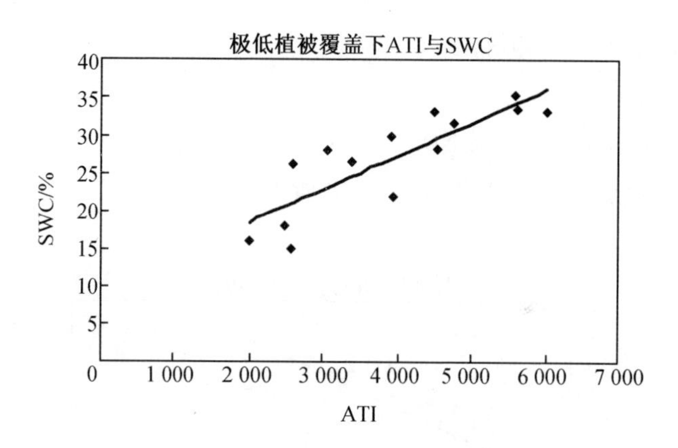

图 3-11 表观热惯量与土壤水分关系

对比图 3-10 和图 3-11 发现,将土壤含水量过多点去除后,表观热惯量与土壤水分含量之间的相关性有所提高,对去除高土壤水分含量前后的数据进行回归分析,结果如表 3-3 所示。

表 3-3 去除过高土壤含水量前后对比

	相关系数 R	可决系数 R^2	标准误差
去除前	0.815	0.646	4.691
去除后	0.880	0.723	3.715

采用 Pearson 相关分析法对去除过高点后的表观热惯量与土壤含水量进行相关分析,其中相关系数采用 Pearson 方法计算,采用双尾进行显著性检验,结果如图 3-12 所示。

图 3-12 表明,土壤水分含量与表观热惯量之间存在显著正相关,通过了 0.01 的显著性检验。进一步确定两者间的回归模型,采用最小二乘法对两者进行一元线性回归,结果如表 3-4 所示。

从表 3-4 中可以看出,在极低地表植被覆盖条件下,本研究所提出的表观热惯量模型计算的热惯量与土壤体积含水量存在明显的正相关,其相关系数达到了 0.88,调整的可决系数也达到了 0.723,其回归后的误差约为 3.7%,具有较高的精度,所得到的回归方程可以通过计算 ATI 用来做土壤水分状况监测。

Correlations

		表观热惯量	土壤含水量
表观热惯量	Pearson Correlation Sig.(2-tailed) N		
土壤含水量	Pearson Correlation Sig.(2-tailed) N	.880** .000 17	

**.Correlation is significant at the 0.01 level(2-tailed).

图 3-12　极低植被覆盖下 ATI 与土壤含水量相关分析

表 3-4　极低植被覆盖下 ATI 与土壤水分回归分析

植被覆盖	相关系数 R	可决系数 R^2	标准误差	回归方程
NDVI<0. 1	0. 880	0. 723	3. 715	$y=0.0045x+9.508$

(2)较低植被覆盖。

所谓极低植被覆盖,是指 NDVI 值介于 0. 1~0. 35,在试验小区中对应编号主要为 3、4。结果如图 3-13 所示。从图中看出,在 0. 1<NDVI<0. 35 情况下,表观热惯量与土壤水分之间存在较好的相关性。

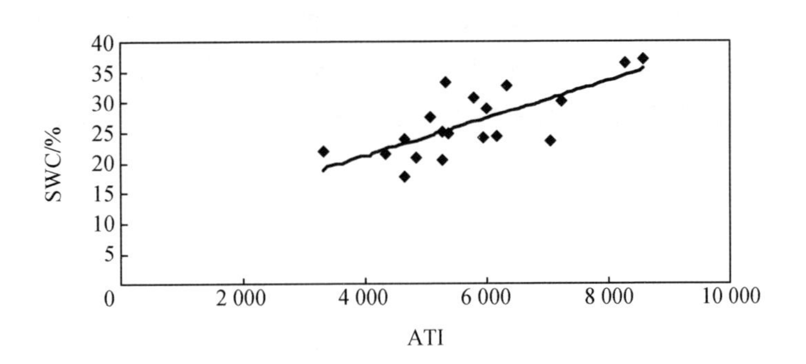

图 3-13　较低植被覆盖下表观热惯量与土壤水分关系

同样的采用 Pearson 相关分析法对表观热惯量与土壤含水量进行相关分析并进行线性回归,结果如图 3-14 和表 3-5 所示。

Correlations

		表观热惯量	土壤含水量
表观热惯量	Pearson Correlation		
	Sig.(2-tailed)		
	N		
土壤含水量	Pearson Correlation	.720**	
	Sig.(2-tailed)	.000	
	N	19	

**.Correlation is significant at the 0.01 level(2-tailed).

图 3-14　较低植被覆盖下 ATI 与土壤含水量相关分析

图 3-14 和表 3-5 表明,在较低地表植被覆盖条件下,表观热惯量与土壤体积含水量存在明显的正相关,其相关系数为 0. 728,调整的可决系数为 0. 530,其回归后的误差约为 3. 9%。通过与低级植被覆盖下两者的关系比较发现,虽然表观热惯量与土壤水分之间的相关系数、可决系数、回归误差都不同程度地增加,但仍具有较高的精度,所以该回归方程也可以用来做土壤水分的监测。

表 3-5　较低植被覆盖下 ATI 与土壤水分回归分析

植被覆盖	相关系数 R	可决系数 R^2	标准误差	回归方程
0. 1<NDVI<0. 35	0. 728	0. 530	3. 966	$y=0.0031x+13.276$

(3)较高植被覆盖和高植被覆盖。

所谓较高植被覆盖,是指 NDVI 值介于 0. 35~0. 6,在试验小区中对应编号主要为 5、6、7;高植被覆盖为 NDVI>0. 6,对应 8、9、10 试验小区。

在较高和高植被地表覆盖情况下,表观热惯量与土壤水分的散点图如图 3-15 和图 3-16 所示。

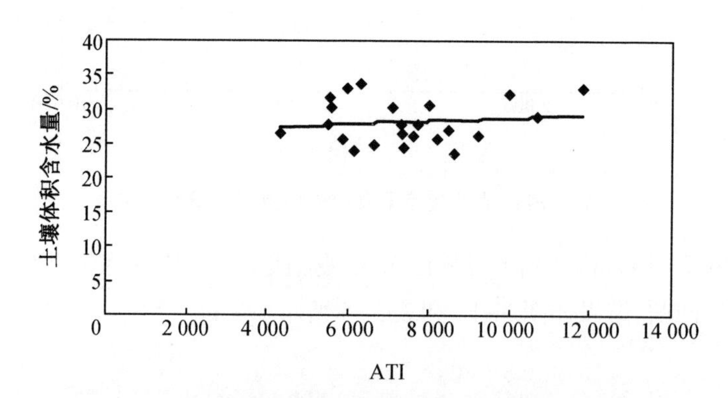

图 3-15　较高植被覆盖下表观热惯量与土壤水分关系

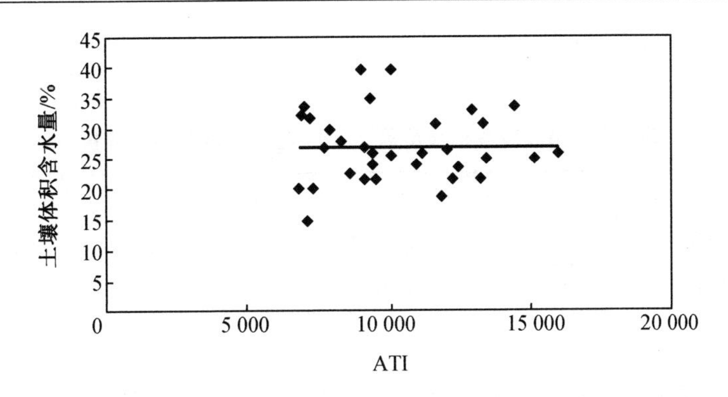

图 3-16　高植被覆盖下表观热惯量与土壤水分关系

观察图 3-15 和图 3-16，发现当地表植被覆盖度较大时，表观热惯量与土壤水分分布散乱，呈现不规律性。为定量分析较高植被和高植被覆盖情况下两者的关系，采用与前面相同的分析方法，对两者进行相关性分析和回归分析，结果如图 3-17、图 3-18 和表 3-6 所示。

Correlations

		表观热惯量	土壤含水量
表观热惯量	Pearson Correlation		
	Sig.(2-tailed)		
	N		
土壤含水量	Pearson Correlation	.131**	
	Sig.(2-tailed)	.553	
	N	23	

图 3-17　较高植被覆盖下 ATI 与土壤含水量相关分析

Correlations

		表观热惯量	土壤含水量
表观热惯量	Pearson Correlation		
	Sig.(2-tailed)		
	N		
土壤含水量	Pearson Correlation	-.003**	
	Sig.(2-tailed)	.998	
	N	36	

图 3-18　高植被覆盖下 ATI 与土壤含水量相关分析

图 3-17、图 3-18 和表 3-6 说明，在较高和高植被覆盖小区，表观热惯量与土壤水分之间的相关关系变差，其相关系数和可决系数表明两者之间不存在相关性。表明在这种情况下，表观热惯量法已经失效，不能用来监测地表土壤水

分状况。

表 3.6　高和较高植被覆盖下 ATI 与土壤水分回归分析

植被覆盖	相关系数	可决系数	标准误差	回归方程
0.35<NDVI<0.6	0.131	0.017	3.131	$y=0.000\,2+26.531$
NDVI>0.6	0.003	0.000	5.839	$y=0.000\,006x+26.865$

热惯量法不能应用于高植被覆盖区,这点得到目前遥感学者的认同,其原因是,首先,热惯量法计算得到的是地球表层的热惯量值,对于植被覆盖区,地表表层为植被层,通过温差计算得到的热惯量是植被层的热惯量,反演得到的地表水分状况的植被层的水分状况。所以对于植被覆盖区,用植被层水分代替土壤水分,这样造成了很大的误差,因为植被层水分与土壤水分在量上存在很大差异。其次,热惯量是基于地表温度得到的,研究采用常用的昼夜温差计算表观热惯量,但裸土与植被的温度变化机理不同。裸土的温度主要受土壤自身特征影响,植被层的温度主要受地表潜热、显热控制。用植被层的昼夜温差代替土壤的昼夜温差也会引起误差,所以热惯量法监测土壤水分随着地表植被覆盖度的增大效果变差,在植被覆盖区计算得到的热惯量值不能反映土壤本身的热特性,从而失效。

以上分析所提出的表观热惯量计算模型与土壤水分在地表为低植被覆盖和较低植被覆盖区具有较高的精度。相关分析表明,两种情况下都通过了 0.05 的显著性检验,具有显著的正相关,可以用来监测土壤水分;但在高植被覆盖小区和小区土壤水分含量过高情况下,由于地表强烈蒸散和植被的影响,掩盖了土壤的热惯量信息,热惯量与土壤水分已经不存在统计学上的联系,不能在实际中应用。

3.4.2　基于 MODIS 数据表观热惯量法的土壤水分监测

经过对 MODIS 数据前处理,已经得到了计算表观热惯量所需要的地表温度、植被指数和反照率 3 个参数,再加上太阳短波辐射和天空长波辐射就可以计算研究区的地表表观热惯量。研究区内地表温度白天的成像时刻为 10:40~11:00,从栾城站的辐射观测数据中找到 2008 年第 63 天,从中选取 10:40~11:00 内的数据,取这个时段的太阳辐射和天空长波辐射的平均值作为输入参数计算热惯量。根据式(3-15)和式(3-20)计算得到表观热惯量,计算结果如

图 3-19 所示。

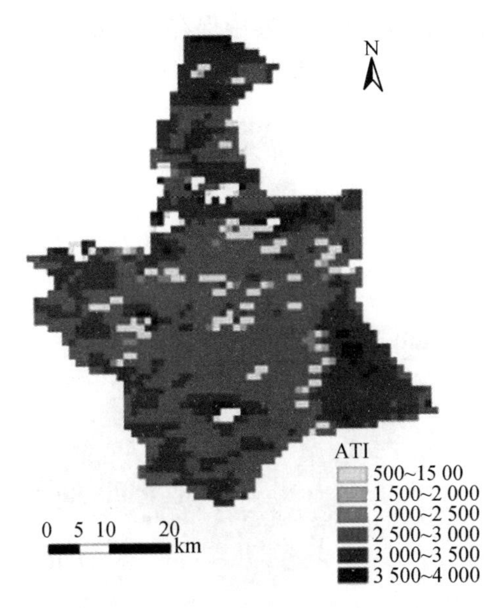

图 3-19　研究区表观热惯量分布(2008 年 3 月 3 日)

白色像元表示表观热惯量为 0 或者无效,即由于参数原因,计算结果明显出现错误,一般情况下是因为地表温度无数据的原因。MODIS 在进行地表温度反演时,对云有一定的处理,如果云量过多,则温度反演失败。

图 3-19 中可以看出,在有数据的像元中,绝大多数像元的热惯量值在 2 700~3 600,最大值为 3 527,最小值为 658。对每个像元 ATI 进行统计分析,结果表明表观热惯量结果介于 2 700~3 300 的像元占到了总像元量的 82%。

试验研究结果表明,当地表的 NDVI 小于 0.35 的情况下,表观热惯量监测土壤水分具有较高的精度。栾城县、赵县、藁城市 3 市县区域内,在 2008 年 3 月的时间段,NDVI 普遍较小,大部分位于 0.1~0.25,满足热惯量的适用条件。根据表 3-4 和表 3-5 所得到的回归方程计算所研究区域的土壤水分含量,其中 NDVI 小于 0.1 按照表 3-4 的回归方程计算,NDVI 大于 0.1 的区域按照表 3-5 的回归方程计算,结果如图 3-20 所示。

图 3-20 反映了栾城县、赵县、藁城市 3 市县的地表水分状况,区域内白点是由于表观热惯量参数为无效导致土壤水分反演失败。总体上看,2008 年 3 月 3 日,研究区域的土壤体积含水量在 14%~26%,中部土壤水分整体上较高,周围相对较低,最大差距约在 8%。通过分析每个像元的土壤水分分布,发现 87%

的像元土壤水分在18%~24%,符合实际情况。研究区当年冬天有较多的降雪,且当地的农业生产方式有冬小麦,越冬前有浇水的习惯,再加上3月3日地表温度比较低,地表蒸发很弱,所以土壤中保存较多的水分,并没有出现旱情,计算得到的土壤含水量位于正常的范围,是符合实际情况的。

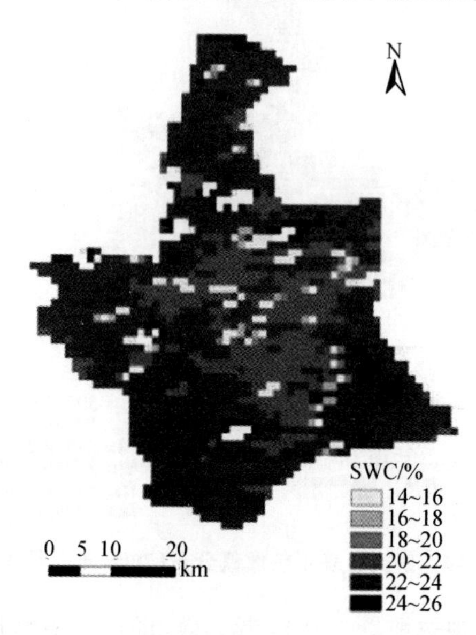

图3-20 研究区土壤体积含水量分布(2008年3月3日)

为了与实测土壤水分对比验证表观热惯量监测土壤水分精度,以栾城站和藁城市为例。如图3-20所示,栾城站计算得到的土壤含水量为22.4%,实际人工监测的0~20 cm土壤水分为25.1%;藁城市计算得到的土壤含水量为13.2%,与事实不符,这是由于居民点存在强烈的人类活动。在居民点,地表被硬化成为公路或者建筑物,人类活动改变了地表的性质,地表温度的变化很大程度上受到人类的影响,如工厂、汽车等排放热量,导致热惯量的关键参数地表温度发生变化,造成反演失败。

本研究中计算得到的表观热惯量结果的空间分辨率为1 000 m,每个像元所代表的实际地表面积为1 000 m×1 000 m,实际范围内每个像元都是混合像元,且实际地面测量土壤水分时一般是某点上的土壤水分含量,并不能完全反应周围1 000 m的土壤水分状况。因此,此监测结果必然会受到这两个因素的影响,但从区域角度看,监测结果能够反应所研究区域不同地点的相对地表水分状况。

3.5 研究结论

(1)对表观热惯量的计算和表观热惯量与土壤水分的关系进行了系统分析。首先以2008年5月28日为例,展示了不同植被覆盖、不同土壤水分含量的地表温度、NDVI、反照率、净辐射和热惯量的特征;然后根据验证试验的结果,系统地分析了表观热惯量与土壤水分含量之间的关系,并得到了不同植被覆盖下土壤水分与表观热惯量之间的线性回归方程。结果表明:热惯量法监测土壤水分是可行的,在植被覆盖度较低的情况下具有较高的精度;NDVI为0.35可以作为判断热惯量法监测土壤水分是否可行的临界值,NDVI大于0.35的区域热惯量法失效;对于土壤水分含量特别高(土壤体积含水量>35%)的区域,由于地表蒸散的影响,热惯量法失效。

(2)以NASA提供的MODIS标准陆地产品地表温度、反射率、植被指数为数据源,以河北省栾城县、赵县、藁城市3市县为研究区域,结合栾城站实测的辐射数据,计算了3市县的表观热惯量,并根据表观热惯量与土壤水分的关系计算了该区域的土壤水分含量。结果表明:该热惯量模式具有较好的可靠性,计算得到的土壤水分含量与实际情况具有较好的对应性。

(3)在地表能量平衡方程和地面辐射平衡方程的基础上,根据已有的试验条件,提出了一个计算表观热惯量的模型。在所提出的表观热模型基础上,通过地面控制试验计算了不同植被覆盖下的地表表观热惯量并与实测的土壤水分建立了线性回归方程。在验证试验的基础上,以NASA-MODIS提供的陆地产品为数据源,计算了河北省石家庄市栾城、赵县、藁城3个市县2008年3月3日的土壤水分状况,结果与实际状况具有较好的对应性。

(4)提出的表观热惯量法模型进行土壤水分是可行的;由于裸土和植被覆盖区地表温度变化理不同,热惯量法只能在地表植被覆盖较低的区域使用,以NDVI为指标的话,NDVI小于0.1表示效果非常好,NDVI大于0.35表示热惯量法失效,可以以NDVI为0.35作为临界值判断热惯量法的使用条件;对于土壤水分过高区域,由于地表蒸散影响地表温度变化,造成热惯量法监测土壤水分失败;结合MODIS数据和常规气象资料中的辐射观测项,可以完成热惯量计算和土壤水分的监测。

由于MODIS数据波段多、时效性强、免费使用等优势,充分利用MODIS数据进行地表生态环境监测具有很强的现实意义,已经成为目前遥感研究的热点。针对土壤水分监测可以从以下方面加强研究。

①提高地面温度反演的精度。目前很多的模型都需要用到地面温度这个关键参数,MODIS 的热红外波段空间分辨率为 1 000 m,绝大多数的像元为混合像元,提高混合像元的组分温度反演精度会提高监测土壤水分的精度。

②热惯量与土壤水分关系。目前所建立的热惯量与土壤水分的关系大多数是针对特定的区域,通过建立与 MODIS 数据同步的地面实测数据库,增加监测站点的数量和密度,优化两者之间的关系模型,可以提高监测精度。

③表层土壤水分与深层土壤水分的关系。目前热惯量法只能监测土壤表层的土壤水分状况,而对于农业生产来说,深层土壤水分状况更具有意义,建立表层土壤水分与深层土壤水分状况可以促进遥感法的应用前景。

④延长监测结果的时间序列。长时间序列的土壤水分监测对于分析全球变化、水资源变化等具有非常重要的意义。

第4章 TVDI监测土壤含水量研究

4.1 研究进展

20世纪50年代,随着第一颗人造地球卫星——斯普特尼克1号的成功发射,卫星遥感技术正式开始。经过几十年的不断发展,目前迎来了遥感大数据时代。遥感技术为干旱灾害监测提供了新的途径。遥感技术可以提供大气(降雨、温度、辐射等)、植被(绿度、冠层结构、含水量等)、土壤(湿度、温度等)等多方面信息,为研究干旱监测指数提供了技术支持。通过遥感数据实现干旱监测的方法源自VCI,由Kogan提出。NDVI是基于遥感的干旱监测最为常用的指数,但NDVI的年际变化是天气和生态系统的综合影响造成的。然而Kogan试图将两者的影响进行区分,因此,将TCI引入到干旱监测中。而VCI和TCI的相结合,即VHI被用于评估植被水分和气温胁迫,VHI指数同时兼具VCI和TCI的优点,该方法计算方便,因而被广泛使用。Bhuiyan等在监测印度的干旱动态变化时,发现VHI比SPI更能反映不利气象和水文条件对水和植被的影响。牟伶俐等最早发现了VHI能够较好地对作物的受旱状态做出反映。

自20世纪80年代以来,NDVI、EVI、NDWI等遥感指数已经用来针对植被状况或土壤水分进行干旱研究。Gao等提出的NDWI可以用来确定他们先前提出的植被冠层(NDWI)的液态水含量,此方法可用于测定植被冠层的液态水含量。通过短波红外反射率(ρ_{swir})、近红外波段的反射率(ρ_{nir})可以计算求得,即

$$NDWI=(\rho_{nir}-\rho_{swir})/(\rho_{nir}+\rho_{swir}) \tag{4-1}$$

Gu等通过试验发现NDWI对干旱的响应比NDVI更快。他们还提出了一个对干旱更敏感的指数NDDI,它的计算公式为

$$NDDI=(NDVI-NDWI)/(NDVI+NDWI) \tag{4-2}$$

研究表明,NDDI对干旱严重程度的响应更快。但是,单纯利用温度或植被指数监测土壤水分状况,都存在一定局限性。植被指数和地表温度的结合为区域土壤湿度监测提供了可行的方法。基于植被指数和地表温度获取的温度植被干

旱指数,综合了两种参数的生态意义,可以减小单纯使用一种指数对干旱监测的影响,获得的结果实用性更强,准确性更高,且特征空间所需数据较少,获取方便,计算得到的 TVDI 应用较为广泛。赵杰鹏通过云覆盖修正改进了 TVDI 土壤水分反演模型和多日平均温度合成,减少了云层并消除了地形的影响。使得估算土壤含水量精度明显提高,说明改进以后的模型有效。针对西北地区干旱影响农业生产的问题,李润林等以土壤覆盖指数(MSAVI)构建了 TS-MSAVI 的特征空间来进行研究。结果表明,MSAVI 指数能较好地反映该地区的湿度状况。基于植被指数对植被条件的敏感性,张喆提出了 TVDI 对不同植被区在不同季节具有不同的保护效果。综合利用多个来源的遥感数据获取土壤含水量已成为当前一个重要的研究方向。Zhu 等对 TVDI 指数进行了改进,提出了对温度植被干旱指数的改进方法并构建了新的指数(MTVDI),由此使得实测土壤湿度和干旱指数的关联性得到了提高。

Sandholt 等利用陆地表面温度、植被指数二者之间的关系,提出了 TVDI,通过构建 NDVI-LST 特征空间来实现土壤表层水分状况的估测国内利用 TVDI 进行干旱监测已经得到了广泛应用,如杨秀海等利用 TVDI 和 VSWI 对青藏高原土壤湿度进行监测,得出通过 TVDI 能够更好地反映土壤湿度状况,对实现干旱事件的监测具有可行性;闫娜等利用 TVDI 方法对陕西省旱情进行遥感监测分析,证实 EVI 与 LST 两者建立的监测模型效果较好;杨曦等证实 TVDI 是一种有效的可监测土壤湿度的手段,可以反映华北平原土壤表层的干湿状况;康为民等得出基于 EOS/MODIS 遥感资料得到的 TVDI 方法适宜于较大区域、复杂地形的干旱检测与预警,由于 EOS/MODIS 遥感数据特有的高时间分辨率、高光谱分辨率和适中的空间分辨率等技术优势,使得该方法对于大范围复杂地势条件的干旱研究、预警具有独到的优势;张强等利用 NDVI 与所测得的土壤湿度数据对我国北方地区进行分析,不同区域与季节差异都会导致不同的敏感性差异;沙莎等阐述了 TVDI 模型原理,并介绍了模型的计算方法及改进手段,为 TVDI 的深入学习与应用提供了实用参考;陈斌等以内蒙古锡林郭勒盟地区作为研究区,对 2010 年 9、10 月构建 NDVI-LST 和 EVI-LST,进行旱情监测并发现 TVDI 可以很好地反映草原干旱状况。利用 TVDI 技术对旱情进行研究已经得到了广泛开展,模型所需要的遥感数据呈现出多元化,且不受遥感数据类型、分辨率等的干扰;研究所涉及的地区也越来越广,对模型的改进也越来越多,地形导致的温度差异也进行了大量的改进,尤其在计算干湿边拟合过程的改进手段也越来越多。结合温度指数与植被指数建立 TVDI,表示的是土壤湿度的一个相对状态,有效解决由于土壤湿度实测值偏少而导致精确度不能保证问题,同时大大减少了工作量。

在地表土壤湿度遥感监测方面,热惯量法在寒冷地区和低植被覆盖地区的土壤湿度监测中是简单有效的,并且精度较高。但是在植被覆盖较高的区域,由于受到混合像元效应的影响,精度难以保证;利用植被指数进行干旱监测的做法十分便捷,但是较难通过植物的生长发育来对干旱进行监测。基于容量的收获水分亏缺方法有着坚实的理论基础,但由于其必须有大量的入土参数,使得模型计算复杂,其中许多是经验模型,很难推广;微波遥感精度较高,可以全天候的进行工作。然而,选用的不论是主动微波的方法还是被动微波的监测方法,都会受到地表形状和植被覆盖的影响,并且数据采集不易、成本高。综上所述,随着遥感监测干旱方法的不断发展,新的监测模型方法在不断改进完善。尽管不同的数据源及遥感机制具备相对优势,然而局限性却也固然存在,在使用范围上也有着较大的差异。

目前 TVDI 指数模型是国内外广泛采用的干旱监测模型,效果较为理想,并且具有实用价值。

4.2　研究区概况

4.2.1　自然地理概况

1. 地形地貌

黑龙江省位于我国东北边疆,欧亚大陆东部,太平洋西岸,幅员辽阔,自然资源丰富,地处 43°25′N~53°33′N,121°11′E~135°05′E,南北相距 1 120 km,东西相距 930 km。东部、北部隔乌苏里江、黑龙江省与俄罗斯相望,南部与吉林省接壤,西部与内蒙古自治区毗邻。全省总地势是西北部、北部和东南部高,东北部和西南部低。西北部为东北-西南走向的大兴安岭山地,北部为西北-东南走向的小兴安岭山地,东南部为东北-西南走向的完达山、老爷岭和张广才岭山地,东部为三江平原,西部为松嫩平原。

地貌构成为:山地 2.47%、丘陵 35.8%,平原 37.0%、水面及其他 2.5%。大、小兴安岭和东部山地以及松嫩平原、三江平原与穆棱-兴凯平原等构成了全省最基本的地形地貌轮廓。

全省土地总面积 47.3 万 km^2,占全中国总面积的 4.9%,位居全国第 6 位。其中农用地面积 39.5 万 km^2,占全省土地总面积的 83.5%,耕地面积占农用地的 30%。地表覆盖类型以农田、森林和牧草为主，耕地和林地面积居全国第 1 位，牧草地面积居全国第 7 位，是中国重要的粮食生产基地。全世界仅有四大块黑土区，其中一块位于我国的东北平原，黑龙江省地处东北黑土区核心区域，拥有典型黑土耕地面积 10.4 万 km^2，占东北典型黑土区耕地面积的一半以上，拥有我国最广袤的黑土地。

2. 气象

（1）气温：黑龙江省是全国纬度最高，气温最低的省份，由南至北随着纬度纵越中温带和寒温带两个温度带，由东向西沿着经度横跨东部山地湿润带、中部丘陵和台地的半湿润带和西部松嫩平原的半干旱带三个湿度带，属于典型的大陆性季风气候，年平均气温 2.2 ℃，全年有 5 个月平均气温在 0 ℃以下；等于和大于 10 ℃的年积温一般在 2 200～2 800 ℃；年日照总时数一般为 2 300～2 900 h；无霜期一般在 100～140 d。年平均风速一般在 3～4 m/s，平原大，山区小。春季多风少雨干旱；夏季短促高温多雨；秋季冷凉霜冻频繁；冬季漫长干燥严寒，严冬长达 6 个月，春、夏、秋季各约为 2 个月。气温变化大，日照时间长，降水比较集中，风多风大频率高，春季及交初年年发生不同程度的干旱。

（2）降水：个省年降水量在 380～650 mm。降水量年内分布极不均匀，西部较少，东部较多，平原较少，山区较多，这是造成西旱东涝的主要气候因素；全省年内降水主要集中在 6～9 月份，约占全省总量的 60%～80%；4～6 月降水很少，只占全年降水量的约 10%；而 12 月～次年 2 月的降水量仅有 5～20 mm，只占全年的 5%～10%，易发生春旱。年降水量变差系数 Cv 值一般变化在 0.20～0.25。降水分配不均的特点是造成水旱灾害频繁发生的主要自然因素。1996—2000 年黑龙江省连续出现了春旱连夏旱，夏旱连秋旱，使农业生产损失巨大。近年来省内干旱由季节性变为常年性，由交替性变为连续性，由局部性变为普遍性。

（3）蒸发：蒸发量地区分布趋势是南部大，北部小，平原大，山区小。全省多年平均水面蒸发量 E601，为 900 mm，陆地蒸发量 E601 为 375～450 mm。松嫩平原多年平均年水面蒸发量（E601）为 800～900 mm，三江平原为 600～700 mm，大小兴安岭及南部山区约为 550 mm。由于受气温、风速、植被等因素影响，5 月份蒸发量最大，6 月份次之，这两个月的水面蒸发量占全年的 30%以上；冬季水面结冰，蒸发量很小，松嫩平原为 375～400 mm，山区为 300～350 mm。

3. 河流湖泊

黑龙江省水资源含量丰富，境内江河湖泊众多，水域面积高达 2.5 万 km^2。黑龙江省直接入海的河流有黑龙江和绥芬河，因汇入黑龙江的有松花江和乌苏里江两大支流。习惯上称为黑龙江、松花江、乌苏里江和绥芬河四大水系。全省流域面积大于 50 km^2 的河流有 1 918 条，大于 10 000 km^2 的河流有 18 条。黑龙江流域在黑龙江省境内的面积为 11.6 万 km^2，占全省面积的 25.6%；松花江流域为 26.9 万 km^2，占全省面积的 59.3%；乌苏里江流域为 6.15 万 km^2，占全省面积的 13.4%；绥芬河流域为 0.75 万 km^2，占全省面积的 1.7%。主要江河径流量：穆棱河 13.6 亿 m^3、挠力河 15.5 亿 m^3、松花江 600.7 亿 m^3、呼兰河 27.5 亿 m^3、拉林河 13.2 亿 m^3、蚂蚁河 11.9 亿 m^3、牡丹江 46.1 亿 m^3、汤旺河 46.9 亿 m^3、嫩江 206.1 亿 m^3。全省有大小湖泊 640 个，水面面积约 6 000 km^2，主要有兴凯湖、镜泊湖、连环湖和五大连池等湖泊。

4. 植被土壤

黑龙江省是全国纬度最高的地区，耕地面积和人均耕地面积均居全国第一位。黑龙江省也是我国最大的林业省份之一，总面积达 18.95 万 km^2。黑龙江省土壤受地形和气候等自然条件的作用和影响，具有不同的成土过程，产生了暗棕壤化、白浆化、腐殖质化、草甸化和盐渍化等演变，形成了许多土壤类型。主要土类有棕色针叶林土、暗棕壤、白浆土、黑土、黑钙土、草甸土、沼泽土、盐碱土、风砂土和水稻土等。

棕色针叶林土主要分布在山区，具有明显的地带性，植被为针叶林，暗棕壤是全省面积最大的土类，原始植被为天然林，土壤比较肥沃、肥力较高的黑土、黑钙土、草甸土主要分布在省内中西部松嫩高、低平原地区，三种土类面积占全省总土地面积的 34.2%，由于其土壤有机质和养分含量比全国其他省份高 2~5 倍，土壤结构好，具有较高的生产潜力，适宜农业、经济作物生长，发展高效农业具有得天独厚的条件，因而为省内主要的耕作土壤，占全省总耕地面积 71.5%。白浆土、沼泽土主要分布在三江平原地带，二者土壤水分物理条件正好相反，前者土壤水分条件不好，后者水分充足，但二者都属于低产土壤，其他土类所占比例均很小。

5. 水资源

我国是世界上缺水的国家之一，人均水资源占有量为世界平均的 1/4。黑龙江省是全国水资源贫乏省份之一，全省多年平均年径流量为 655.8 亿 m^3，平均年径流深 144 mm。全省年流年际变化较大，变差系数 Cv 一般为 0.4~1.1，山区小，平原大，松嫩低平原大于 1.1。年径流具有连丰及连枯的特点。径流年内分配极不均匀，大部分集中在 6~9 月或 5~8 月。黑龙江全省多年平均地下水资源量为 273.5 亿 m^3，其中，平原区多年平均地下水总补给量为 159.40 亿 m^3/a，平原区地下水资源量为 125.14 亿 m^3/a，二者重复计算水量为

11.0 亿 m^3。在扣除了地表水与地下水二者之间的重复计算水量 157.1 亿 m^3，则全省多年平均水资源总量为 772.2 亿 m^3，如表 4.1 所示。另外，全省水资源地区空间分布很不均匀。地表水资源主要分布在山丘区，占总量的 74.5%，而山丘区耕地面积只占全省总耕地面积的 20%；平原区水量仅占总量的 20%，可耕地面积占全省的 80%，而水量仅占全省的 5.7%。黑龙江干流区地少人稀，耕地面积只占全省的 7%，而水资源却占 26%。松嫩平原耕地面积占全省的 46%，而水资源量只占 10%。地多水少，农业供水不足。

表 4.1　黑龙江省水资源量表

分区名称	面积/万 km^2	地表水资源量/亿 m^3	地下水资源量/亿 m^3		重复计算水量/亿 m^3	水资源总量/亿 m^3
			合计	平原区		
全省	45.44	655.8	273.5	159.4	157.1	772.2
黑龙江干流	11.60	193.1	49.6	10.2	39.5	201.2
嫩江	8.48	65.1	54.1	46.8	17.8	101.4
松花江干流	18.46	311.2	134.1	75.5	83.1	362.2
乌苏里江	6.15	74.7	34.6	26.9	13.6	95.7
绥芬河	0.75	11.7	3.1	—	3.1	11.7

4.2.2　社会经济状况

根据 2022 年黑龙江国民经济和社会发展公报显示，2022 年末黑龙江省常住总人口 3 099 万人，其中，城镇人口 2 052 万人，乡村人口 1 047 万人。

黑龙江省有效耕地面积 9.22 万 km^2，其中水田 1.76 万 km^2、旱田 7.46 万 km^2，草原7.53 万 km^2（其中可利用草原 6.08 万 km^2），森林面积 18.77 万 km^2，森林覆盖率 42%。粮食作物主要为杂粮，以玉米、谷子、高粱为主。黑龙江省为全国重要小麦产区。

目前黑龙江省交通便利，铁路运输为全省交通骨干，主要有京哈、滨洲、滨绥、哈佳、牡图、平齐等线，哈尔滨为省内铁路总枢纽。中南部有稠密的公路网。另外，黑龙江省是我国北方水运最发达的省份。

总的说来，近年来黑龙江省人民生活、城镇化水平不断提高，所以与水的供需矛盾也就越来越突出。

4.2.3　干旱情况

黑龙江省作为全国最大的商品粮生产基地，受气候变暖和降雨分布不均的影响，区域防旱减灾面临严峻挑战。黑龙江省农作物属一年一熟制，其整个生育期在 5~9 月，省内春夏秋冬四季更替明显，春季低温干旱，夏季温热多雨，秋季易涝早霜，冬季寒冷漫长，全省无霜期平均介于 100~150 d，气候地域性差异大。全省每年平均气温在−5~5 ℃，随着纬度从南向北增高，其分布特点是逐级递减，从南向北依温度指标可分为中温带和寒温带，每年的 1 月出现气温最低值，7 月出现气温最高值，年平均地表温度在−2 ℃~6℃，其时空分布特征与平均气温一样。全省年日照时数在 2 400~2 800 h，全省太阳辐射资源丰富，大多集中在黑龙江省南部地区。黑龙江省的年平均风速在 2~4 m/s，西南部地区出现大风天气的频率较高。由于受到夏季风的影响，全省自东向西由湿润型经半湿润型过渡到半干旱型气候带，地表植被种类丰富，以农田、森林和牧草为主，土壤水分含量时空变化范围大。

年降水量在 350~650 mm，降水受地形地貌影响，其时空分布差别较大，在山地集中的中部地区，年降水较多，东部地区雨水正常，西北部区域雨水偏少，黑龙江的降水情况较为稳定，几乎全年的降水量都集中在农作物生长的季节。具有季节性变化分布特征，其春季、夏季、秋季和冬季的降水量分别占全年的 13%、65%、17%和 5%。从东向西依干燥度指标可分为湿润区、半湿润区和半干旱区。黑龙江省农业特征区分为：大小兴安岭（Ⅰ区）、三江平原（Ⅱ区）、张广才岭（Ⅲ区）和松嫩平原（Ⅳ区）。Ⅰ区以林业为主，少量农业以种植小麦、大豆、马铃薯为主；Ⅱ区和Ⅳ区以农业为主，农牧结合，农业以种植玉米、水稻、大豆、小麦、马铃薯等为主；Ⅲ区以农林业为主，农业以种植水稻、玉米、大豆等为主。

干旱是黑龙江省最主要的气象灾害，尤其作物生长季干旱频发，西部松嫩平原地区，通常是十年九春旱，自 20 世纪 80 年代以来，西部和中部地区频繁发生春旱及春夏连旱。其特征主要包括：

（1）干旱发生概率逐步增大，自 19 世纪以来，黑龙江省大约每四年发生一次旱灾，19 世纪 90 年代以前，平均每三年发生一次旱灾，而 19 世纪 90 年代以后，几乎每年都会发生春旱；

（2）发生旱灾的区域越来越多，19 世纪 90 年代以来，黑龙江旱灾发生范围自西向东逐步扩大到佳木斯、鸡西东部地区，而近些年，全省大部分县市均不同程度发生过干旱；

(3)干旱程度越来越严重,持续无降水日增多,不同深度的土壤水分含量逐渐降低,地下水水位下降严重,受到旱灾影响的面积逐步扩大等。

在干旱发生频率和影响范围逐步扩大的同时,其造成的损失也逐年攀升。1949—1978 年旱灾造成黑龙江省粮食损失约 60 亿 kg,约合 21 亿元人民币,1978—2000 年旱灾的成灾面积就占全省总成灾面积的 44.9%,1996—2000 年旱灾造成的直接经济损失和农业直接经济损失分别占全省自然灾害造成总损失的 36%和 45%,其中,仅 2000 年全省春夏连旱,受旱面积 5.84 万 km^2,绝产 1.44 万 km^2,粮食减产 62 亿 kg。

综上所述,干旱灾害对黑龙江省自然生态环境和社会经济发展造成了严重的影响,制约了黑龙江省农业生产的发展。因此,以黑龙江为研究区进行干旱监测研究,具有一定的科学代表性,掌握干旱发生、发展的规律,找到有效的干旱遥感监测方法,有利于确保农业生产的稳步发展,对黑龙江省生态、农业、防灾减灾等具有重要的实际价值。

4.3 TVDI 监测指标的干旱等级划分

黑龙江省是典型的旱作农业区,旱灾一直是农业生产的主要自然灾害之一,全省正常干旱年份内易旱面积约占总播种面积的 40%,年平均降水量约 530 mm,年内降水分配不均,也是造成干旱的主要原因。另外,省内土壤大部分土质黏重,透水不良,有的土壤类型容水量低、风蚀严重,这些均为干旱发生提供条件。再加上省内地下水埋藏较深,补给量不稳定,浅层地下水含量少,也易于发生干旱。

土壤水分是监测土壤旱情的重要指标,研究者大都从土壤水分入手来监测土壤干旱情况。在研究方法上,国内一般利用 NDVI、VCI、TCI、CWSI、TVDI 等中的一种指数作为旱情监测的指标。毛学森发现冬小麦在受到水分胁迫时 NDVI 对土壤水分的反应具有一定的滞后性,所以将地表温度和植被指数联合起来监测土壤水分效果更好。

众多研究表明 TVDI 与土壤水分有较高的相关性如韩丽娟等详细解释了 T_s-NDVI 构成的空间,并用蒸散和温度植被干旱指数解释了 T_s-NDVI 特征空间的内涵;刘良云等利用两者关系对地物进行分类,提取了植被覆盖和土壤水分的信息;姚春生利用 MODIS 数据得到的 TVDI 反演了新疆地区两个月的土壤水分;王鹏新等在 T_s-NDVI 构成的三角形空间和 TVDI 的基础上,提出了条件

VTCI 模型监测土壤水分和干旱。齐述华等利用不同时相的 T_s-NDVI 特征空间对全国进行了旱情监测,结果表明,TVDI 与土壤湿度显著相关,用来大范围评价旱情是合理的。监测中提到以 TVDI 作为旱情分级指标,将旱情划分 5 级,按 TVDI 值(0~1)平均分配。莫伟华等采用 VSWI 法作为农地的干旱指标,并根据典型代表区的平均 VSWI 值划分旱情等级,评估了研究区的干旱情况。范辽生推导出利用 TVDI 和干、湿边土壤水分计算土壤含水量的方程,利用方程反演了杭州市伏旱期间的土壤表层的相对湿度,结果表明反演值和实测值之间的平均绝对误差较小。该研究虽支持了 TVDI 法反演土壤相对水分,但并没有划分相应的土壤干旱等级,即 TVDI 土壤干旱等级划分标准没有量化,想要快速、准确地分析土壤干旱及旱灾情况仍需大量的研究工作。

研究 TVDI 与土壤水分相关性文献很多,且大多数是找到 TVDI 与土壤水分的关系模型,然后按照土壤水分值的干旱等级划分将 TVDI 再进行分等定级,或者直接将 TVDI 值平均划分作为干旱等级划分的标准。在 TVDI 与土壤水分关系模型构建中会存在系统和人为误差。

以黑龙江省内 2015 年 40 个市县气象观测站点观测的旱作农业样点为研究对象,利用 MODIS 数据和土壤相对湿度观测资料,采取"天基"与"地基"相结合的方式,以《气象干旱等级》(GB/T 20481—2006)为依托,提出了 TVDI 遥感干旱监测指标的干旱等级,旨在深化研究这种近实时定量化的干旱监测方法,补充以 TVDI 值平均分配的方法作为农地旱情指标的不足,进一步加强该方法监测土壤旱情的精度。

4.3.1　材料与方法

1. 气象数据

本研究采用省内 40 个气象站点分布情况如表 4.2 所示。时间范围是 2000—2014 年每年 6~9 月,以旬为时间单位的气象站点观测数据集。数据集中包括土壤 10 cm、20 cm、50 cm、70 cm、100 cm 深度的土壤相对湿度数据。

表 4.2　气象站监测点信息

序号	编码	名称	经度/(°·m)	纬度/(°·m)
1	50353	呼玛	126.65	51.72
2	50468	黑河	127.45	50.25
3	50557	嫩江	125.23	49.17

表 4.2(续 1)

序号	编码	名称	经度/(°·m)	纬度/(°·m)
4	50564	孙吴	127.35	49.43
5	50655	五大连池	126.5	48.55
6	50658	克山	125.88	48.05
7	50673	嘉阴	130.4	48.88
8	50739	龙江	123.18	47.33
9	50742	富裕	124.48	47.8
10	50755	拜泉	126.1	47.6
11	50756	海伦	126.97	47.43
12	50779	抚远	134.28	48.36
13	50788	富锦	131.98	47.23
14	50844	泰来	123.42	46.4
15	50851	青冈	126.1	46.68
16	50854	安达	125.32	46.38
17	50861	庆安	127.48	46.88
18	50867	巴彦	127.35	46.08
19	50871	汤原	129.88	46.73
20	50873	佳木斯	130.28	46.81
21	50877	依兰	129.58	46.3
22	50879	桦南	130.52	46.2
23	50880	集贤	131.13	46.71
24	50888	宝清	132.18	46.32
25	50892	饶河	134	46.8
26	50953	哈尔滨	126.77	45.75
27	50954	肇源	125.08	45.5
28	50955	双城	126.3	45.38
29	50958	阿城	126.95	45.52
30	50963	通河	128.73	45.97
31	50964	方正	128.8	45.83
32	50968	尚志	127.97	45.22
33	50973	勃利	130.55	45.75

表 4.2(续 2)

序号	编码	名称	经度/(°·m)	纬度/(°·m)
34	50979	林口	130.23	45.27
35	50983	虎林	132.97	45.77
36	54080	五常	127.15	44.9
37	54093	穆棱	130.55	44.93
38	54094	牡丹江	129.6	44.57
39	54098	宁安	129.46	44.33
40	54099	东宁	131.18	44.1

2. 遥感数据

本研究利用 MODIS 标准产品中的 16 d 合成的植被指数 MOD13A2 和 8 d 合成的地表温度 MOD11A2 数据。数据时间与气象数据一一对应,计算同时期、同地点的土壤相对湿度相对应的 TVDI 值。计算 TVDI 时,需将 NDVI 及 T_s 数据统一到同一获取时间段内,因此将临近的两个 8 d 合成的 MOD11A2 数据以最大值法合成 16 d 的 MOD11A2 数据。

遥感数据获取后,首先利用 ModisTool 工具进行图幅投影变换,在 ID/ENVI 环境中,分别对产品数据进行图幅拼接、研究区裁剪及数据合成,其次以 0.01 的 NDVI 阈值为步长构建 T_s-NDVI 特征空间模型并同时计算 TVDI。最后利用 MCD12Q1 土地覆盖类型产品提取农用地,利用 ENVI 的掩膜技术,将黑龙江省内非农用地区域进行过滤处理。

3. 研究方法

(1) TVDI 模型法。

该方法详见第 1 章内容。

(2)气象干旱等级。

《气象干旱等级》(GB/T 20481—2006)中规定土壤相对湿度即土壤实际含水量占土壤田间持水量的比值,以百分率(%)表示。其等级划分如 4.3 所示。

表 4.3　土壤相对湿度干旱等级划分

等级	类型	10~20 cm 深度土壤相对湿度	干旱影响程度
1	无旱	$60\%<R$	地表湿润或正常,无旱象
2	轻旱	$50\%<R\leq 60\%$	地表蒸发量较小,近地表空气干燥

表 4.3(续)

等级	类型	10~20 cm 深度土壤相对湿度	干旱影响程度
3	中旱	$40\%<R\leqslant50\%$	土壤表面干燥,地表植物叶片有萎蔫现象
4	重旱	$30\%<R\leqslant40\%$	土壤出现较厚的干土层,地表植物萎蔫、叶片干枯,果实脱落
5	特旱	$R\leqslant30\%$	基本土壤蒸发,地表植物干枯、死亡

(3)等级划分理论。

a. 区间估计。

在参数的点估计中,设总体 X 的分布中含有未知参数 θ,$\underline{\theta}(X_1,X_2,\cdots,X_n)$ 和 $\overline{\theta}(X_1,X_2,\cdots,X_n)$ 是由样本 $X_1,X_2,\cdots,X_n$ 确定的两个统计量。对给定的数 α $(0<\alpha<1)$,如果对参数 θ 的任何值,都有

$$P\{\underline{\theta}<\theta<\overline{\theta}\}=1-\alpha \tag{4-3}$$

则称随机区间 $(\underline{\theta},\overline{\theta})$ 为参数 θ 的置信度为 $1-\alpha$ 的置信区间。$\underline{\theta},\overline{\theta}$ 分别称为 θ 的双侧置信区间的置信下限和置信上限。

θ 的区间估计,就是在给定 α 的前提下,去寻找两个统计量 $\underline{\theta}$ 和 $\overline{\theta}$,使其满足公式(5),从而知道 θ 落在区间 $(\underline{\theta},\overline{\theta})$ 中的概率为 $1-\alpha$,也称 $(\underline{\theta},\overline{\theta})$ 为 θ 的区间估计。公式(5)指在每次抽样下,对样本值 $(x_1,x_2,\cdots,x_n)$ 就得到一个区间 $(\underline{\theta}(x_1,x_2,\cdots,x_n),\overline{\theta}(x_1,x_2,\cdots,x_n))$,重复多次抽样就得到许多个不同的区间,在所有 这些区间中,大约有 $1-\alpha$ 的区间包含位置参数 θ,而不包含 θ 的区间约占有 α。若 α 给的越小,公式(5)的概率就越大,因此置信度 $1-\alpha$ 表达了区间估计的可靠性,它是区间估计的可靠概率,α 表达了区间估计的不可靠概率。

DX 未知时 EX 的置信区间

设 X 服从正态分布 $N(\mu,\sigma^2)$,其中方差 σ^2 未知,则总体均值 μ 的置信度为 $1-\alpha$ 的置信区间是:

$$\overline{X}-\frac{S}{\sqrt{n}}t_{\frac{\alpha}{2}}(n-1)<\mu<\overline{X}+\frac{S}{\sqrt{n}}t_{\frac{\alpha}{2}}(n-1) \tag{4-4}$$

式中 μ——总体均值;

S——样本标准差;

$t_{\frac{\alpha}{2}}(n-1)$——自由度 $n-1$ 的 t 分布关于 $\frac{\alpha}{2}$ 的上侧分位数。

b. 单侧置信区间。

参数的区间估计中，每个置信区间都有上限和下限，即置信区间采用了($\underline{\theta}$, $\overline{\theta}$)的形式，但在许多实际问题中，如估计设备的使用寿命，显然评价说明越长越好，对于这种情况，可将置信上限取为+∞，而对只关心其置信度下限 $\underline{\theta}$，即置信区间可采用($\underline{\theta}$,+∞)的形式；如对于大批产品的废品率的估计，废品率越低越好，此时置信区间可采用(-∞，$\overline{\theta}$)的形式。

在本研究中我们取置信区间的上限作为 TVDI 干旱等级的划分界限，那么当正态总体 σ^2 未知时，其均值 μ 的单产置信上限为

$$\left(-\infty,\bar{X}+\frac{S}{\sqrt{n}}t_{\frac{\alpha}{2}}(n-1)\right) \tag{4-5}$$

(4) TVDI 干旱监测指标的分级方法。

将由 MODIS 数据获取的每年 6 月上旬至 9 月下旬全省 40 个旱作农业站点对应的 TVDI 值与实际土壤相对湿度数据相对应，按照土壤相对湿度的干旱等级划分标准将 TVDI 值一一落在相应的分级区域内，即某一像素按照某已知土壤相对湿度划分为中旱时，则将该像素的 TVDI 值划分到中旱这一等级。最后对每一等级的 TVDI 值进行统计分析，包括样本容量，样本、样本均值、样本标准差、抽样平均误差、置信度、自由度、允许误差等。在统计分析中取 α 为 0.05，则计算参数的置信度为 0.95 的置信区间。

(5) 地面数据采集方法。

2011 年编著者参加国防科工局重大专项科研项目子项目的工作，工作中从 6 月份到 9 月份监测宾县和肇东市土壤水分。选取 1 000 m×1 000 m 的样方区域，每个区域选取 5 个点测 10 cm、20 cm、30 cm、40 cm、50 cm 土层深度的土壤水分(即 A、B、C、D、E 点)。同年 4 月中旬分别在宾县和肇东市两个地区的每个样方区内取土样回试验室测取每个样区土壤的田间持水量，将该数据与每次测得的土壤水分数据相运算，得到每次每个样方的土壤相对湿度数据(图 4-4、图 4-5)。

遥感影像反演土壤水分分辨率为 1 000 m，因此地面样方采取 1 000 m×1 000 m，为提高地面测量精度，在每个样区内均匀选取 5 个点测量土壤水，并用均值代表该样区的土壤水分值。

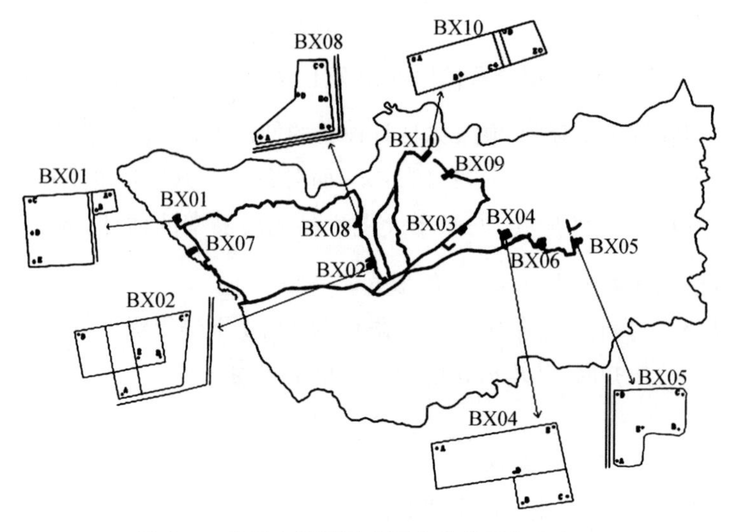

图 4-4　宾县实地测量土壤水分监测点分布图

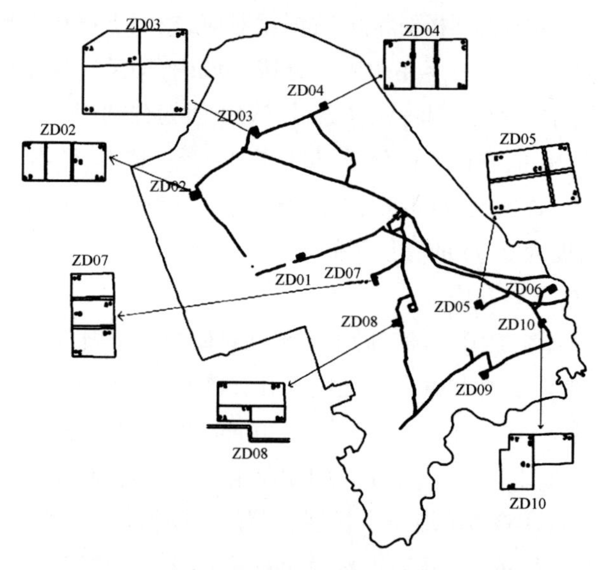

图 4-5　肇东市实地测量土壤水分监测点分布图

4.3.2　T_s-NDVI 特征空间及干、湿边方程拟合

利用 ENVI 软件，对研究区内每个 NDVI 像元以 0.01 的步长求出对应的最高和最低地表温度，建立 2000—2014 年作物生长季内（6～9 月）即 T_s-NDVI 特征空间的干边（Dry）、湿边（Wet）方程（图 4-6～图 4-19），进而求得研究区内 2000—2014 年每旬的温度植被干旱指数 TVDI。

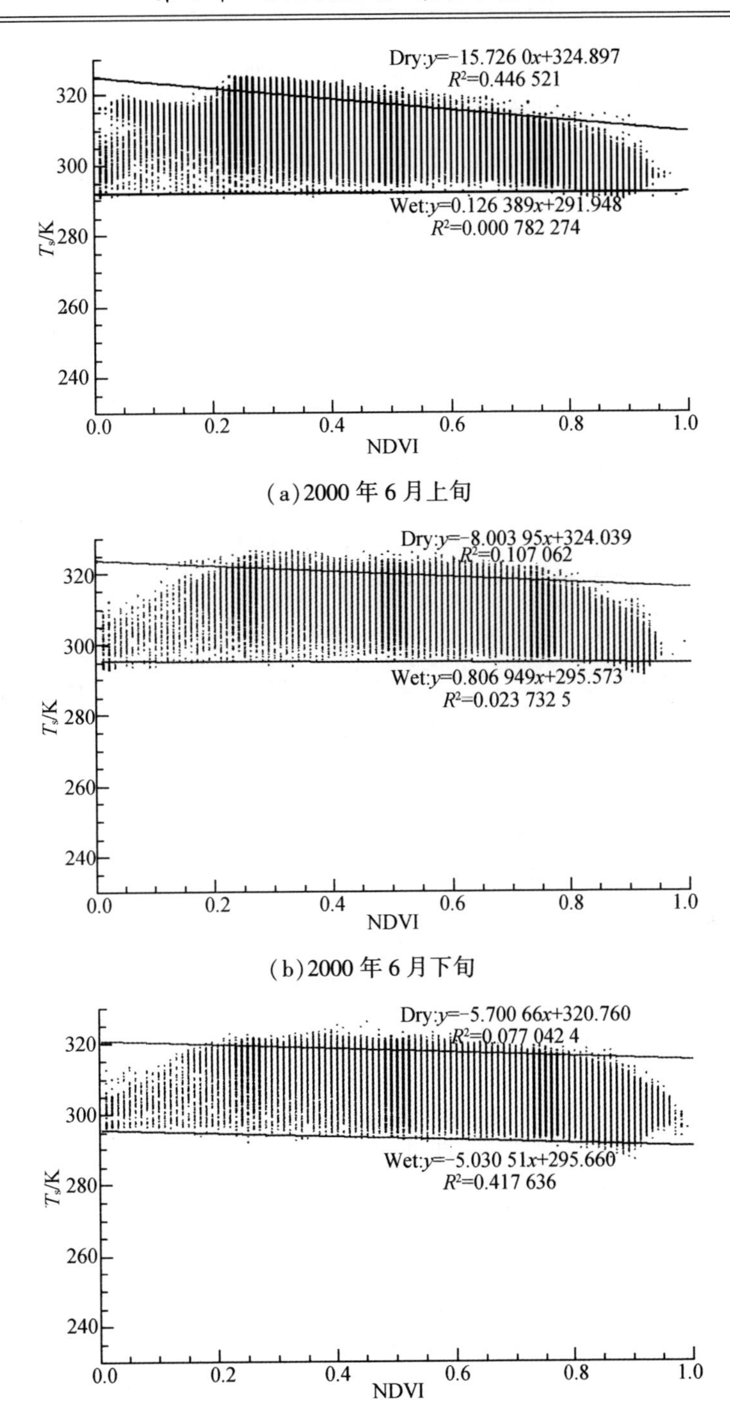

(a) 2000 年 6 月上旬

(b) 2000 年 6 月下旬

(c) 2000 年 7 月上旬

图 4-6　2000 年 T_s-NDVI 特征空间图

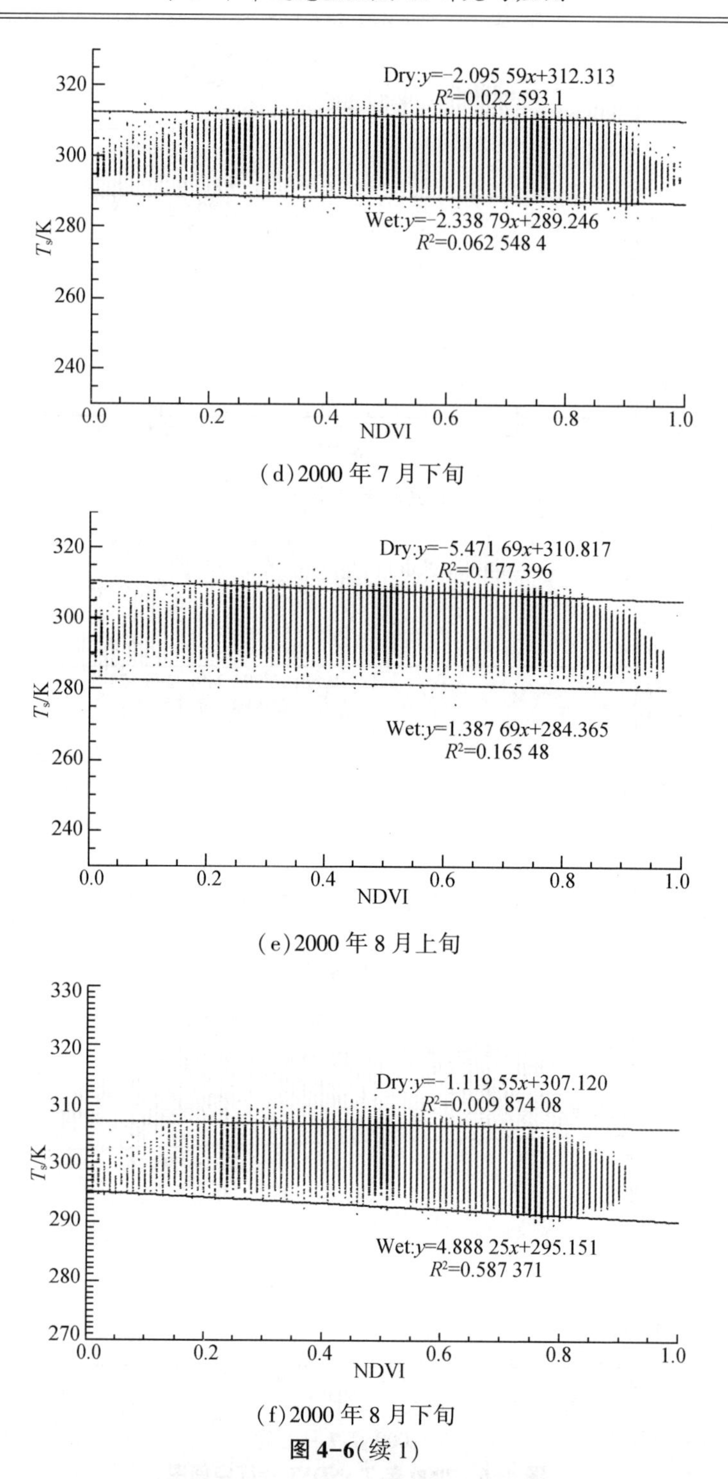

(f)2000 年 8 月下旬

图 4-6(续 1)

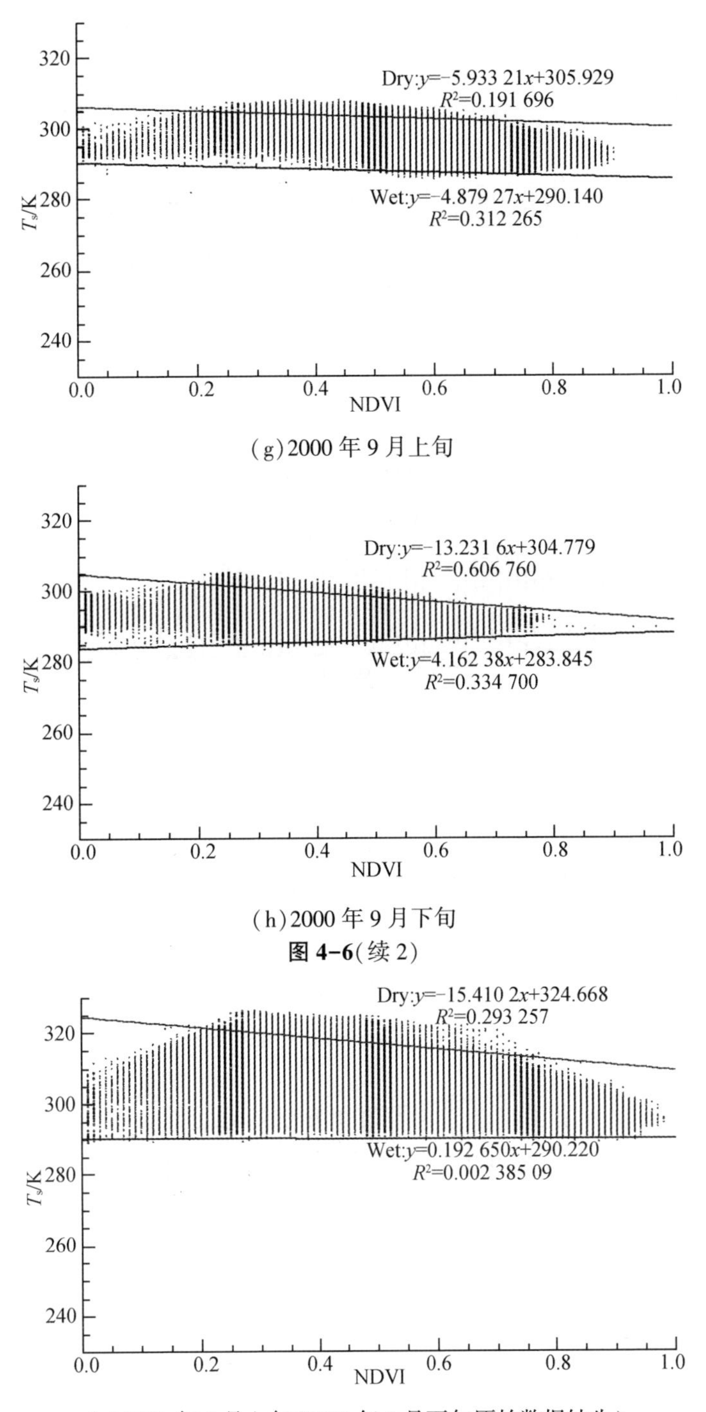

(g)2000 年 9 月上旬

(h)2000 年 9 月下旬

图 4-6(续 2)

(a)2001 年 6 月上旬(2001 年 6 月下旬原始数据缺失)

图 4-7　2001 年 T_s-NDVI 特征空间图

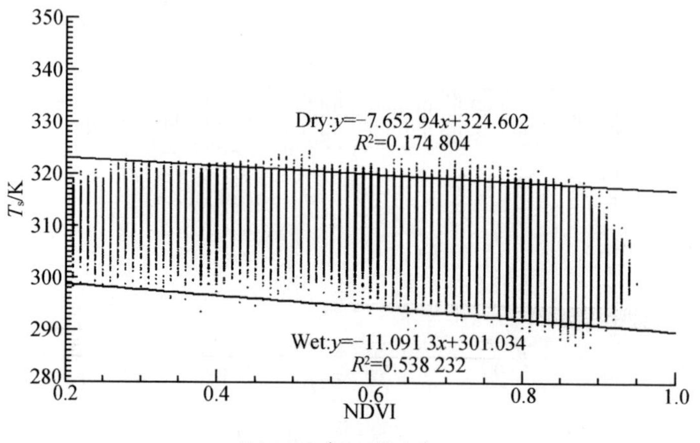

(b)2001 年 7 月上旬

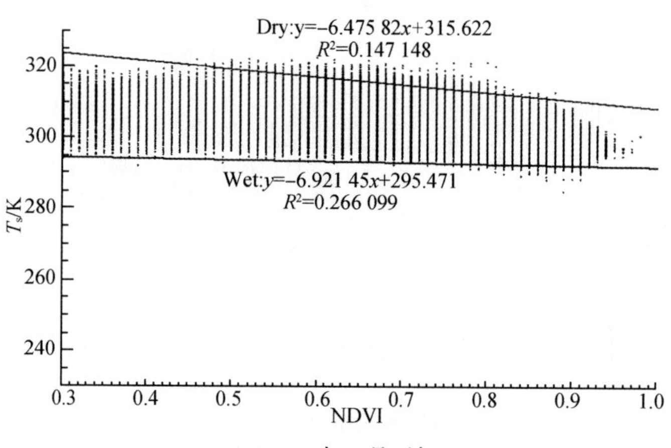

(c)2001 年 7 月下旬

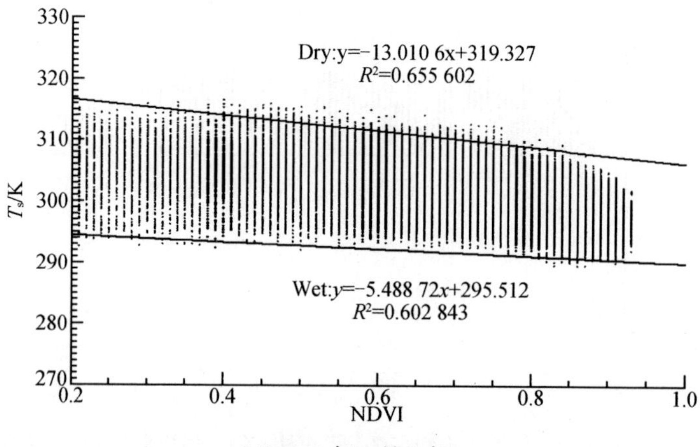

(d)2001 年 8 月上旬

图 4-7(续 1)

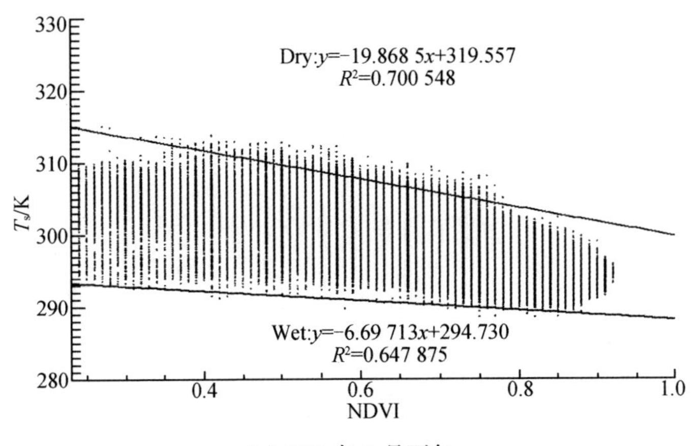

(e)2001 年 8 月下旬

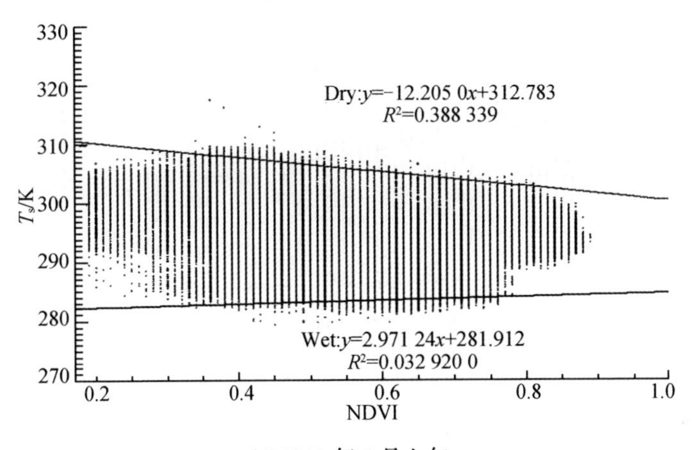

(f)2001 年 9 月上旬

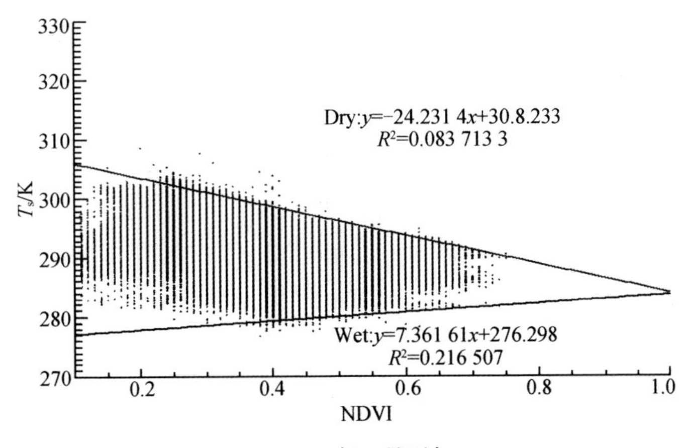

(g)2001 年 9 月下旬

图 4-7(续 2)

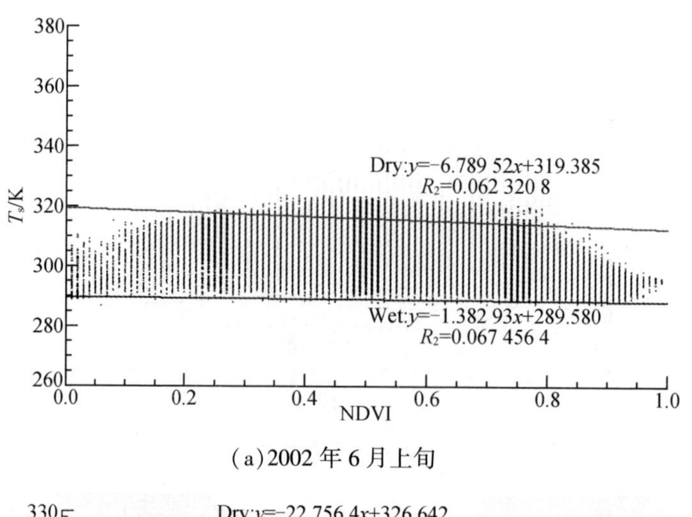

(a)2002 年 6 月上旬

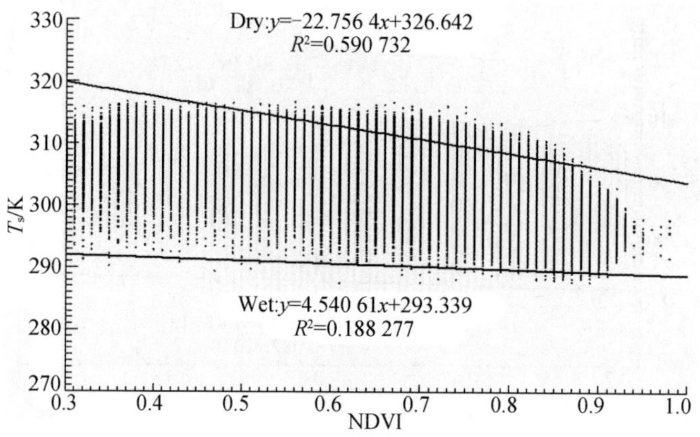

(b)2002 年 6 月下旬

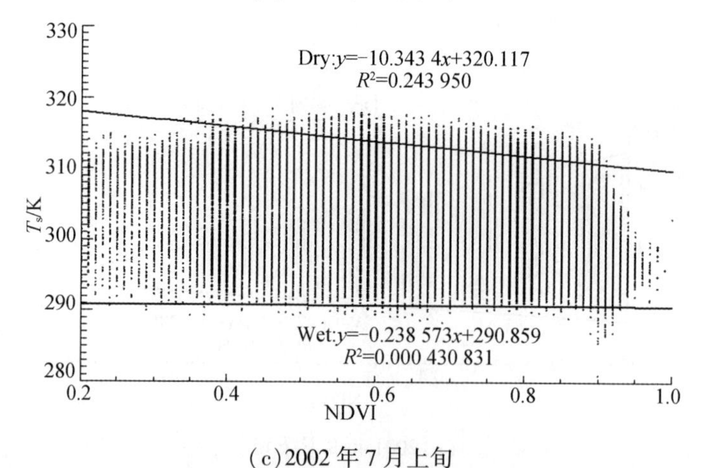

(c)2002 年 7 月上旬

图 4-8　2002 年 T_s-NDVI 特征空间图

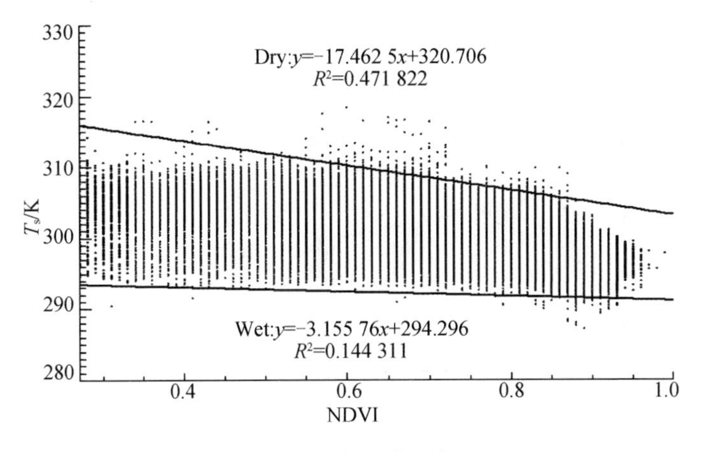

(d)2002 年 7 月下旬

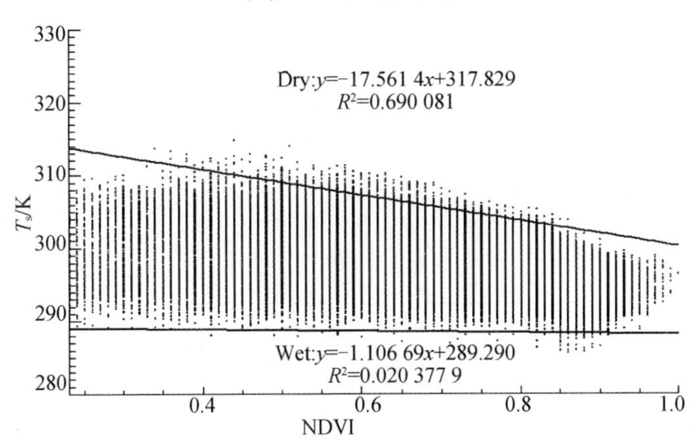

(e)2002 年 8 月上旬

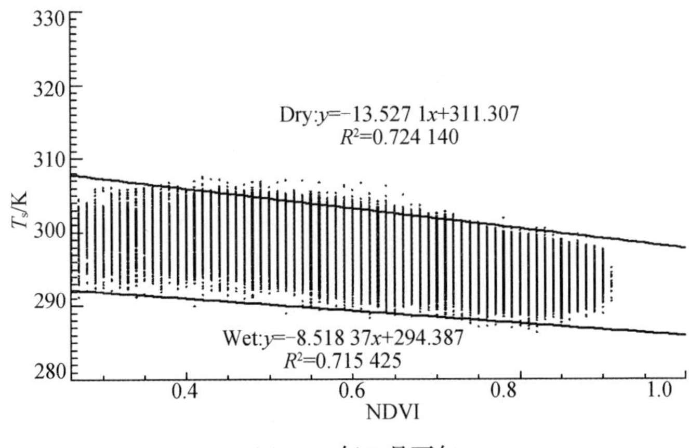

(f)2002 年 8 月下旬

图 4-8(续 1)

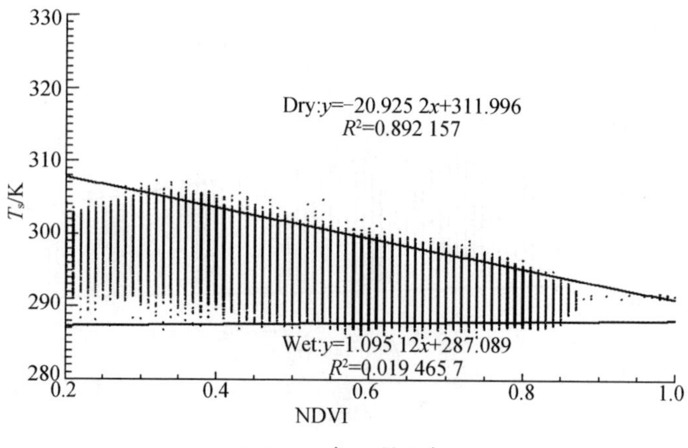

(g)2002 年 9 月上旬

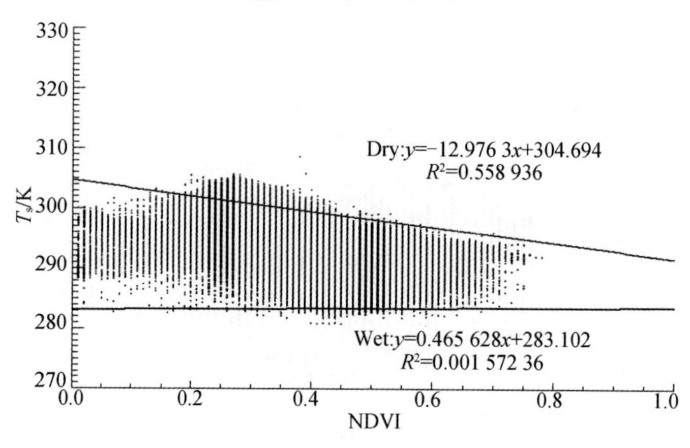

(h)2002 年 9 月下旬

图 4-8(续 2)

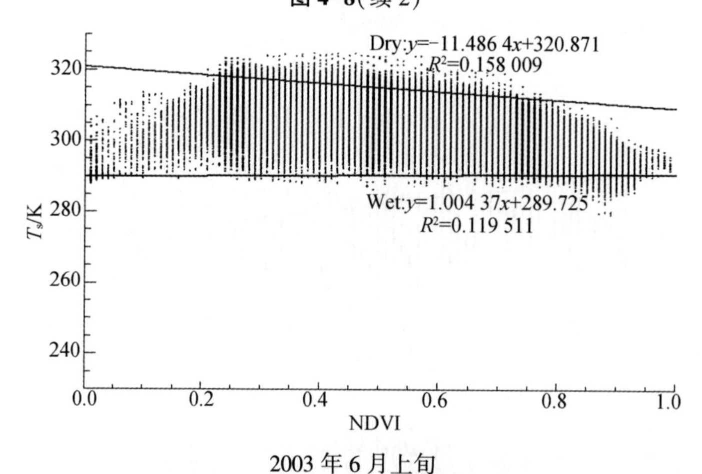

2003 年 6 月上旬

图 4-9　2003 年 T_s-NDVI 特征空间图

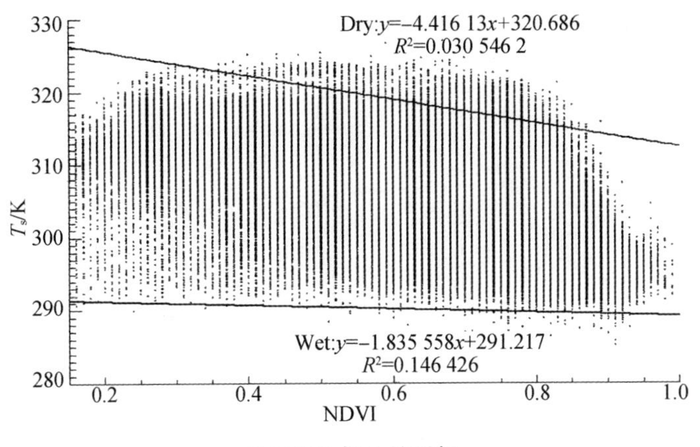

(b) 2003 年 6 月下旬

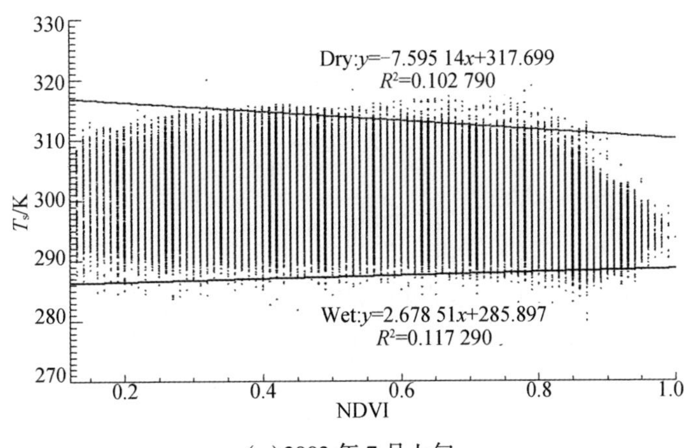

(c) 2003 年 7 月上旬

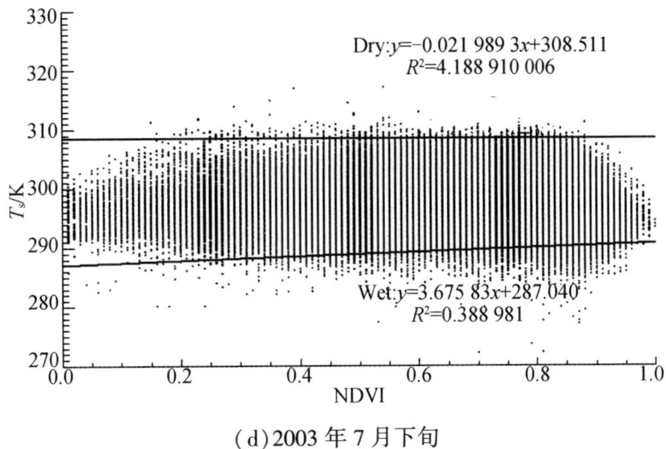

(d) 2003 年 7 月下旬

图 4-9(续 1)

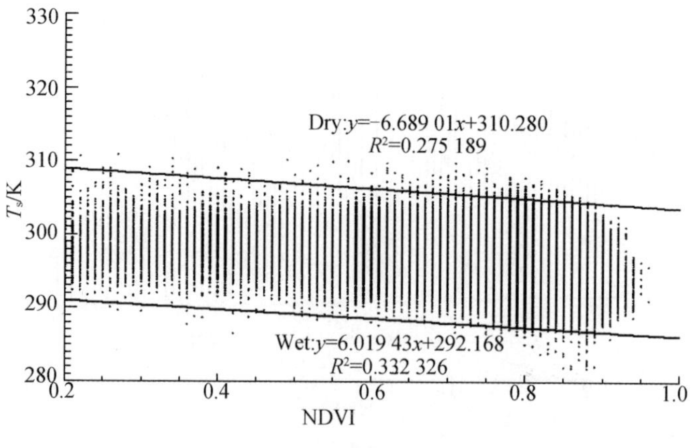

(e)2003 年 8 月上旬

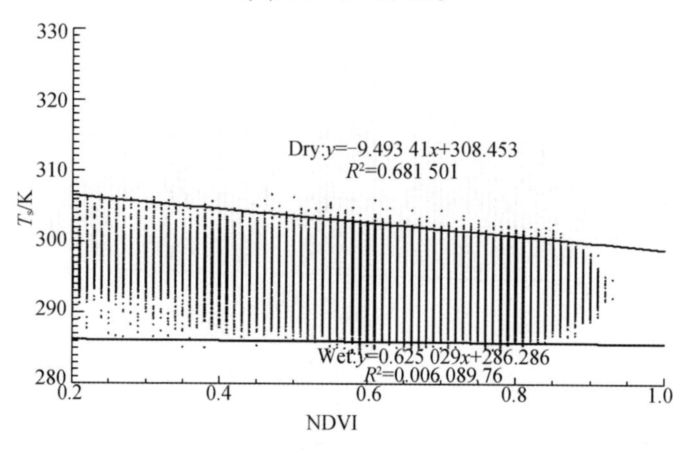

(f)2003 年 8 月下旬

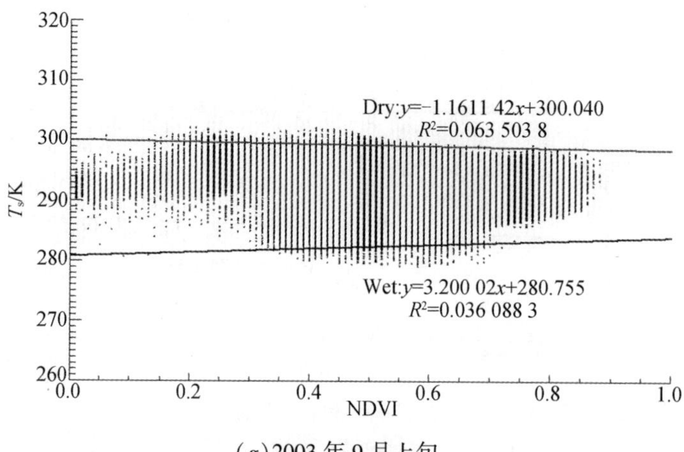

(g)2003 年 9 月上旬

图 4-9(续 2)

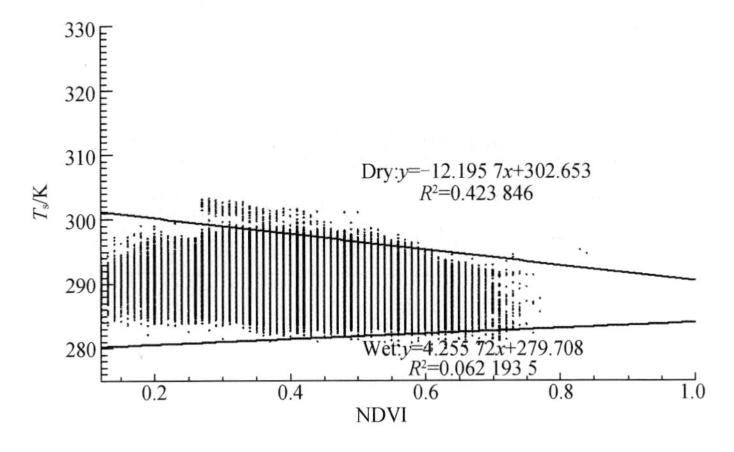

(h) 2003 年 9 月下旬

图 4-9(续 3)

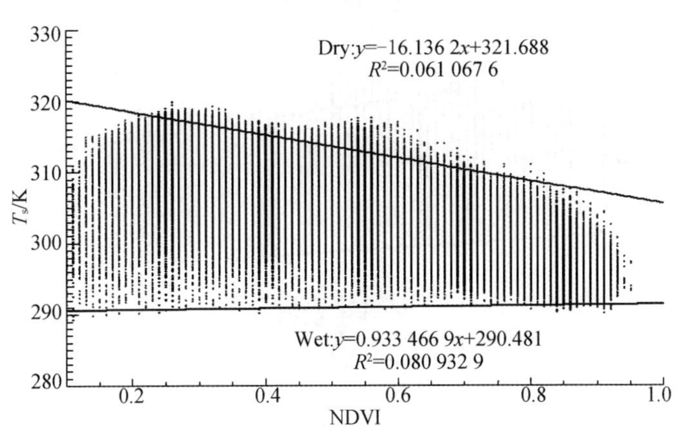

(a) 2004 年 6 月上旬

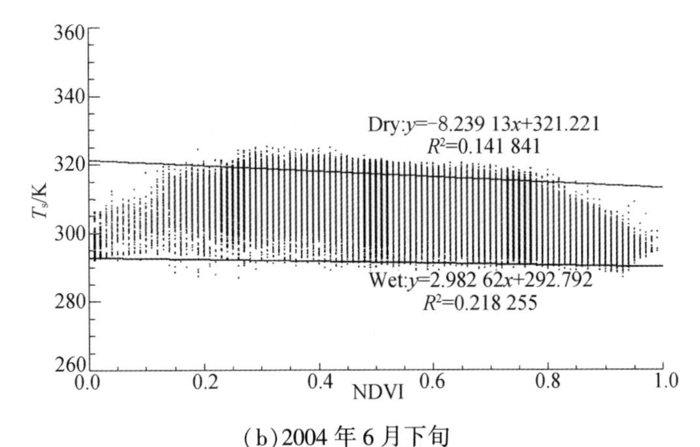

(b) 2004 年 6 月下旬

图 4-10　2004 年 T_s-NDVI 特征空间图

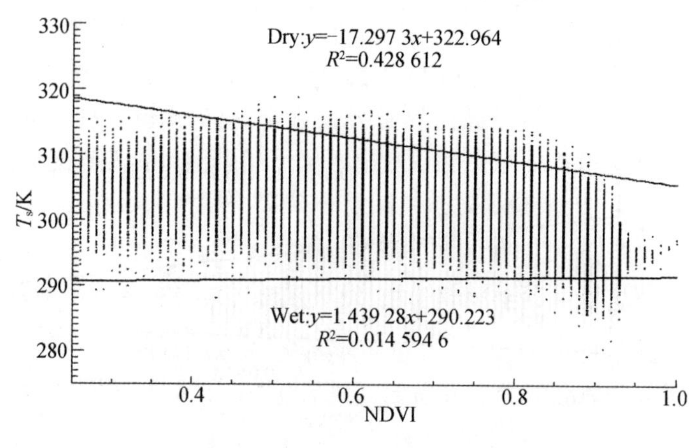

(c)2004 年 7 月上旬

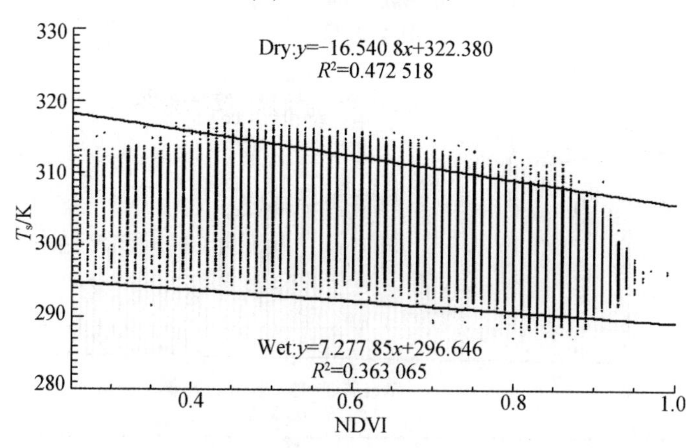

(d)2004 年 7 月下旬

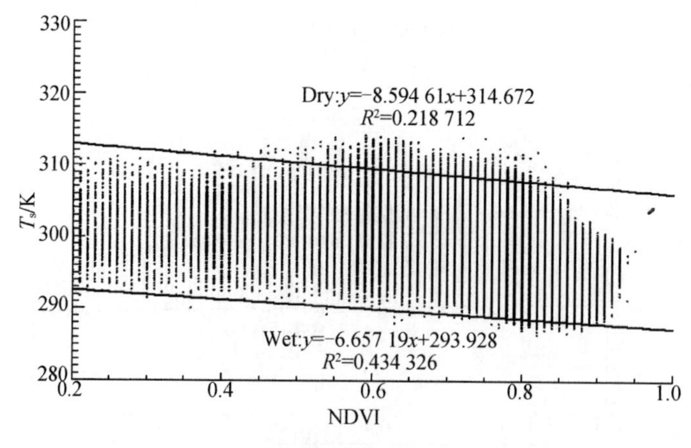

(e)2004 年 8 月上旬

图 4-10(续 1)

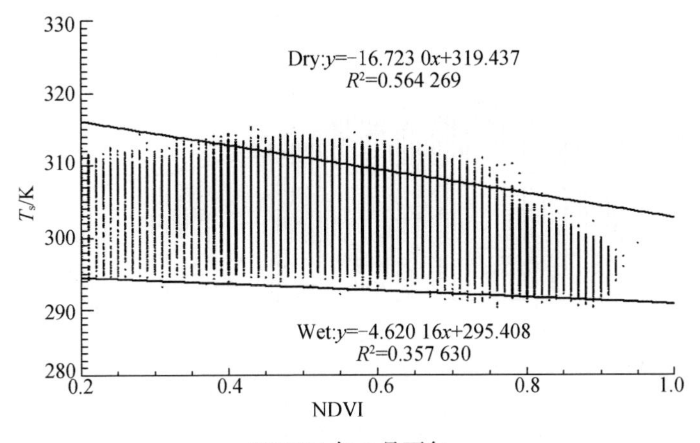

(f)2004 年 8 月下旬

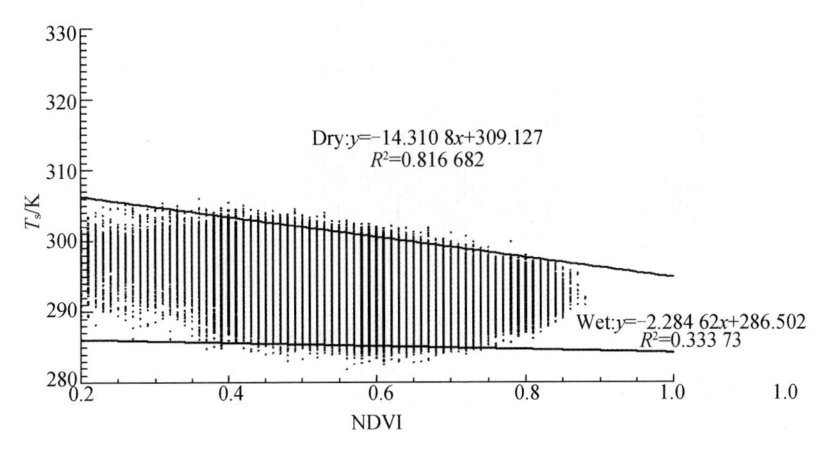

(g)2004 年 9 月上旬

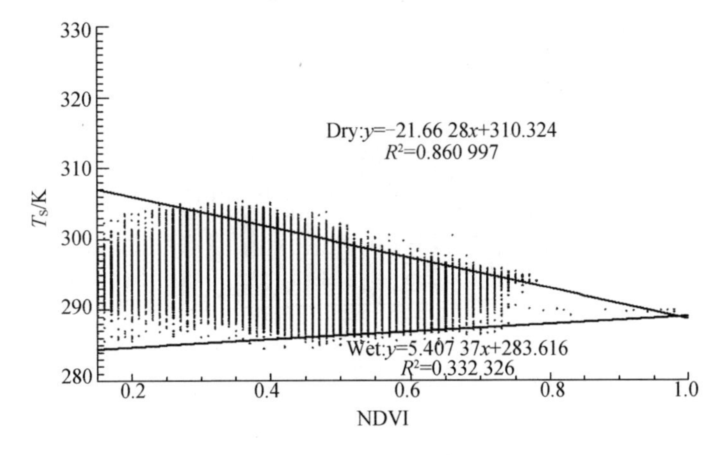

(h)2004 年 9 月下旬

图 4-10(续 2)

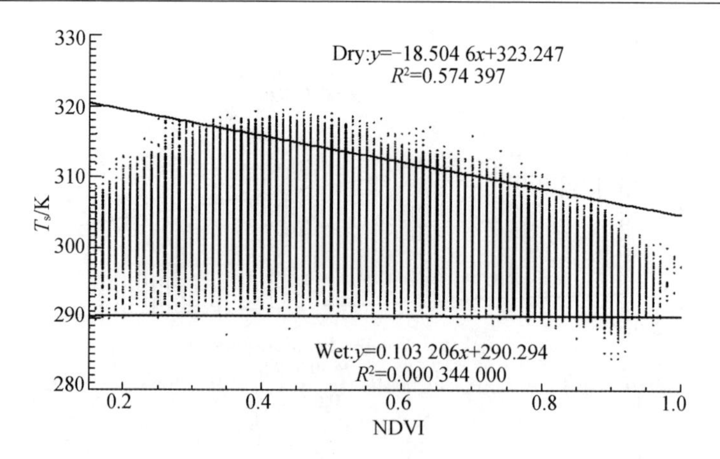

(a)2005 年 6 月上旬

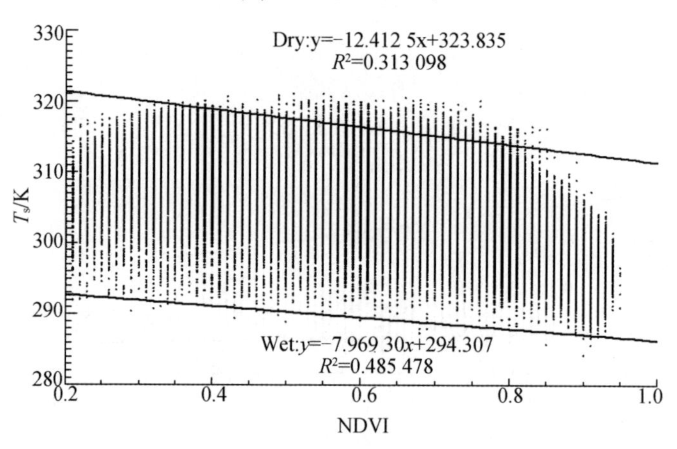

(b)2005 年 6 月下旬

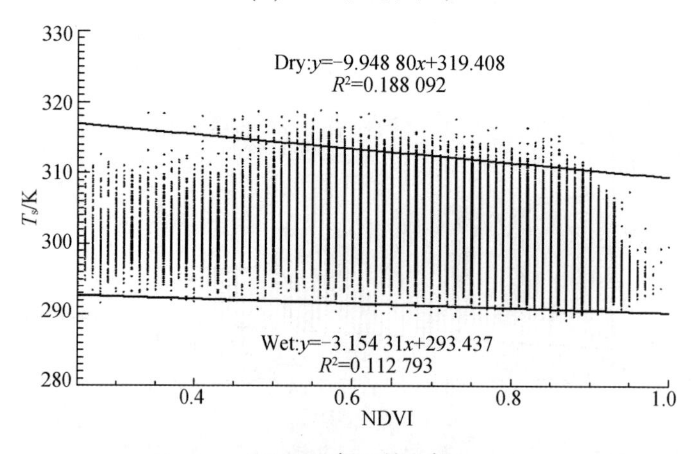

(c)2005 年 7 月上旬

图 4-11　2005 年 T_s-NDVI 特征空间图

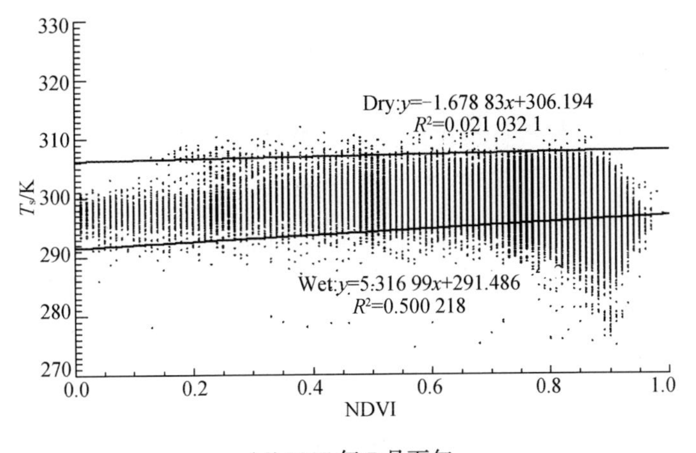

(d)2005 年 7 月下旬

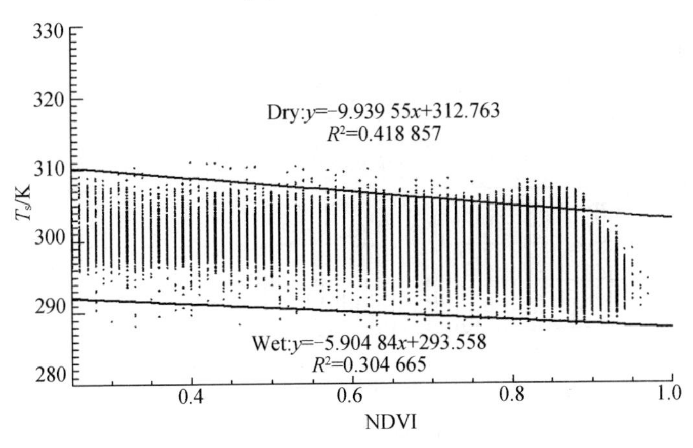

(e)2005 年 8 月上旬

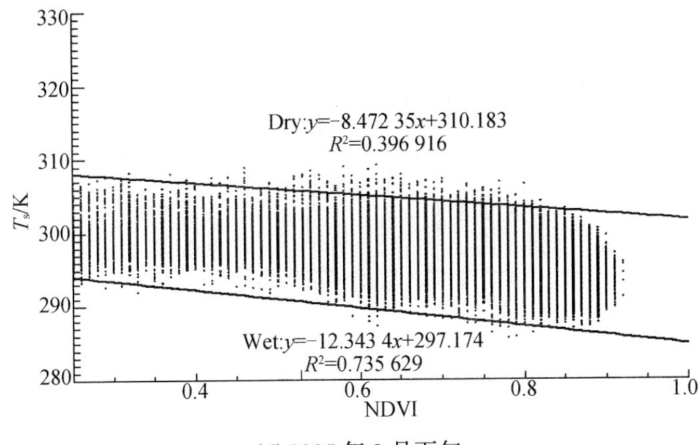

(f)2005 年 8 月下旬

图 4-11(续 1)

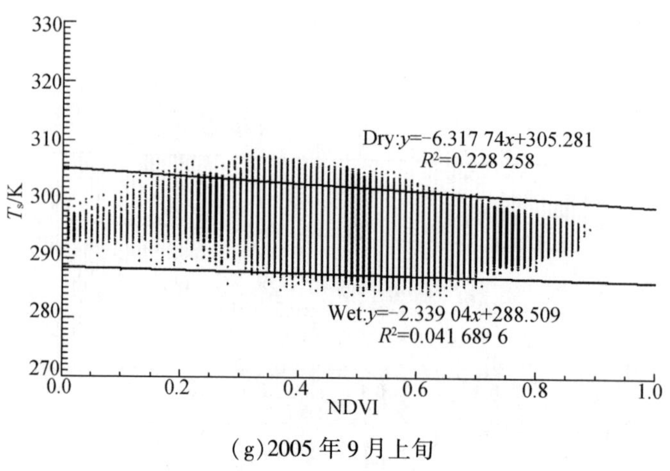

(g)2005 年 9 月上旬

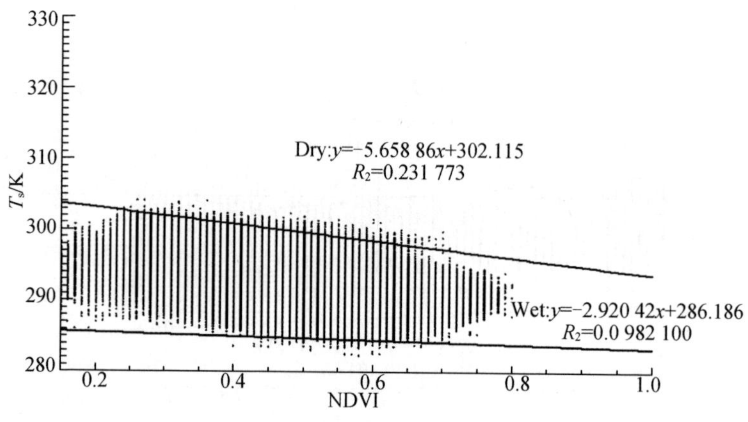

(h)2005 年 9 月下旬

图 4-11(续 2)

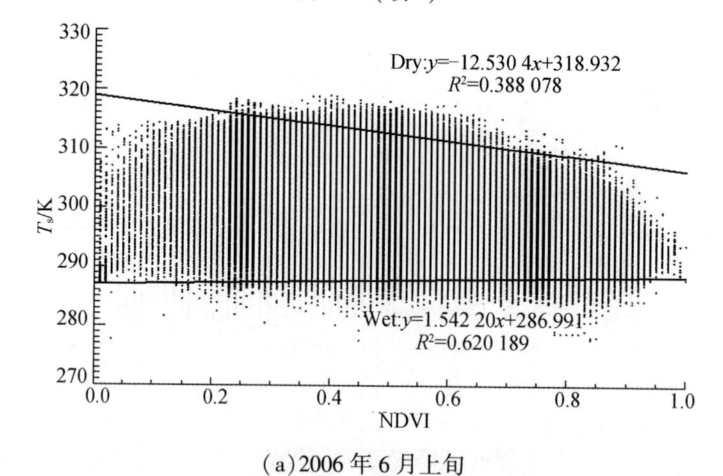

(a)2006 年 6 月上旬

图 4-12　2006 年 T_s-NDVI 特征空间图

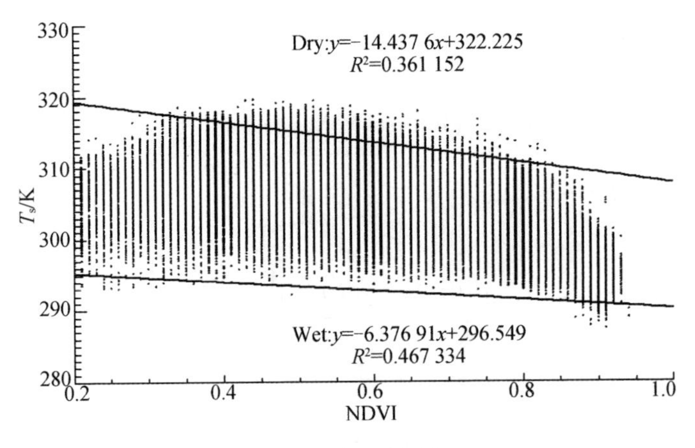

(b)2006 年 6 月下旬

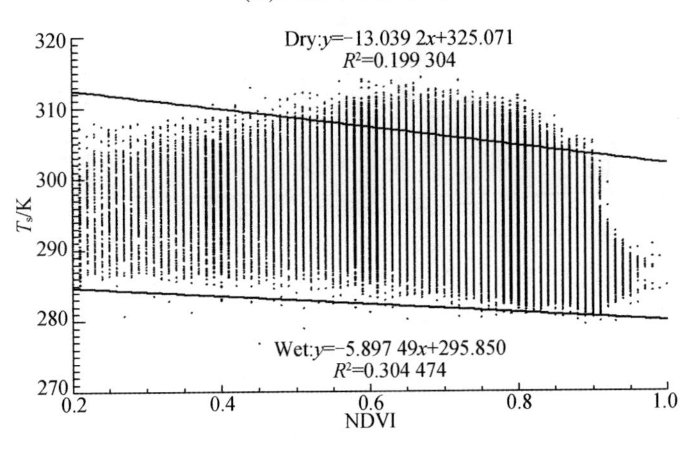

(c)2006 年 7 月上旬

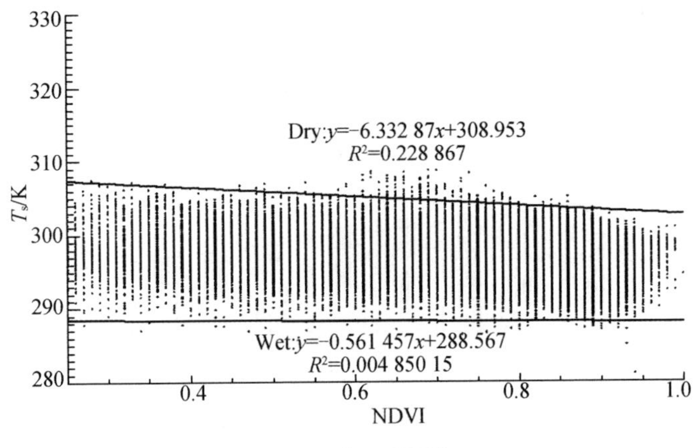

(d)2006 年 7 月下旬

图 4-12(续 1)

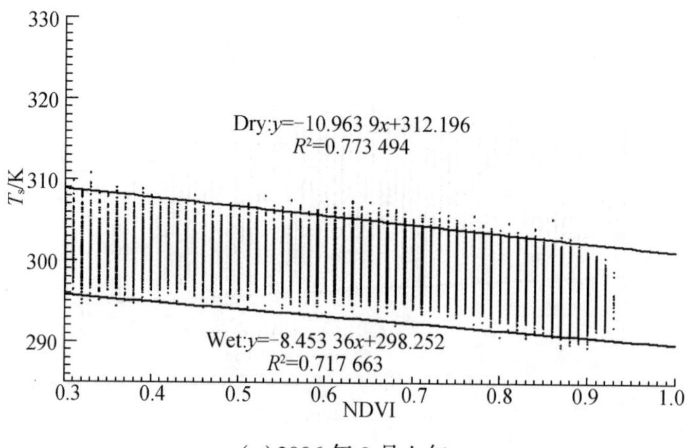

(e)2006 年 8 月上旬

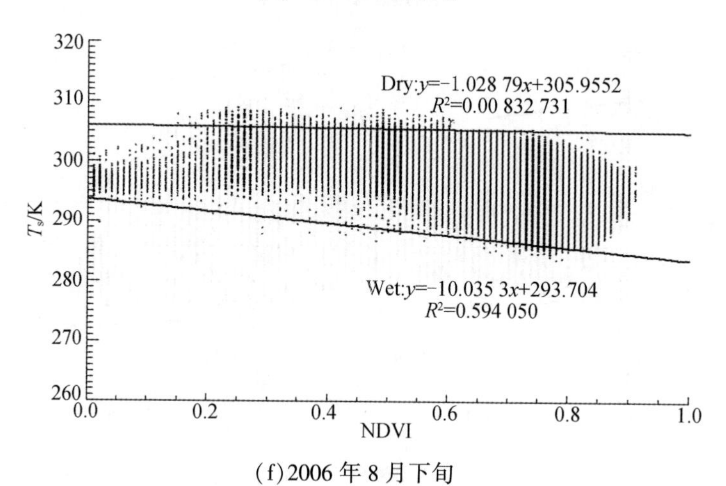

Dry:y=−11.817 5x+306.253
R^2=0.678 583
Wet:y=0.491 983x+286.358
R^2=0.005 045 03
T_s/K
NDVI

(g)2006 年 9 月上旬

图 4-12(续 2)

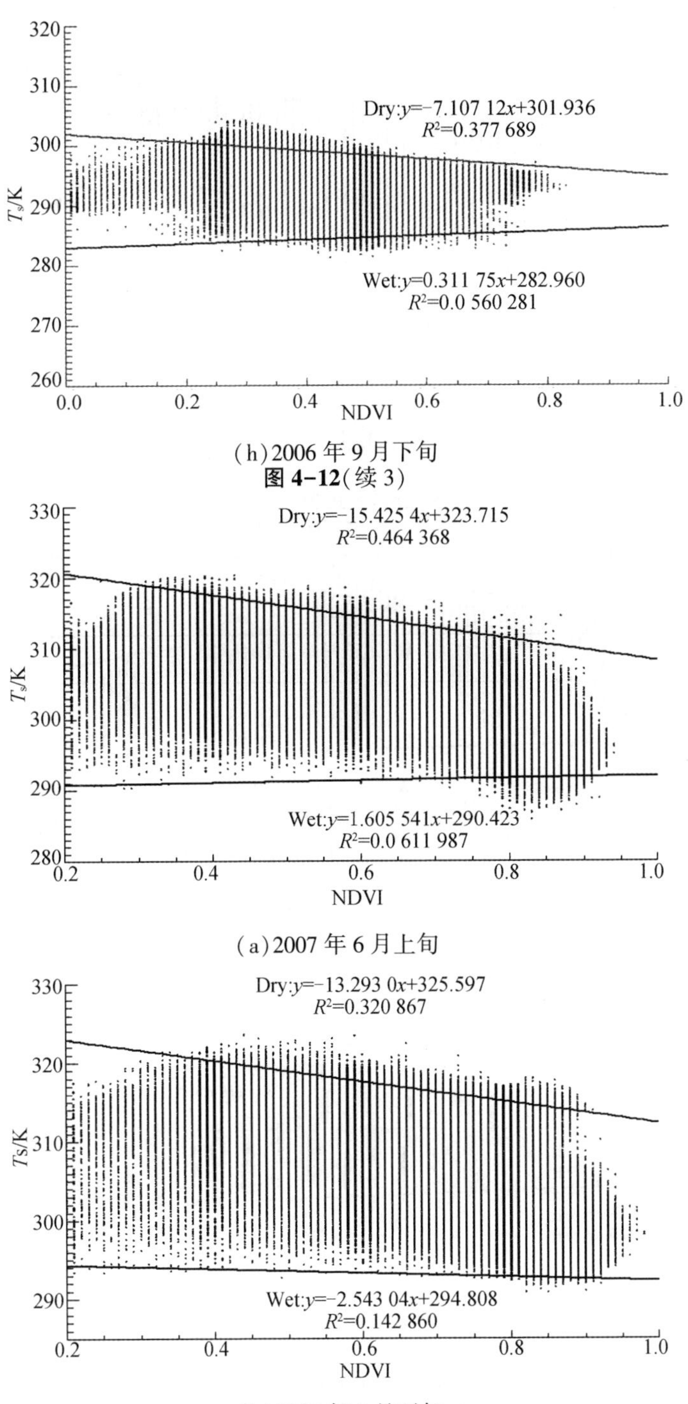

(h)2006 年 9 月下旬

图 4-12(续 3)

(a)2007 年 6 月上旬

(b)2007 年 6 月下旬

图 4-13　2007 年 T_s-NDVI 特征空间图

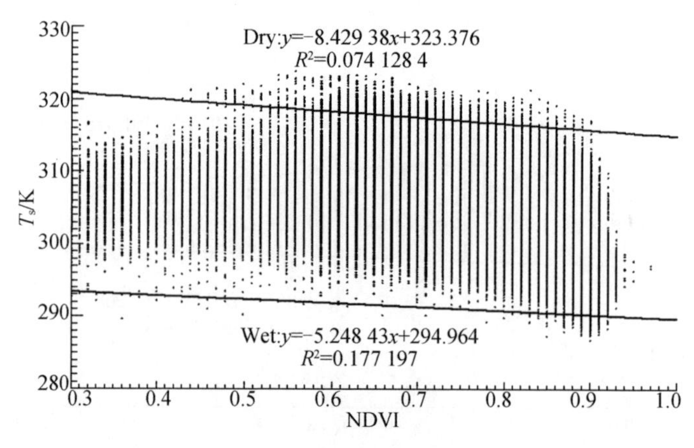

(c)2007 年 7 月上旬

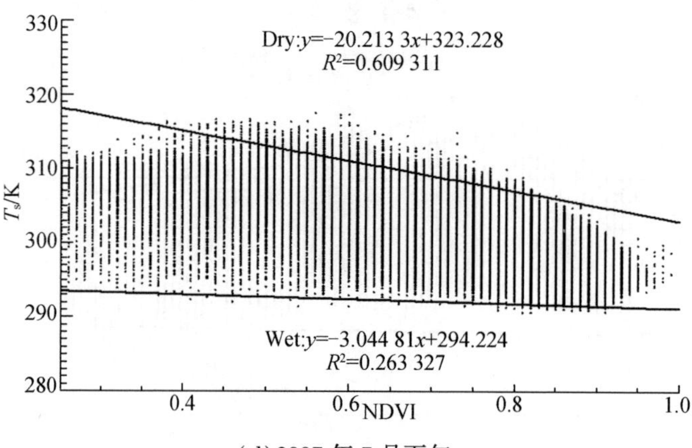

(d)2007 年 7 月下旬

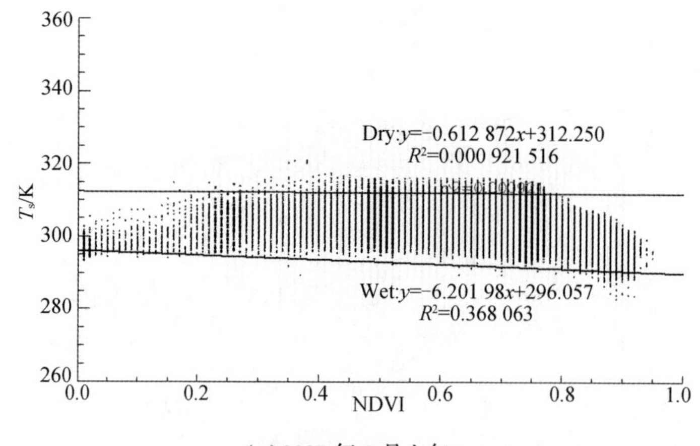

(e)2007 年 8 月上旬

图 4-13(续 1)

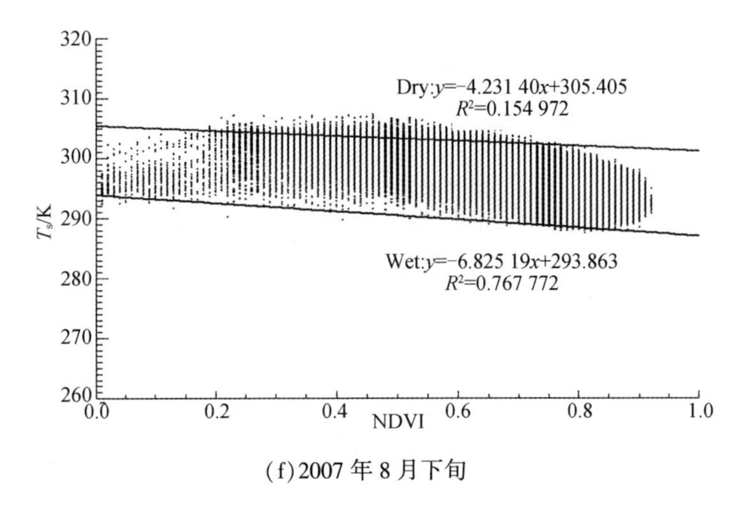

(f)2007 年 8 月下旬

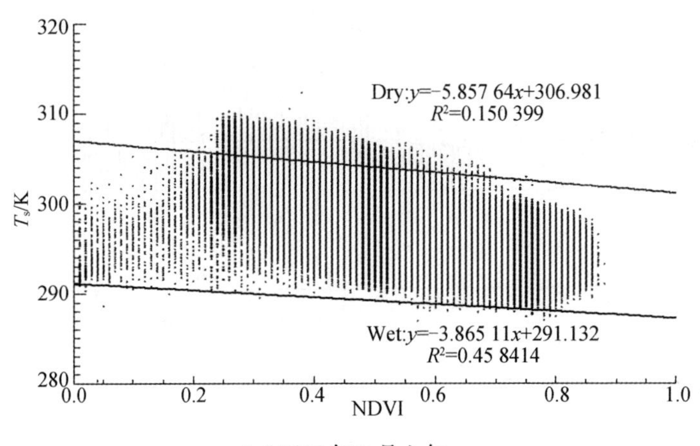

(g)2007 年 9 月上旬

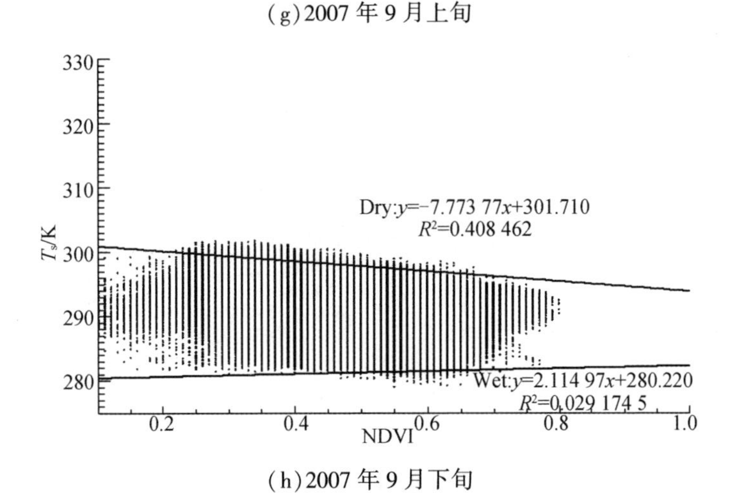

(h)2007 年 9 月下旬

图 4−13(续 2)

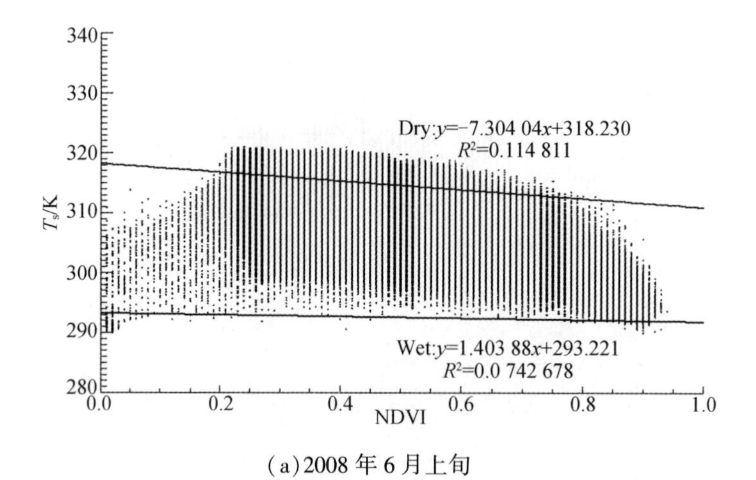

(a)2008 年 6 月上旬

Dry:y=4.58 343x+317.674
R²=0.0 364 740
Wet:y=−0.779 208x+295.409
R²=0.0 173 703
Ts/K
NDVI

(b)2008 年 6 月下旬

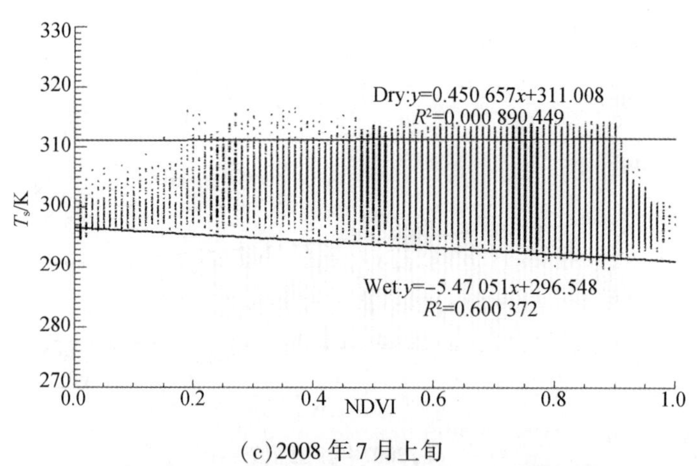

(c)2008 年 7 月上旬

图 4-14 2008 年 T_s-NDVI 特征空间图

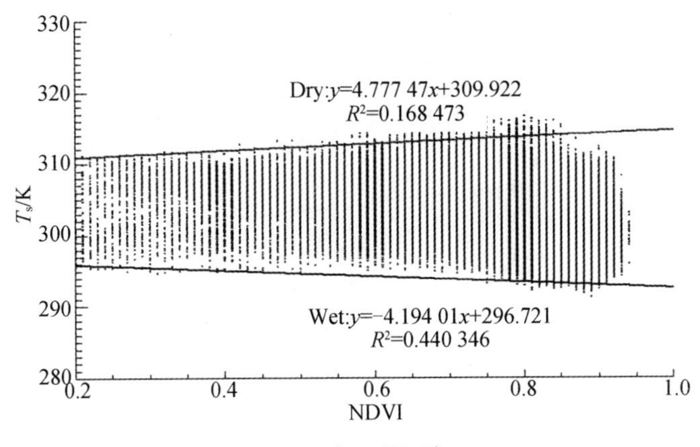

(d)2008 年 7 月下旬

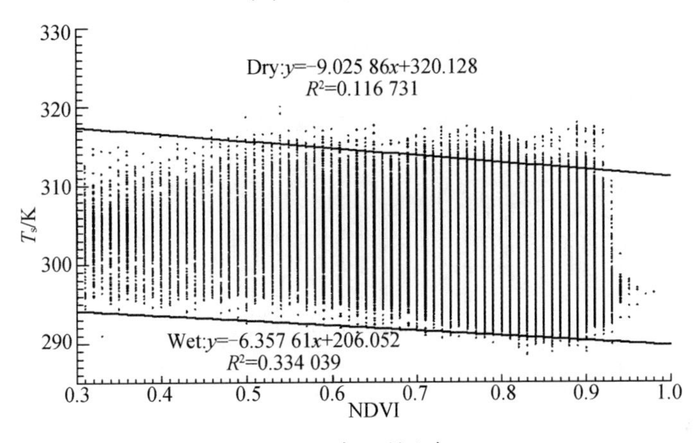

(e)2008 年 8 月上旬

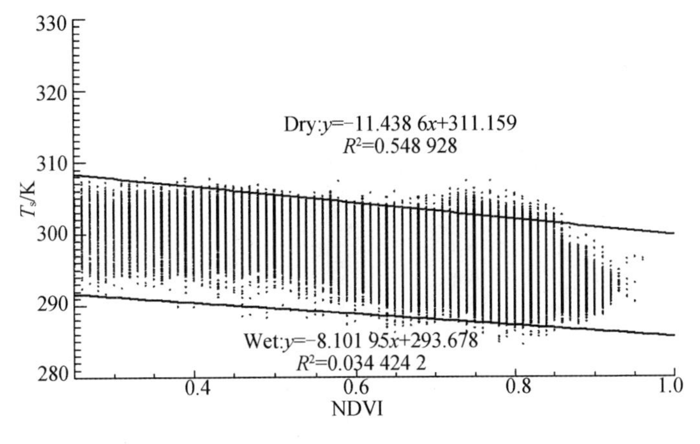

(f)2008 年 8 月下旬

图 4-14(续 1)

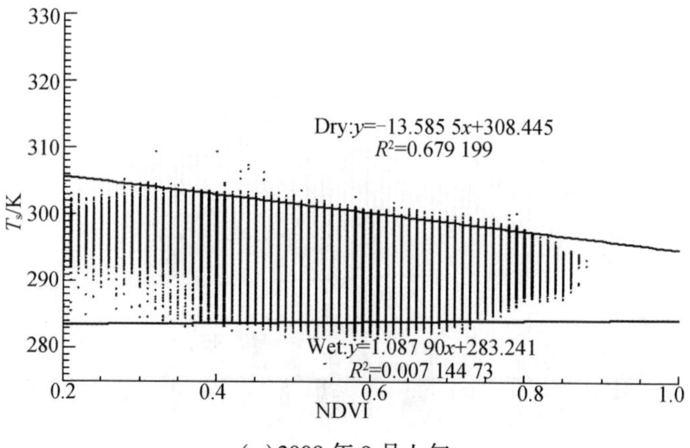

(g)2008 年 9 月上旬

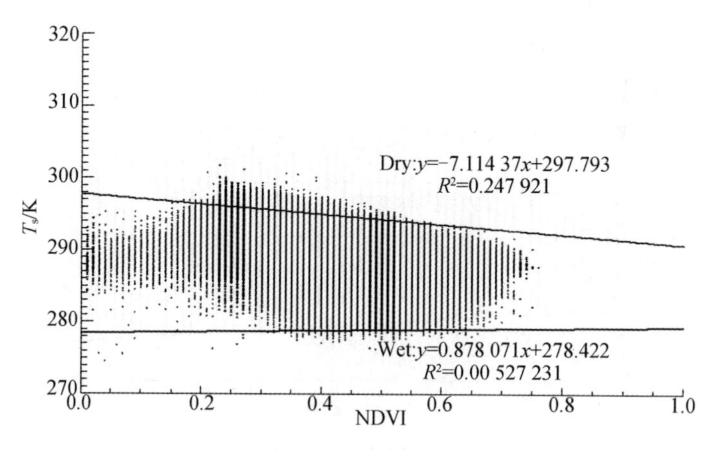

(h)2008 年 9 月下旬

图 4-14(续 2)

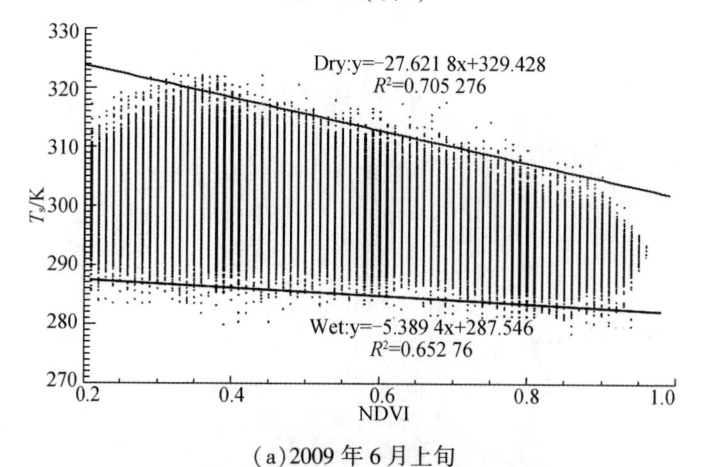

(a)2009 年 6 月上旬

图 4-15　2009 年 T_s-NDVI 特征空间图

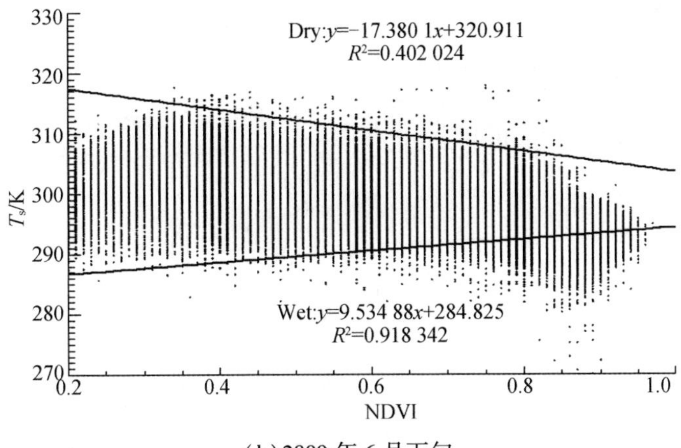

(b) 2009 年 6 月下旬

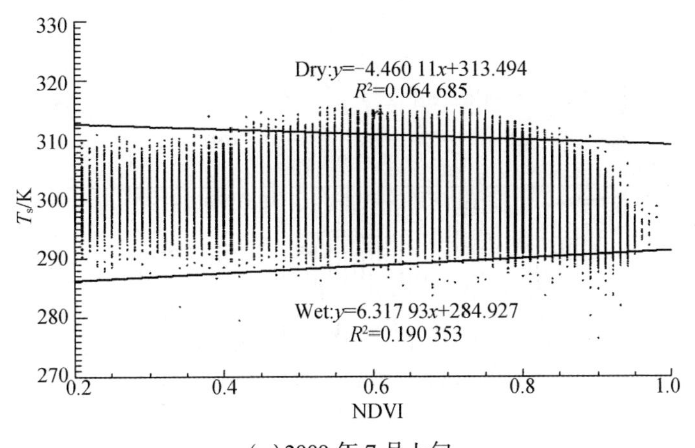

(c) 2009 年 7 月上旬

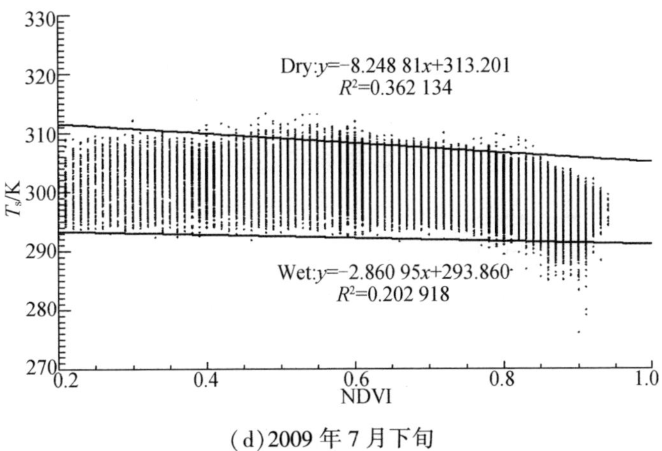

(d) 2009 年 7 月下旬

图 4-15(续 1)

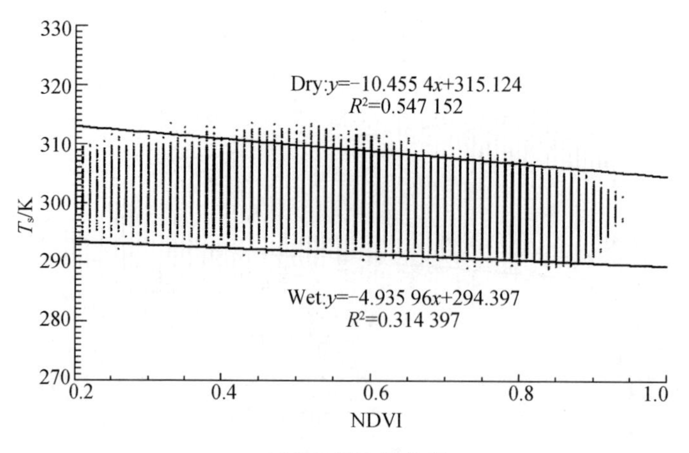

(e) 2009 年 8 月上旬

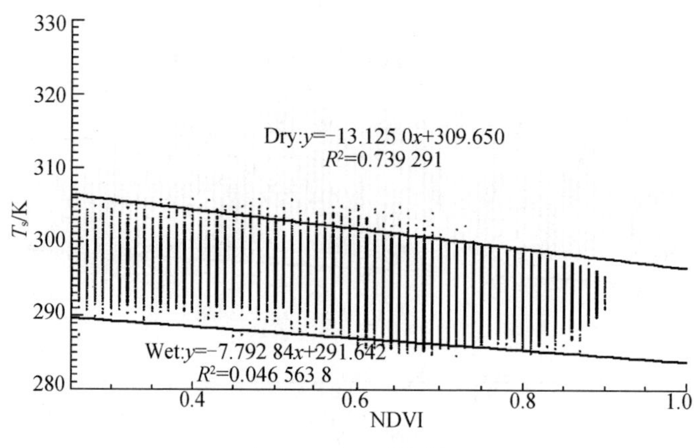

(f) 2009 年 8 月下旬

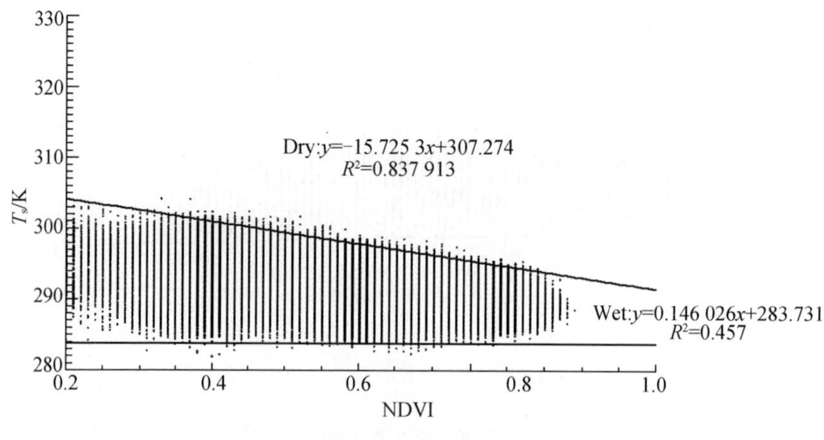

(g) 2009 年 9 月上旬

图 4-15(续 2)

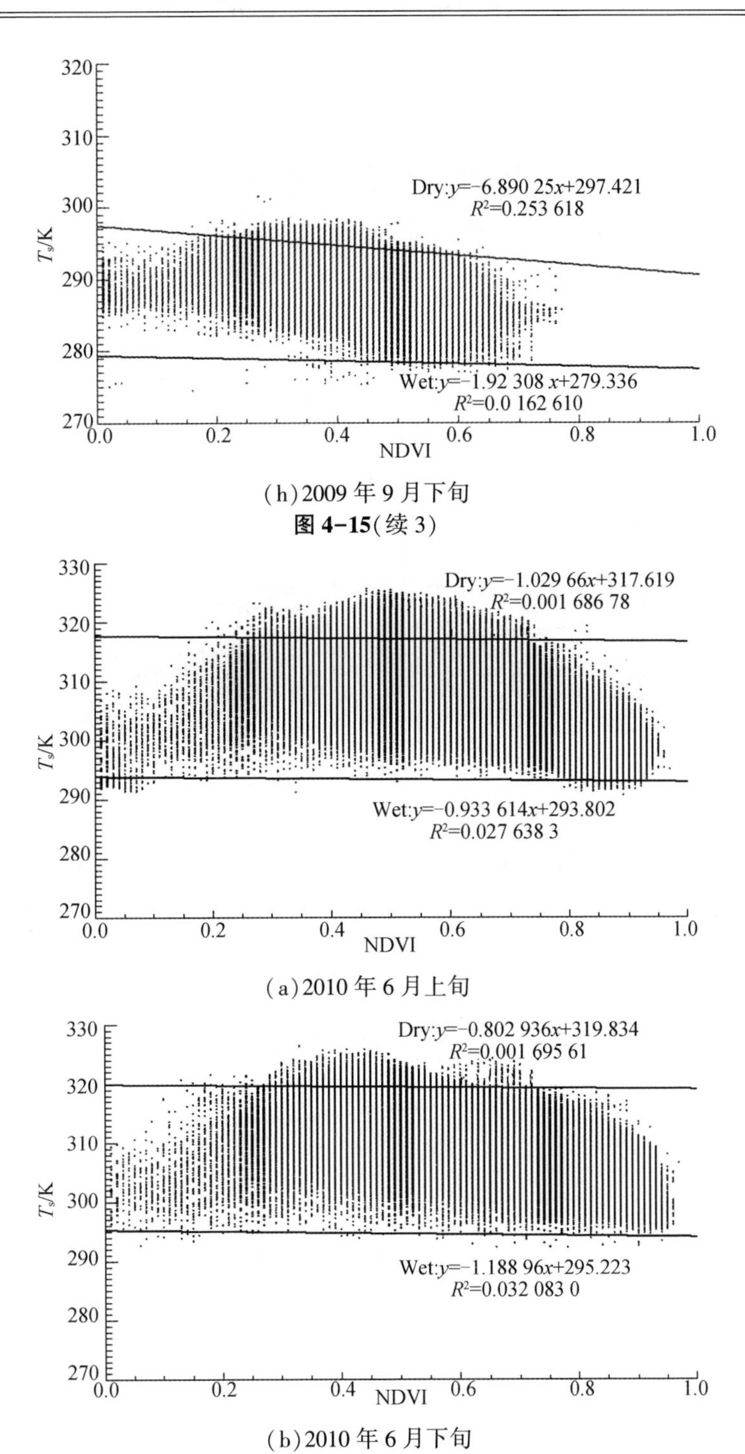

(h)2009 年 9 月下旬

图 4-15(续 3)

(a)2010 年 6 月上旬

(b)2010 年 6 月下旬

图 4-16　2010 年 T_s-NDVI 特征空间图

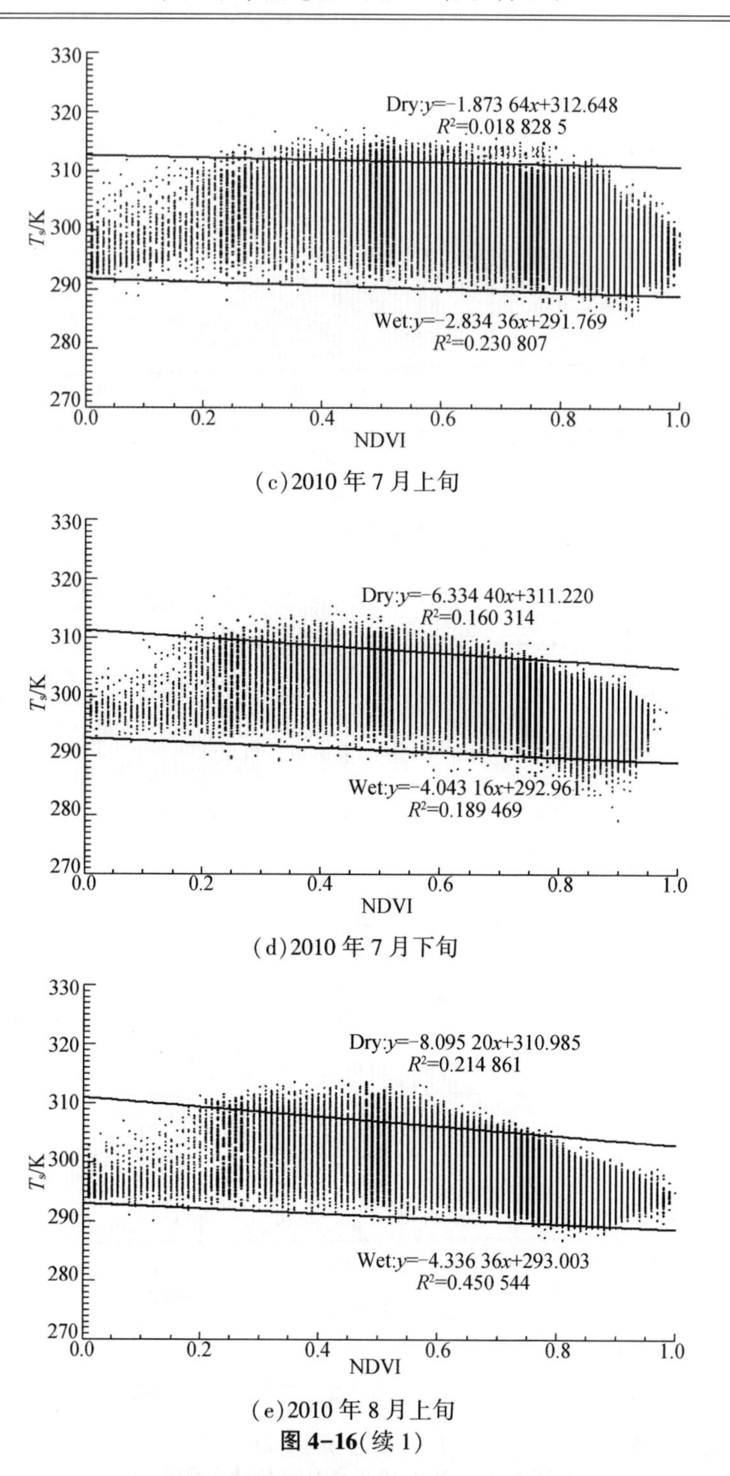

(c)2010 年 7 月上旬

(d)2010 年 7 月下旬

(e)2010 年 8 月上旬

图 4-16(续 1)

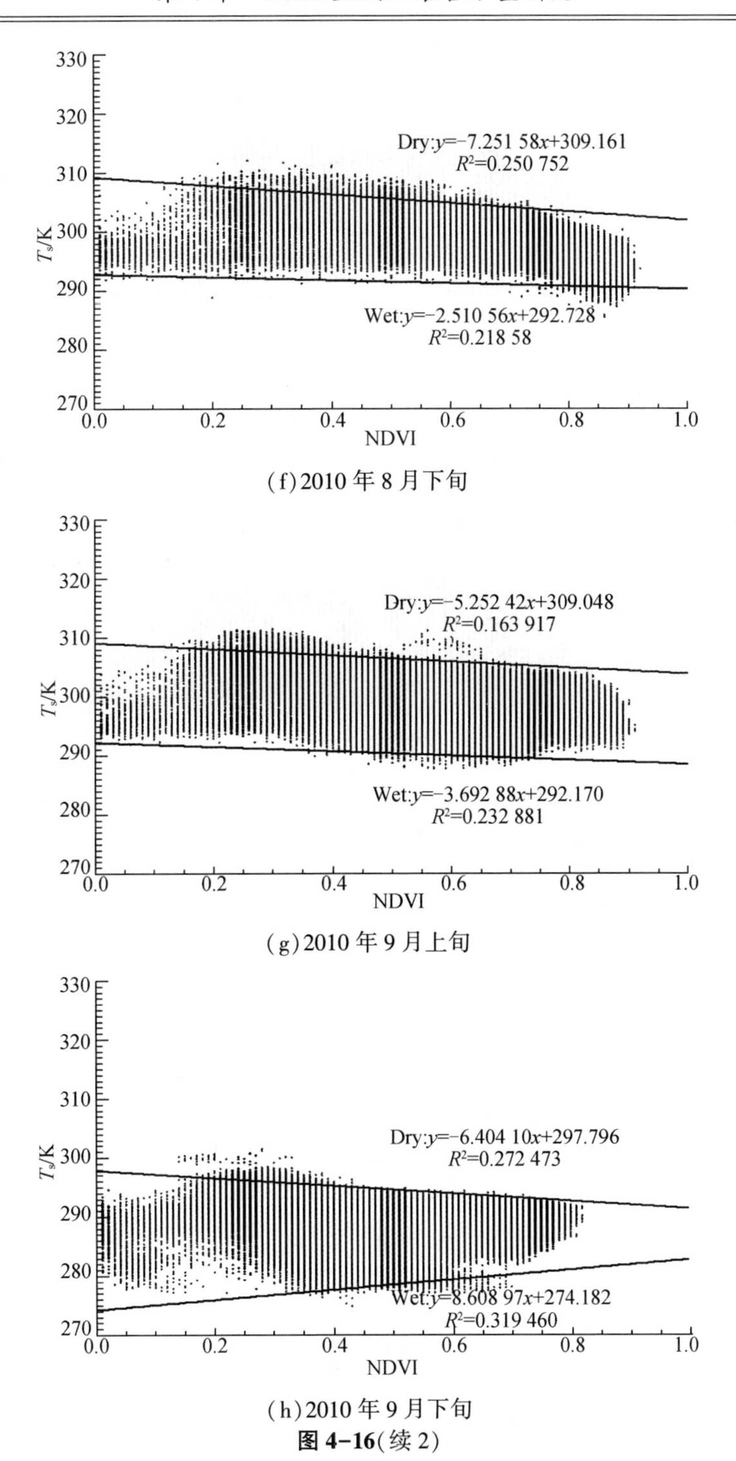

(f)2010 年 8 月下旬

(g)2010 年 9 月上旬

(h)2010 年 9 月下旬

图 4-16(续 2)

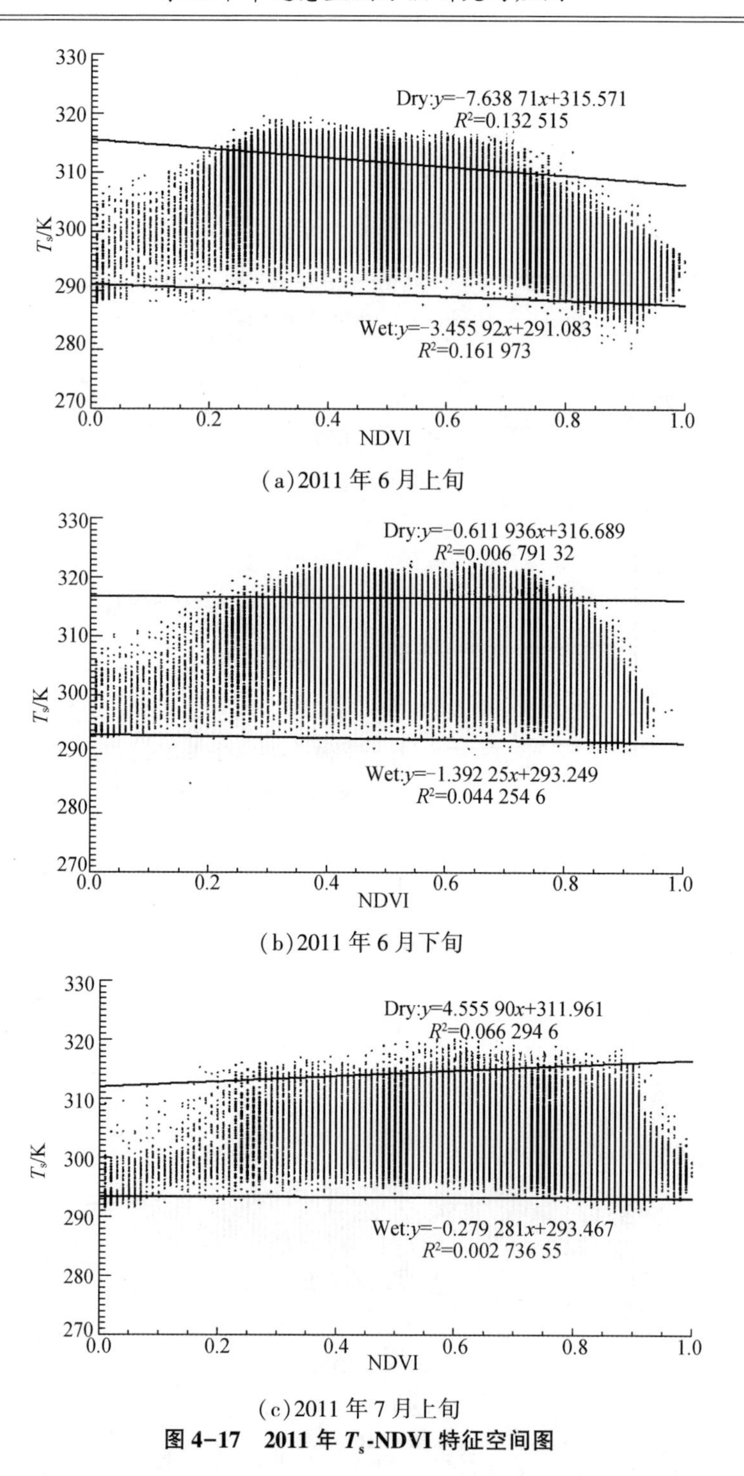

图 4-17　2011 年 T_s-NDVI 特征空间图

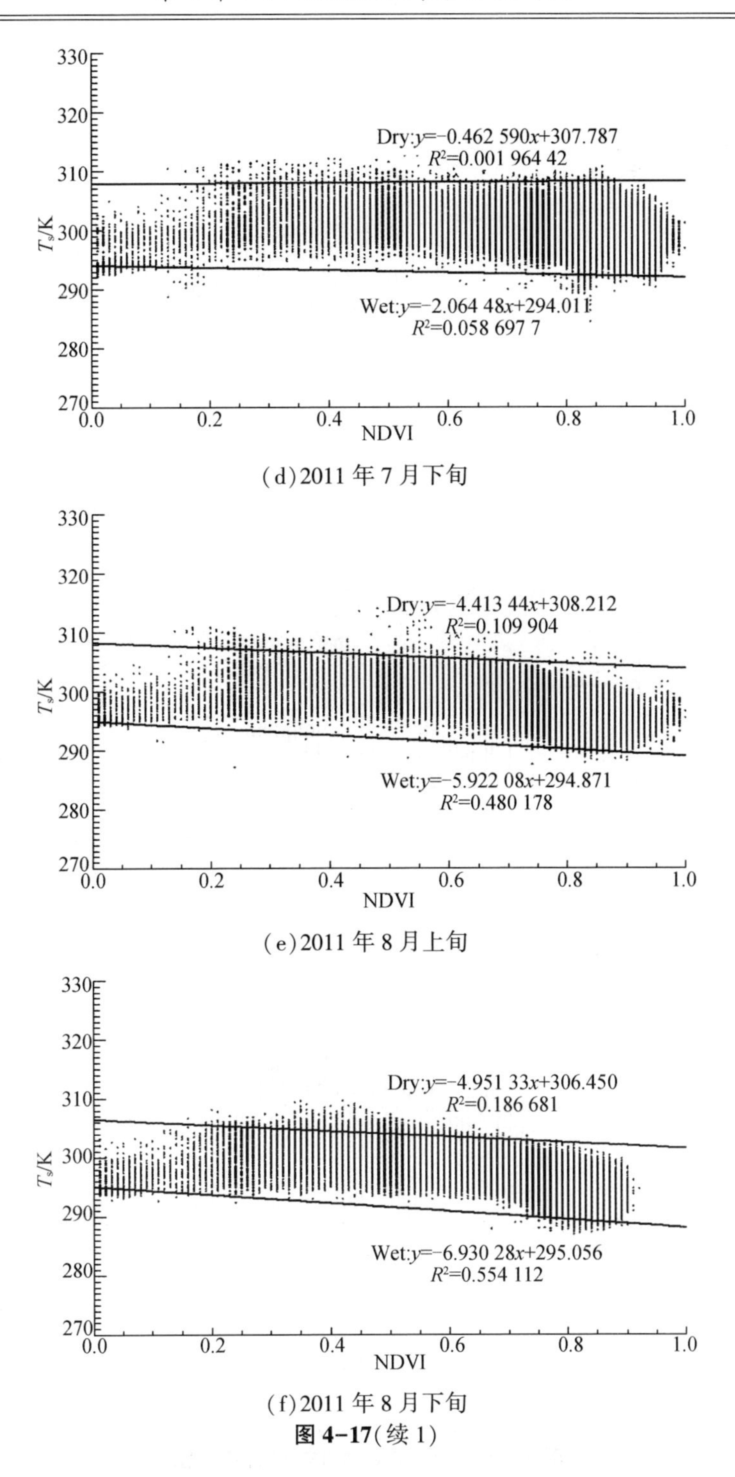

(d) 2011 年 7 月下旬

(e) 2011 年 8 月上旬

(f) 2011 年 8 月下旬

图 4-17(续 1)

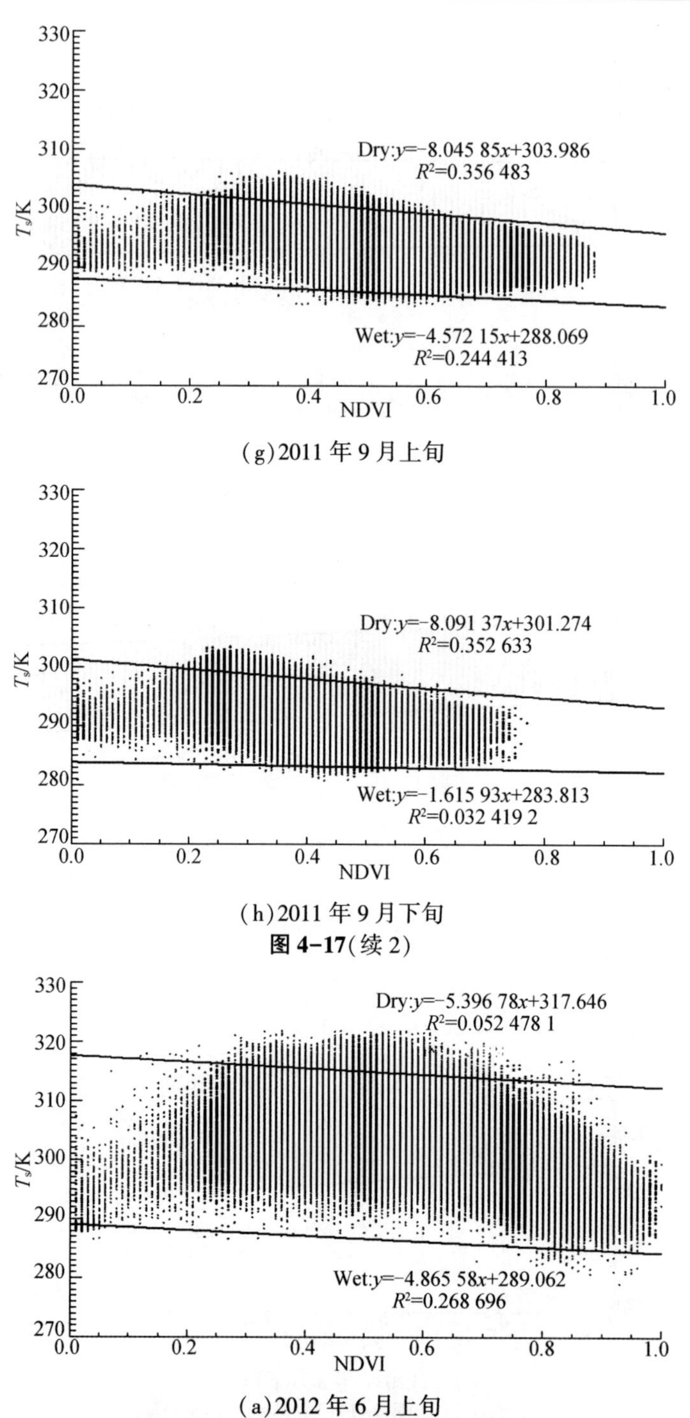

(g)2011 年 9 月上旬

(h)2011 年 9 月下旬

图 4-17(续 2)

(a)2012 年 6 月上旬

图 4-18　2012 年 T_s-NDVI 特征空间图

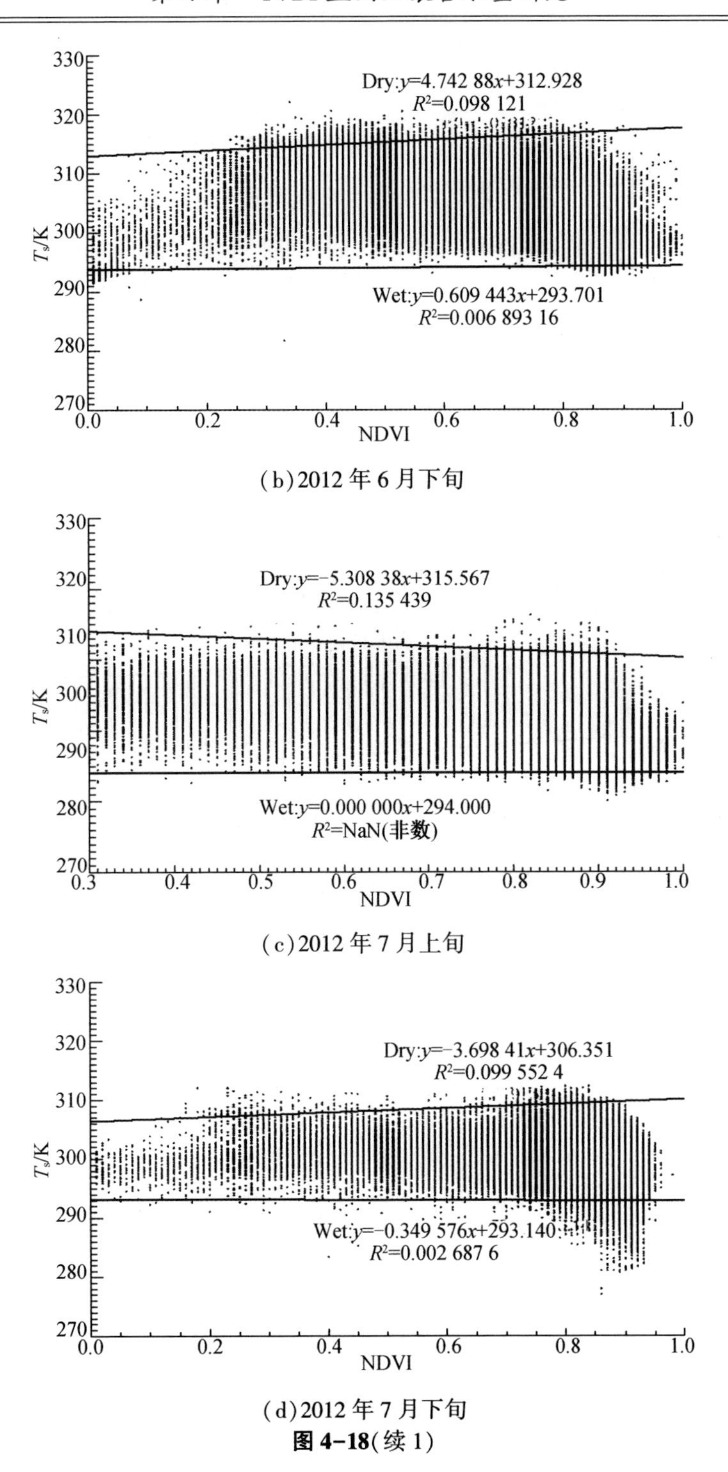

(b)2012 年 6 月下旬

(c)2012 年 7 月上旬

(d)2012 年 7 月下旬

图 4-18(续 1)

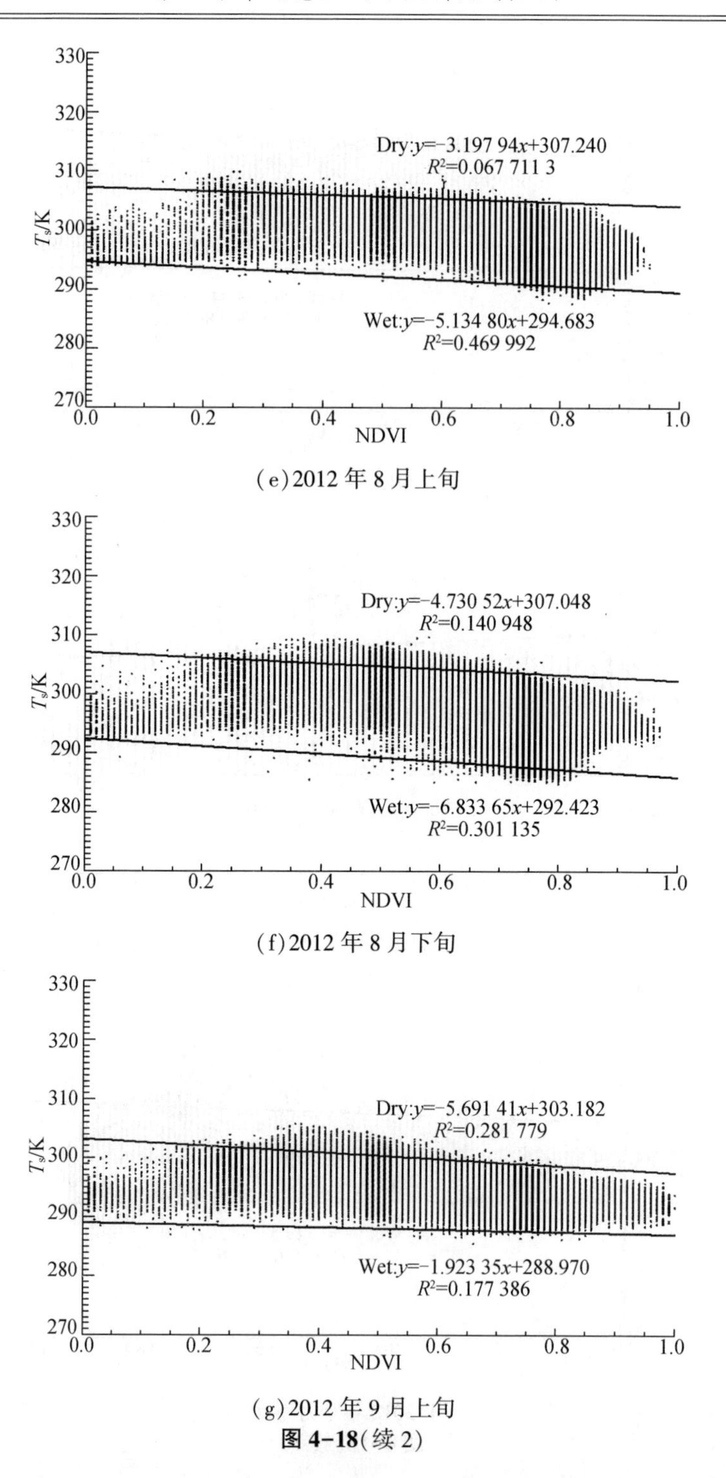

(e)2012 年 8 月上旬

(f)2012 年 8 月下旬

(g)2012 年 9 月上旬

图 4-18(续 2)

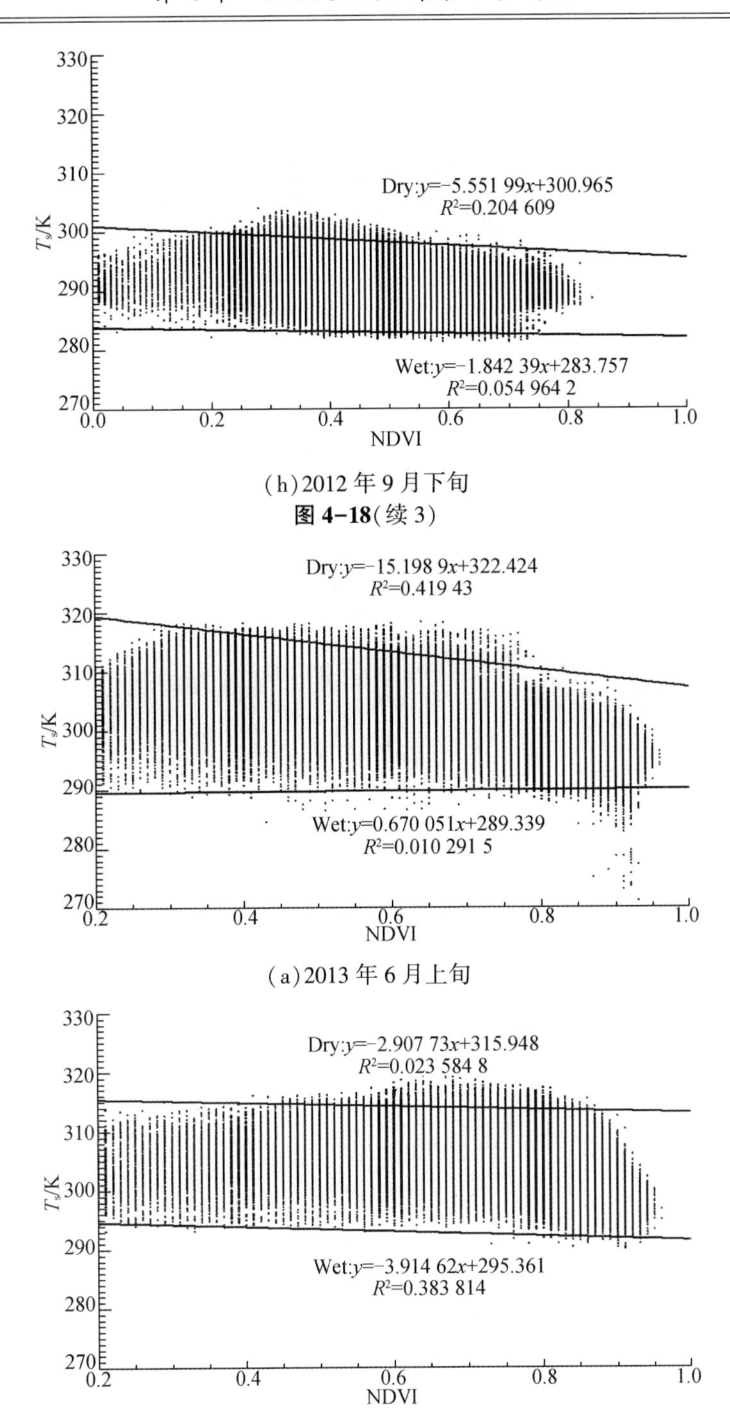

(h)2012 年 9 月下旬

图 4-18(续 3)

(a)2013 年 6 月上旬

(b)2013 年 6 月下旬

图 4-19　2013 年 T_s-NDVI 特征空间图

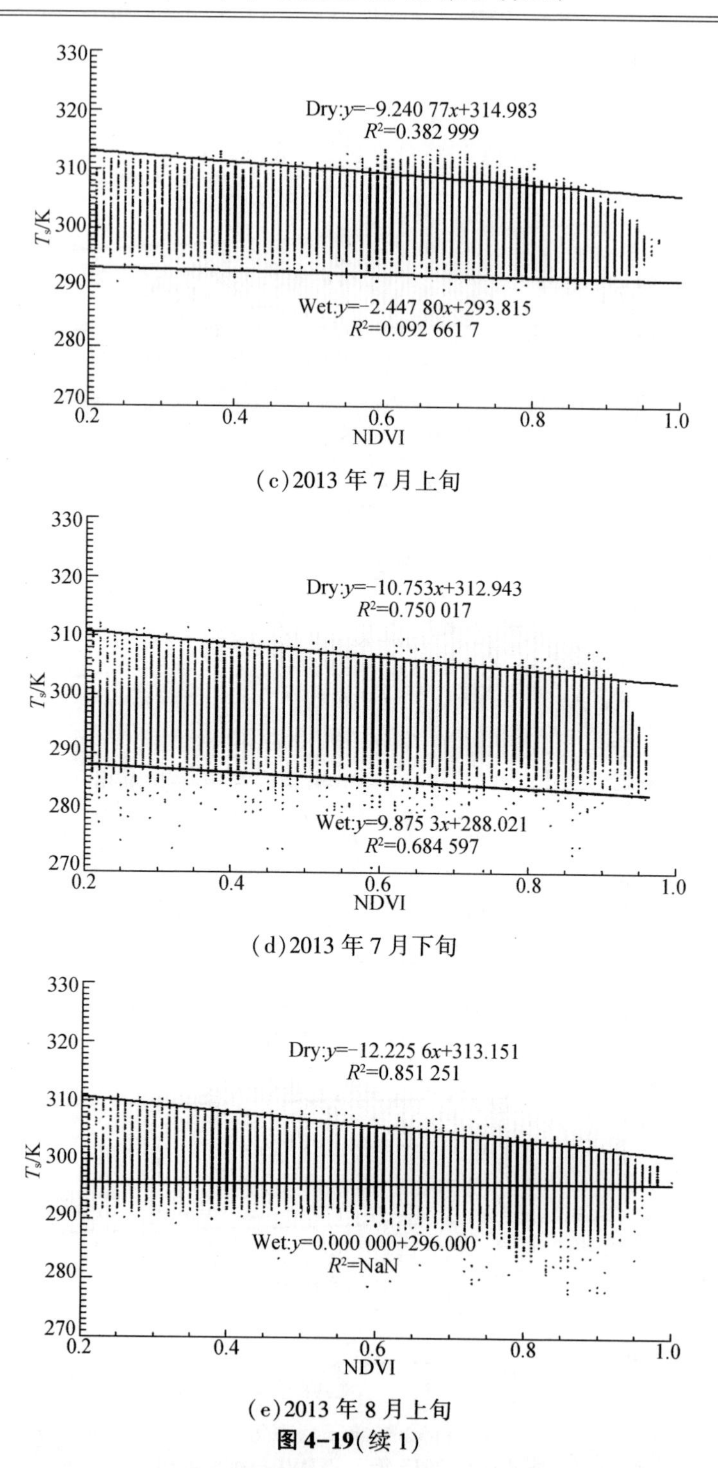

(c)2013 年 7 月上旬

(d)2013 年 7 月下旬

(e)2013 年 8 月上旬

图 4-19(续 1)

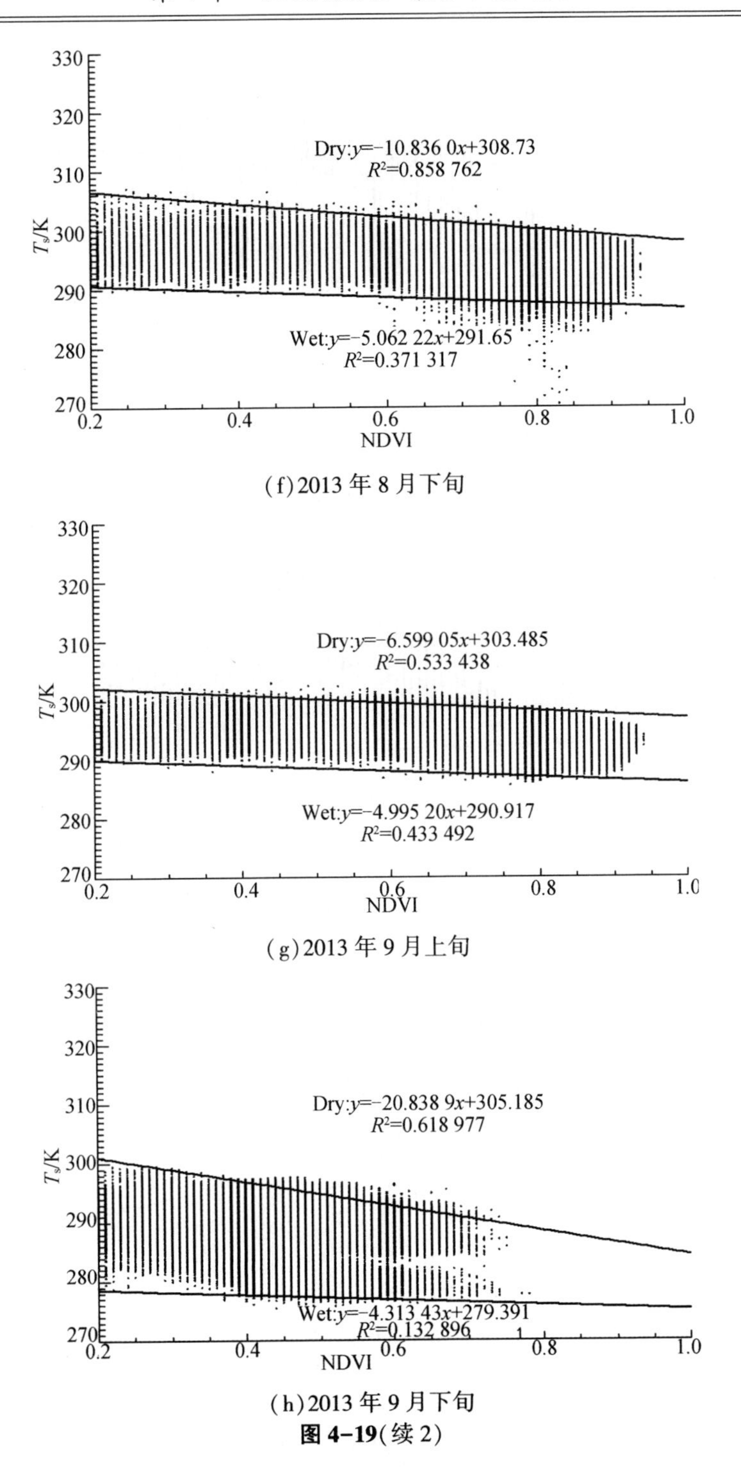

(f)2013 年 8 月下旬

(g)2013 年 9 月上旬

(h)2013 年 9 月下旬

图 4-19(续 2)

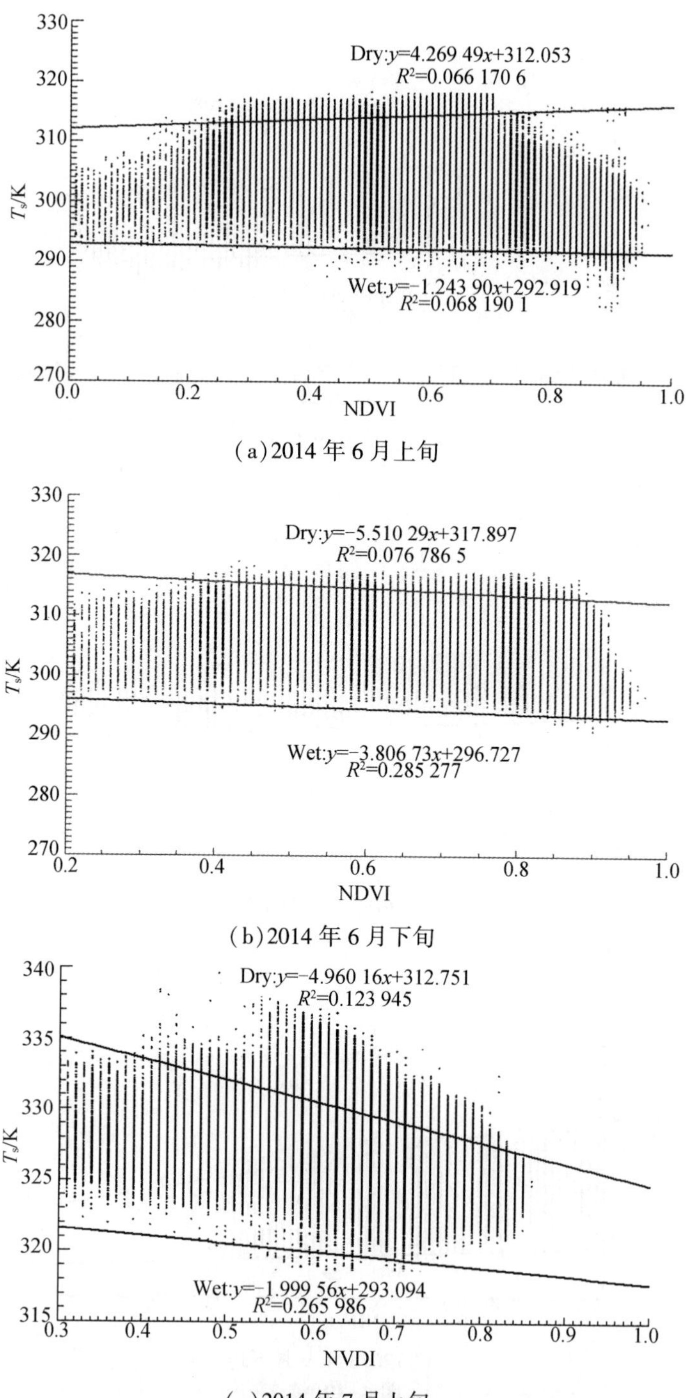

(a)2014 年 6 月上旬

(b)2014 年 6 月下旬

(c)2014 年 7 月上旬

图 4-20　2014 年 T_s-NDVI 特征空间图

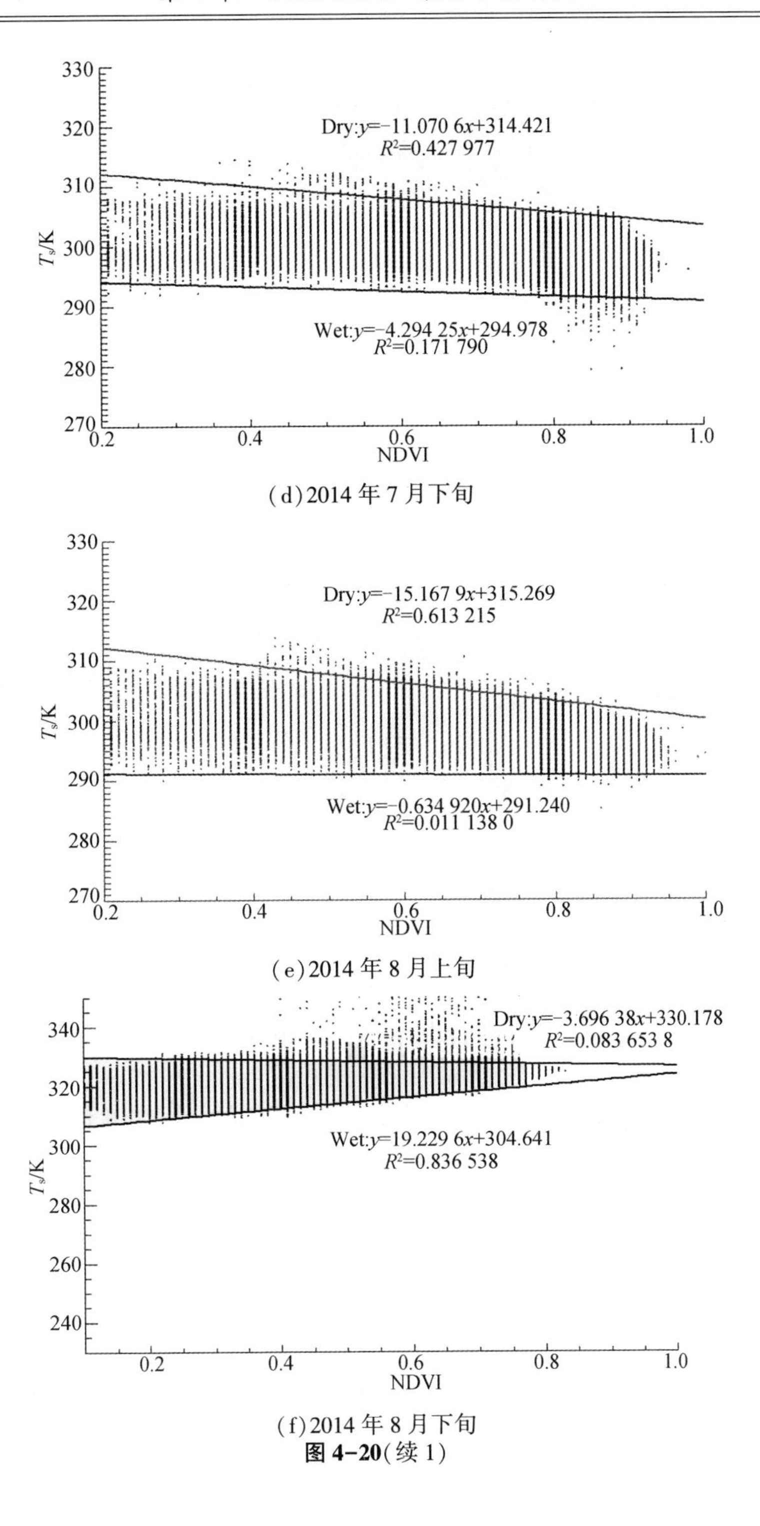

(d)2014 年 7 月下旬

(e)2014 年 8 月上旬

(f)2014 年 8 月下旬

图 4-20(续 1)

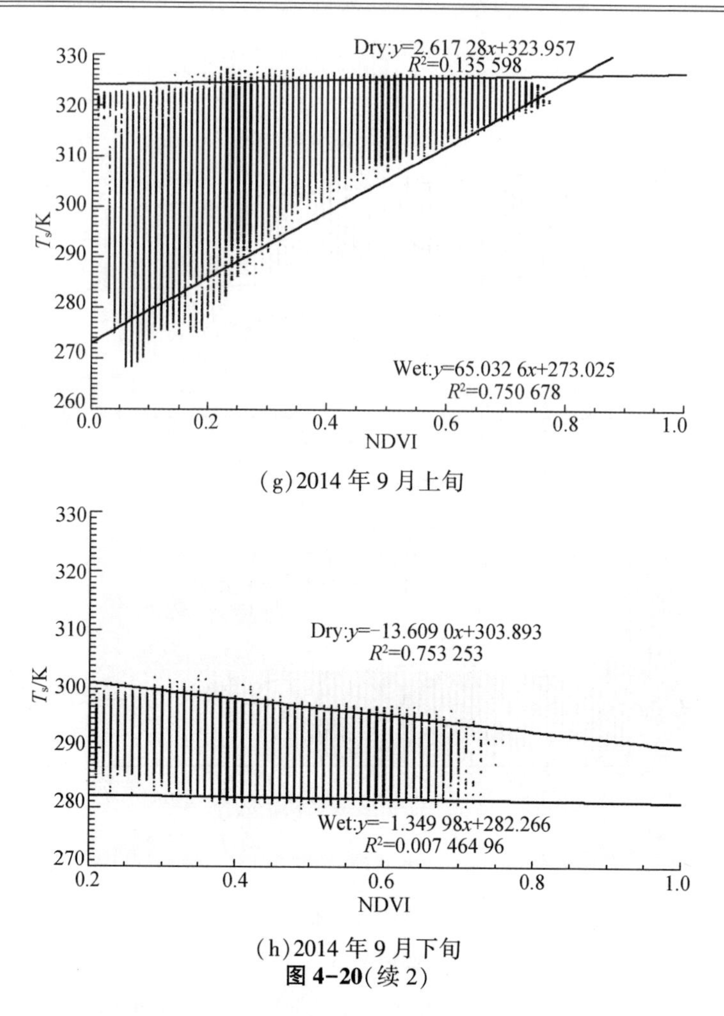

(g)2014 年 9 月上旬

(h)2014 年 9 月下旬

图 4-20(续 2)

4.3.3 TVDI 干旱等级划分结果

TVDI 值在 0~1,其值与土壤相对湿度呈负相关性,当 TVDI 值越小时,表示土壤相对湿度越大,相反当 TVDI 值越大时,表示土壤相对湿度越小。根据土壤相对湿度指数的干旱等级划分标准,先确定 TVDI 无旱和干旱的划分标准,应用单侧置信区间的原理,计算得到无旱这一级别置信区间上限,即从 0 到该置信区间上限均为无旱标准。

在轻旱和中旱划分中,同样利用单侧置信区间理论,计算轻旱这一级别的置信区间上限,该上限值即为中旱的下限值,同样的方法找到中旱和重旱及重旱和特旱的分界值。TVDI 被分为无旱、轻旱、中旱、重旱、特旱 5 个等级,TVDI 量化指标的综合分析结果如表 4.4 所示。

表4.4 TVDI量化指标的综合分析

干旱等级	TVDI				
	样本均值	样本标准差	置信度	允许误差	置信度上限
无旱	0.45	0.16	95%	0.01	0.46
轻旱	0.563	0.02	95%	0.004	0.57
中旱	0.73	0.12	95%	0.026	0.76
重旱	0.83	0.057	95%	0.026	0.86
特旱	—	—	95%	—	1

在特旱的等级划分中，由于土壤相对湿度数据符合特旱等级的非常少，因此不单独对该等级进行TVDI的等级划分，用划分重旱的上限作为特旱的下限，TVDI值的最大值1作为特旱的置信度上限。TVDI干旱等级划分标准如表4.5所示。

表4.5 TVDI干旱等级划分标准

等级	干旱等级	TVDI值范围
1	无旱	0<TVDI<0.46
2	轻旱	0.46≤TVDI<0.57
3	中旱	0.57≤TVDI<0.76
4	重旱	0.76≤TVDI<0.86
5	特旱	0.86≤TVDI<1

4.4 TVDI监测指标的干旱等级验证

4.4.1 实地数据验证结果

将实地监测数据判断的土壤干旱情况与TVDI值判断的土壤干旱情况进行对比，确定TVDI干旱等级划分的精度，随机抽取30个数据做对比，对比结果如表4.6所示，结果表明TVDI干旱等级划分标准的准确率达到83%，证明了TVDI可有效监测干旱情况，其等级划分标准准确度高。

表 4.6　实测土壤相对湿度数据与 TVDI 干旱等级划分对比结果

序号	监测时间	监测区域	土壤相对湿度/%	农业干旱等级	TVDI 反演值	TVDI 干旱等级	是否匹配
1	2011-06-08	BX01	47.84	中旱	0.6	中旱	是
2	2011-06-08	BX02	43.97	中旱	0.72	中旱	是
3	2011-06-08	BX05	39.57	重旱	0.8	重旱	是
4	2011-06-27	BX01	25.29	特旱	0.95	特旱	是
5	2011-06-27	BX02	31.99	重旱	0.84	重旱	是
6	2011-06-27	BX04	39.79	重旱	0.77	重旱	是
7	2011-06-27	BX05	37.32	重旱	0.85	重旱	是
8	2011-08-11	ZD08	59.27	轻旱	0.53	轻旱	是
9	2011-08-28	ZD03	31.3	重旱	0.8	重旱	是
10	2011-08-28	ZD02	43.79	中旱	0.74	中旱	是
11	2011-08-11	ZD01	55.39	轻旱	0.54	轻旱	是
12	2011-06-27	ZD08	87.81	正常	0.23	正常	是
13	2011-06-27	ZD07	24.32	特旱	0.93	特旱	是
14	2011-06-27	ZD06	45.68	中旱	0.74	中旱	是
15	2011-06-08	ZD02	38.74	重旱	0.79	重旱	是
16	2011-06-08	ZD03	34.14	重旱	0.77	重旱	是
17	2011-06-08	ZD04	43.25	中旱	0.65	中旱	是
18	2011-06-08	ZD06	31.5	重旱	0.88	特旱	否
19	2011-06-08	ZD08	62.21	正常	0.42	正常	是
20	2011-09-14	BX10	29.15	特旱	0.87	特旱	是
21	2011-09-14	BX05	33.28	重旱	0.76	重旱	是
22	2011-08-28	BX04	44.85	中旱	0.73	中旱	是
23	2011-08-28	BX05	46.6	中旱	0.63	中旱	是
24	2011-08-28	BX06	47.51	中旱	0.64	中旱	是
25	2011-09-14	ZD05	41.52	中旱	0.63	中旱	是
26	2011-06-27	ZD08	28.8	特旱	0.96	特旱	是
27	2011-06-27	ZD03	73.17	正常	0.96	特旱	否
28	2011-08-11	ZD07	53.53	轻旱	0.59	中旱	否
29	2011-08-28	ZD05	30.96	重旱	0.75	中旱	否
30	2011-06-27	BX09	32.88	重旱	0.85	重旱	是

4.4.2　实地测量数据验证结果分析

1. TVDI 与实地测量 10 cm 土壤相对湿度数据相关性高

用地面采集土壤相对湿度数据与 TVDI 值做拟合度分析，从图 4-20 可看出实地测量 10 cm 的土壤相对湿度数据与对应的 TVDI 值相关性较高，拟合度 R^2 约为 0.65，效果较好；其之间呈负相关关系，即土壤相对湿度越大，旱情等级越低，相反旱情发生越严重。从验证结果来看，利用 TVDI 干旱等级划分标准对黑龙江省旱情进行监测可准确地反映出黑龙江省的实际旱情。

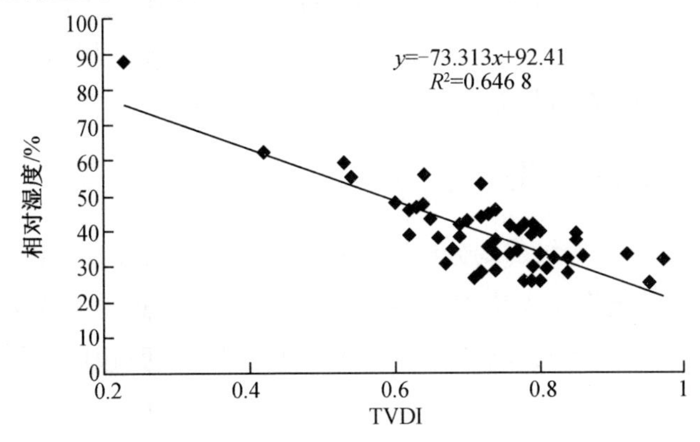

图 4-20　实测土壤相对湿度数据与 TVDI 值相互关系

2. 在分析中发现 TVDI 干旱等级划分的临界点值附近 TVDI 划分标准与实际标准存在偏差

如土壤相对湿度数据为 30.96%，严格按照农业干旱等级分类属于重旱，而 TVDI 的重旱与中旱的临界值为 0.76，此时该点对应的 TVDI 值为 0.75 属于中旱等级，虽然 TVDI 值相差很小，但却归属于不同的干旱级别。

虽然 TVDI 干旱等级划分标准整体精度较高，但在分界临界值的位置上还是存在小出入，待后期通过收集更多临界值附近的干旱数据完善解决这一问题。

3. 遥感数据受云影响使得 TVDI 分级结果与实际结果出入较大

从数据表 4.6 中可看到有的土壤相对湿度较大，而 TVDI 值也较大，干旱情况完全相反，这是由于遥感数据有云的干扰，由于降雨土壤相对湿度较大，受云干扰此时遥感图像反演的并不是真实的陆面情况，在云层较厚时，NDVI 值较小，LST 值较大，LST/NDVI 建模反演 TVDI 值偏大。云是遥感数据处理的难题，薄云可做大气校正简单处理，厚云只能将云覆盖的区域掩膜掉，不做 TVDI 分析使用。

4.4.3　验证结果分析

1. TVDI 干旱等级划分的临界点值附近 TVDI 划分标准与实际标准存在偏差

如土壤相对湿度数据为 30.96%，严格按照农业干旱等级分类属于重旱，而

TVDI 的重旱与中旱的临界值为 0.76,此时该点对应的 TVDI 值为 0.75 属于中旱等级,虽然 TVDI 值相差很小,但却归属于不同的干旱级别,因此虽然 TVDI 干旱等级划分标准整体精度较高,但在分界临界值的位置上还是存在小出入,待后期通过收集更多临界值附近的干旱数据完善解决这一问题。

2. 遥感数据受云影响使得 TVDI 分级结果与实际结果出入较大

从数据表 4.6 可看到有的土壤相对湿度较大,而 TVDI 值也较大,干旱情况完全相反,这是由于遥感数据有云的干扰,由于降雨土壤相对湿度较大,受云干扰此时遥感图像反演的并不是真实的陆面情况,云层较厚时,NDVI 值较小,T_s 值较大,T_s/NDVI 建模反演 TVDI 值偏大。云是遥感数据处理的难题,薄云可做大气校正简单处理,厚云只能将云覆盖的区域掩膜掉,不做 TVDI 分析使用。

4.4.4 监测结果

根据表 4.5 干旱等级的划分标准,对 2000—2012 年、2014 年干旱监测结果进行分级,干旱强度定义无旱为 1,轻旱为 2,中旱为 3,重旱为 4,特旱为 5。分别以不同灰度显示不同的等级的干旱面积占比,其各区县市的干旱强度面积占比情况如图 4-21 和图 4-22 所示。

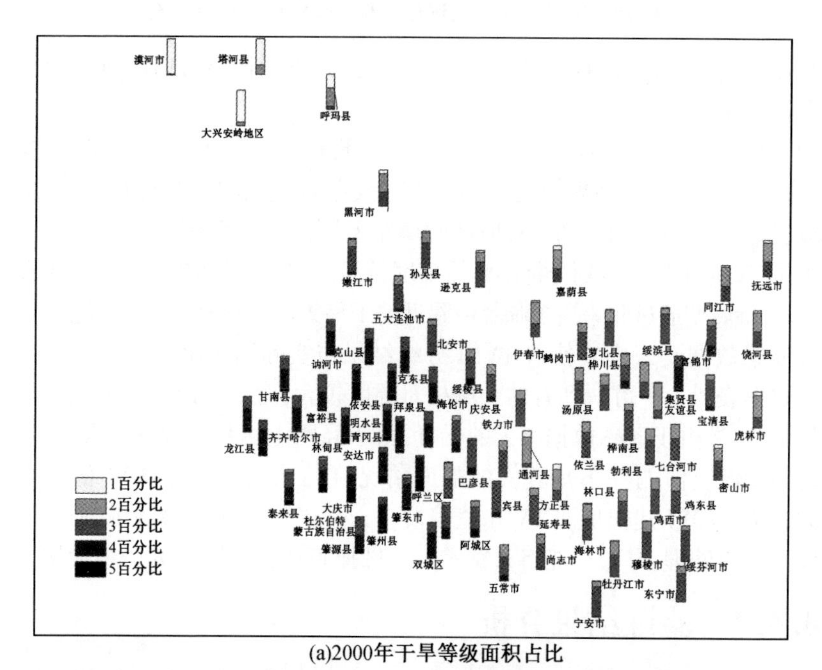

(a)2000年干旱等级面积占比

图 4-21　2000—2007 年各县市的干旱强度面积占比情况图

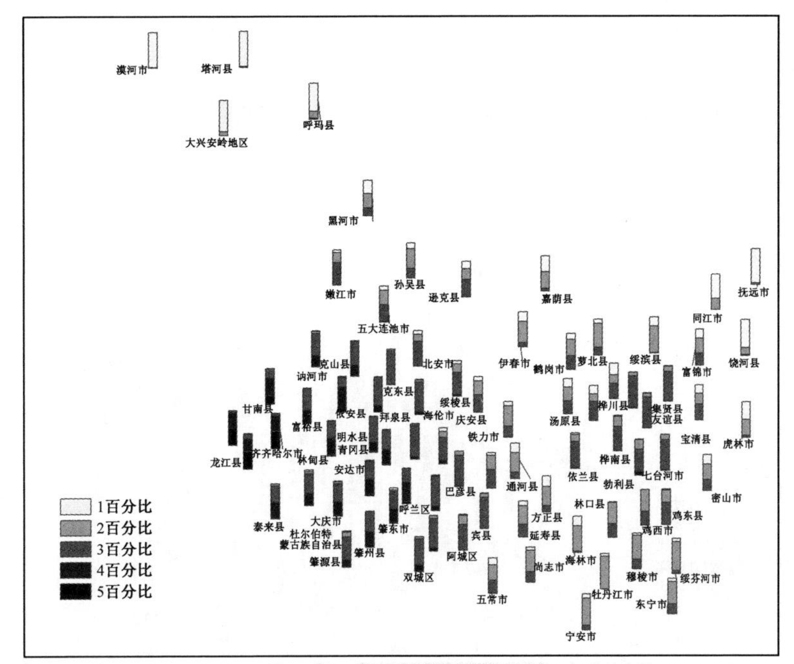

(b)2001年干旱等级面积占比

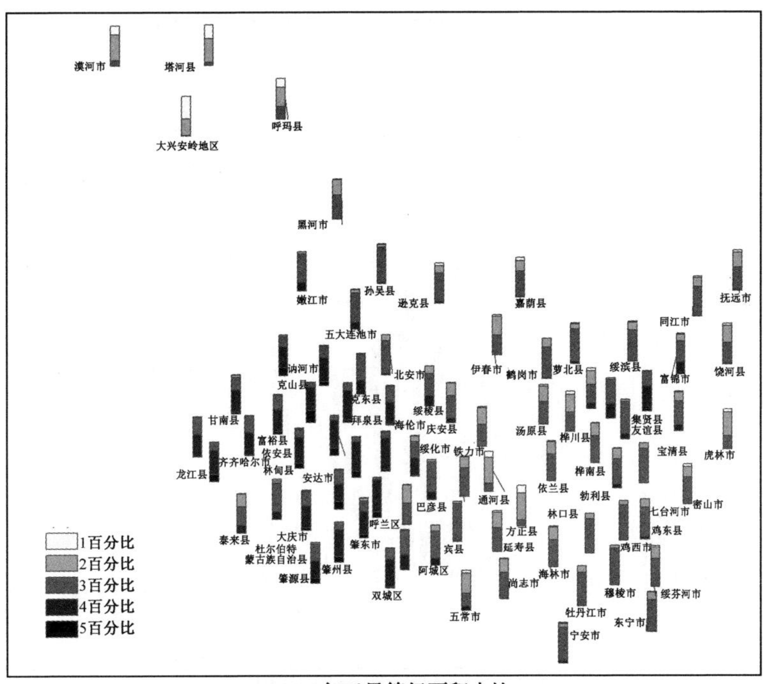

(c)2002年干旱等级面积占比

图 4-21(续 1)

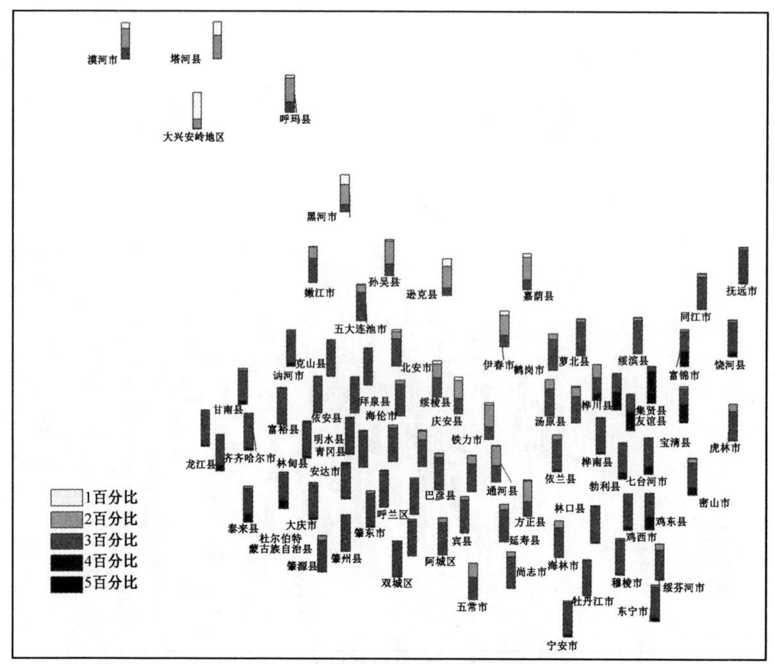

(d)2003年干旱等级面积占比

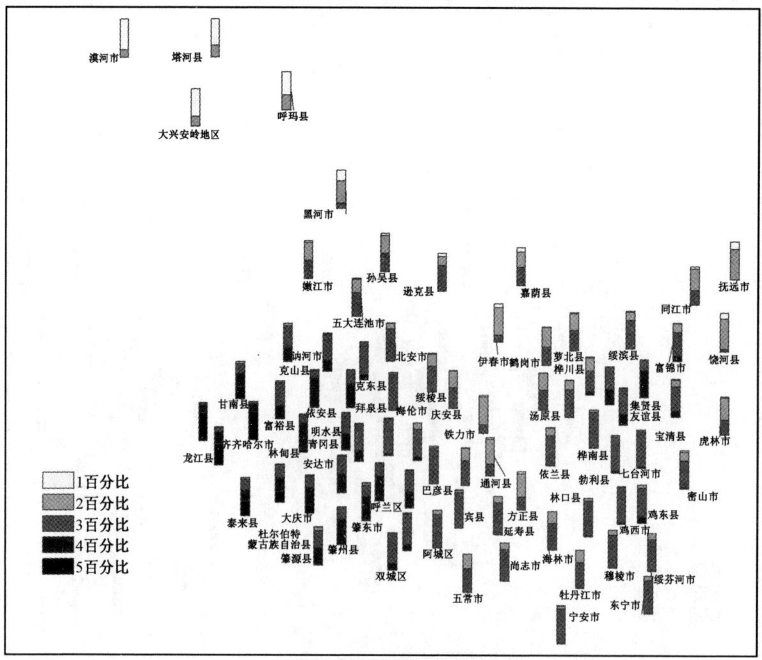

(e)2004年干旱等级面积占比

图 4-21(续 2)

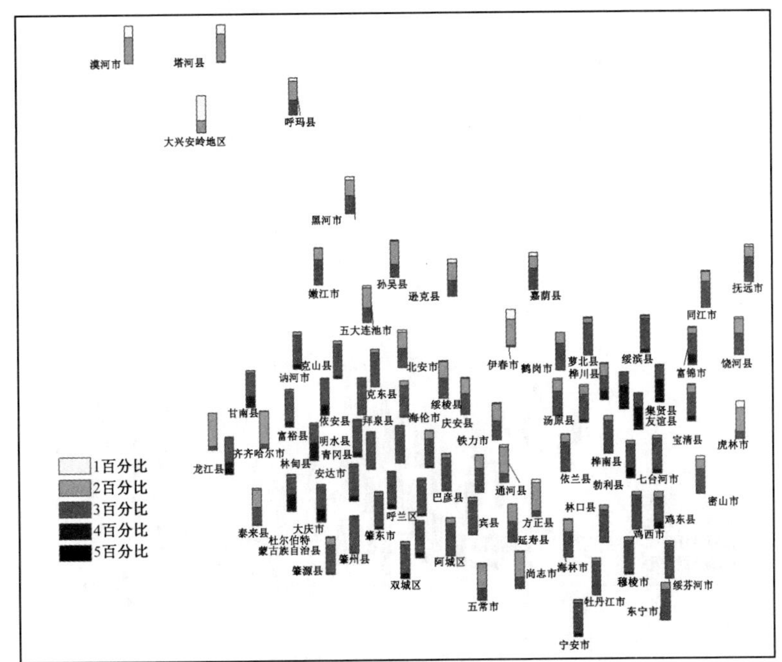

(f)2005年干旱等级面积占比

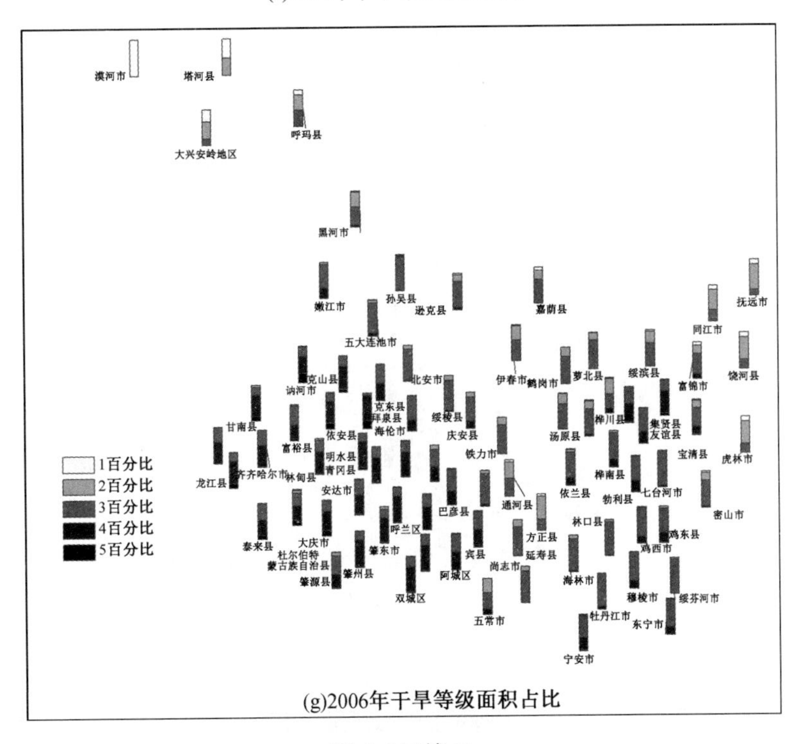

(g)2006年干旱等级面积占比

图 4-21(续 3)

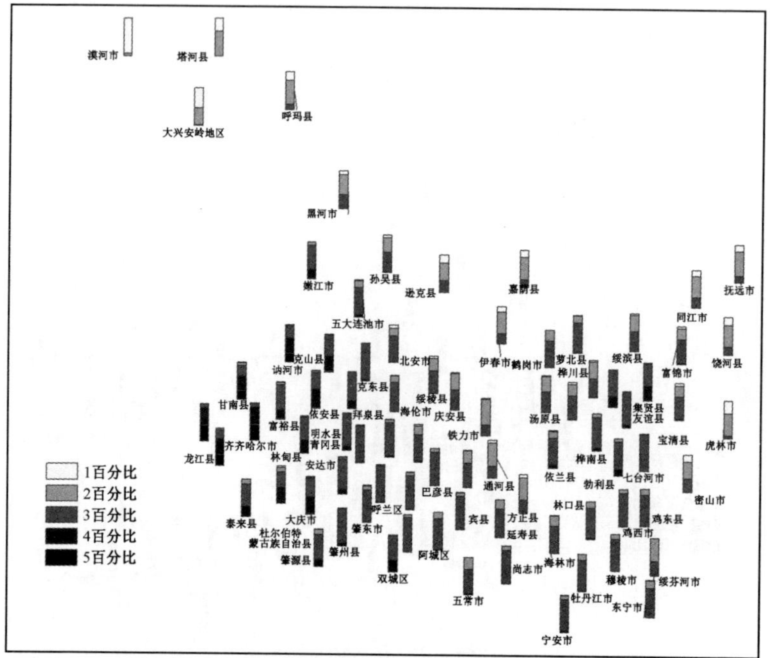

(h)2007年干旱等级面积占比

图 4-21(续 4)

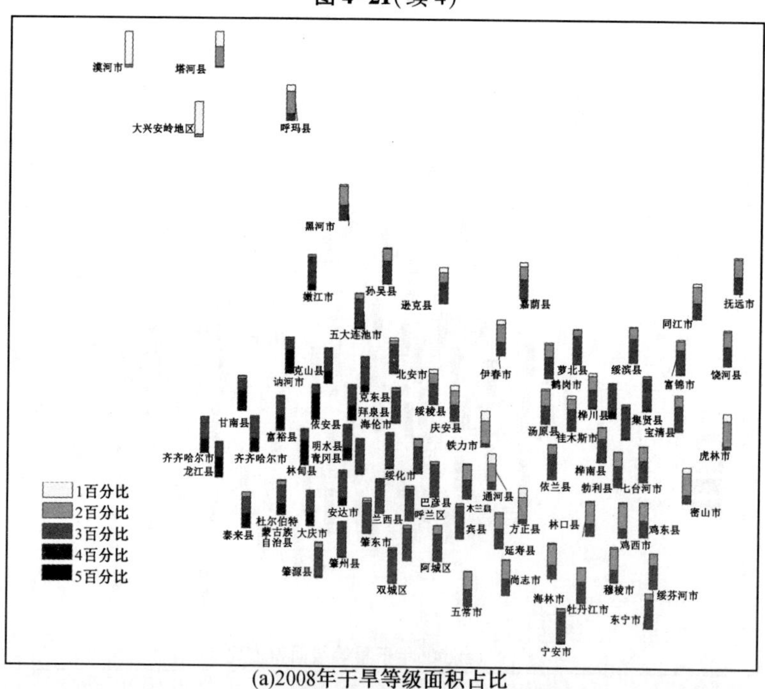

(a)2008年干旱等级面积占比

图 4-22　2008—2012 年及 2014 年各区县市的干旱强度面积占比情况图

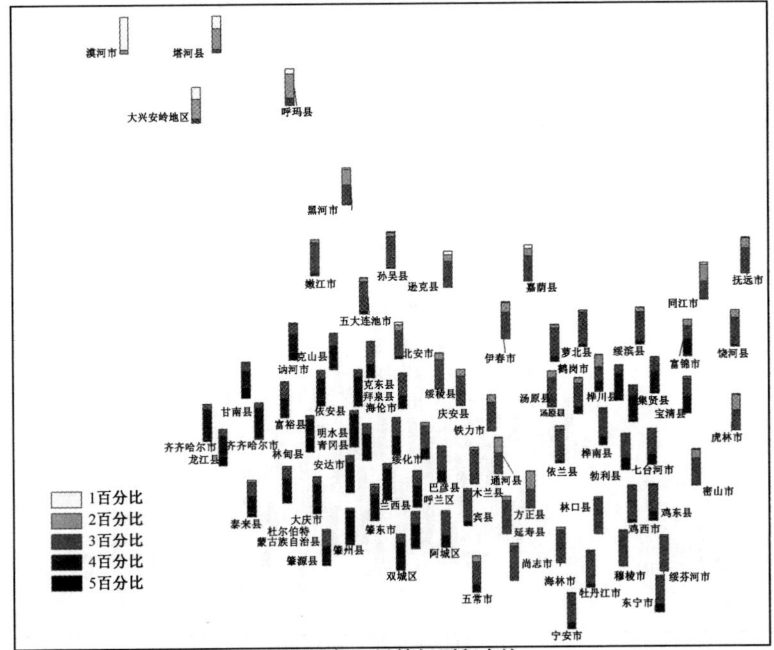

(b)2009年干旱等级面积占比

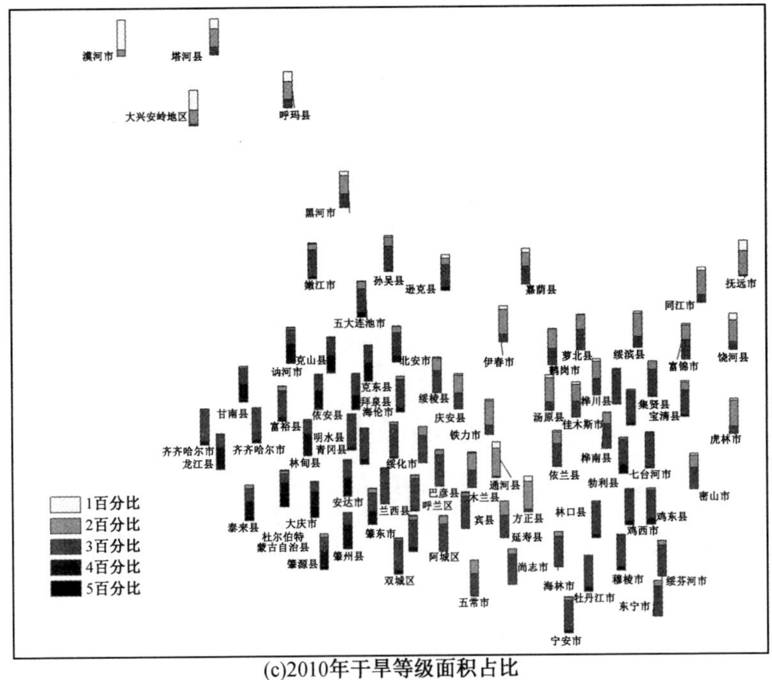

(c)2010年干旱等级面积占比

图 4-22(续 1)

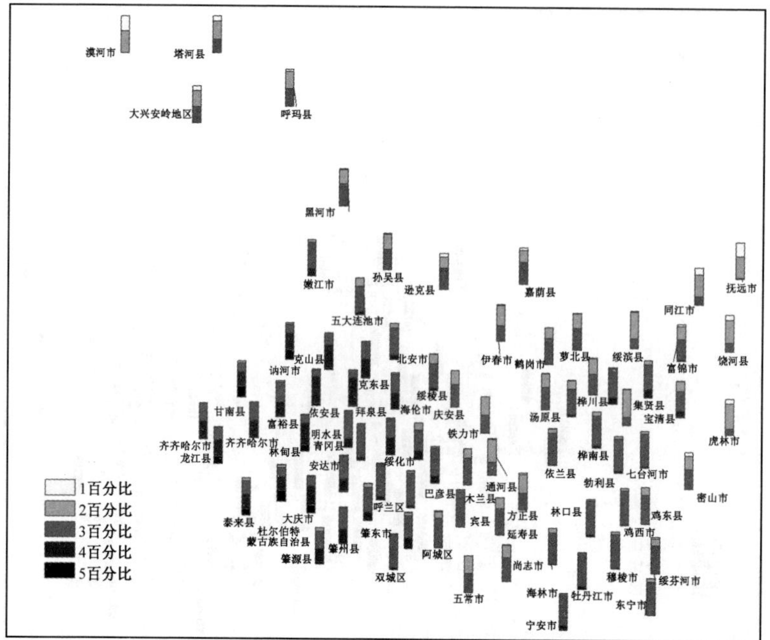

(d)2011年干旱等级面积占比

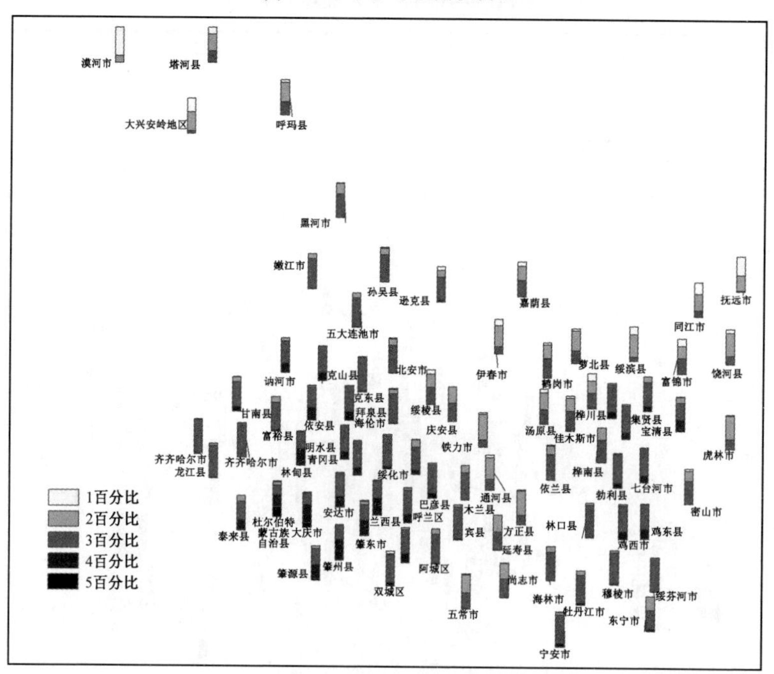

(e)2012年干旱等级面积占比

图 4-22(续 2)

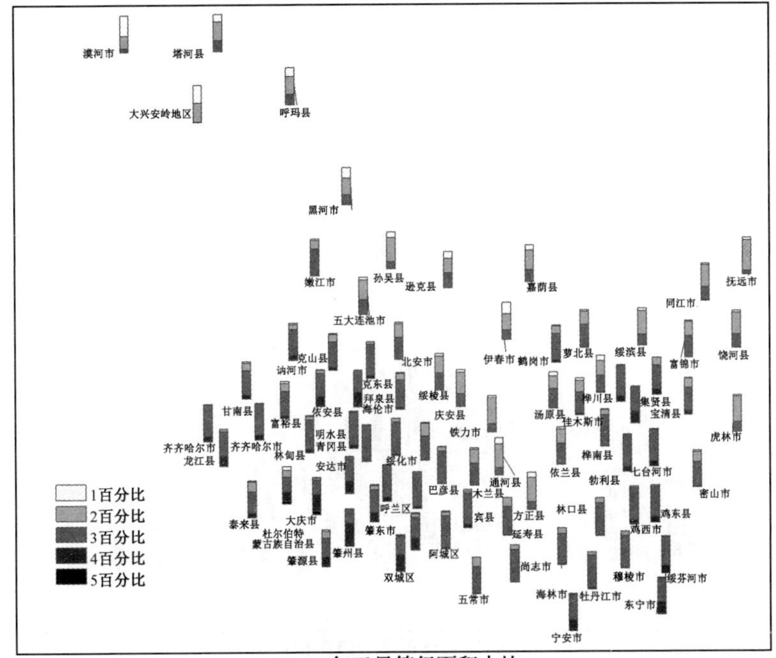

(f)2014年干旱等级面积占比

图 4-22(续 3)

以 2011 年监测结果为例(图 4-23),具气象部门统计,6 月份开始,黑龙江省在齐齐哈尔部分区县市及肇州县、呼兰区、铁力市等 8 个区县市土壤相对湿度在 60%以下,土壤出现旱情,且随着降雨的推迟,偏旱的县市也不断增加,6 月份省内气象部门土壤水分监测公报显示西部出现旱区,需密切注意土壤墒情变化,做好抗旱准备工作。6 月末 7 月初,省内部分地区出现不同程度的降雨,佳木斯部分地区及黑河市、鹤岗市、双鸭山市的降雨量在 10~29 mm,截至 7 月 13 日,黑河大部、绥化东北部、三江平原部分市县及呼玛县、克山县、讷河市、富裕县、龙江县、东宁市等共 31 个县市土壤墒情正常。8 月 11 日气象监测站显示土壤略有旱象,主要分布在松嫩平原东部、三江平原的中部和东部;黑河南部、齐齐哈尔部分地区、鹤岗西部及林甸县、庆安县、肇州县、东宁市、桦川县等共有 14 个县市的土壤出现旱象,其他地区墒情正常。截至 8 月末,表层土壤分析省内大部分土壤墒情比较好,旱象范围不大,程度均较轻,对作物生长发育和产量形成影响不大,各地长势良好。TVDI 等级划分结果与实际气象部门监测结果相同,因此证明 TVDI 监测大面积土壤干旱方法可行,其 TVDI 的干旱等级划分标准也具有可行性。

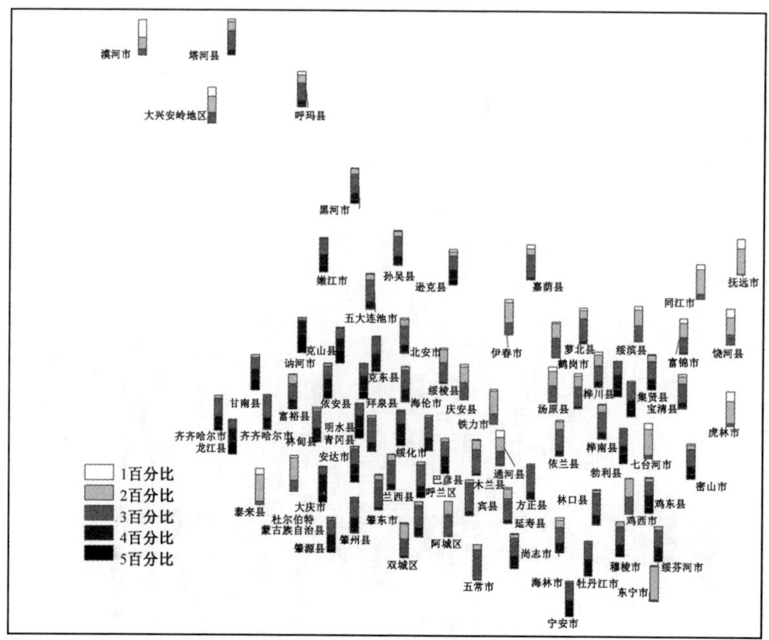

(a)2011年5月干旱等级面积占比

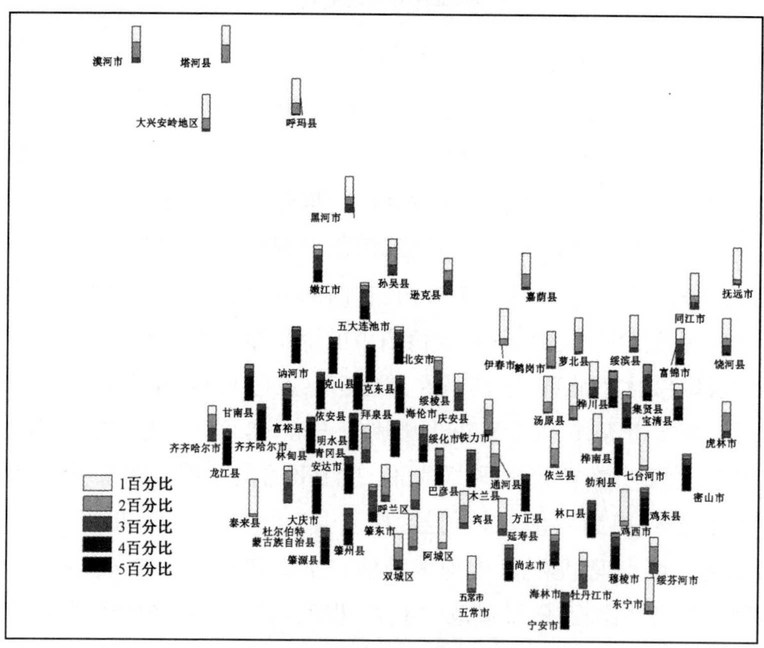

(b)2011年6月干旱等级面积占比

图 4-23　2011 年 5~9 月黑龙江省各县市干旱强度面积占比情况图

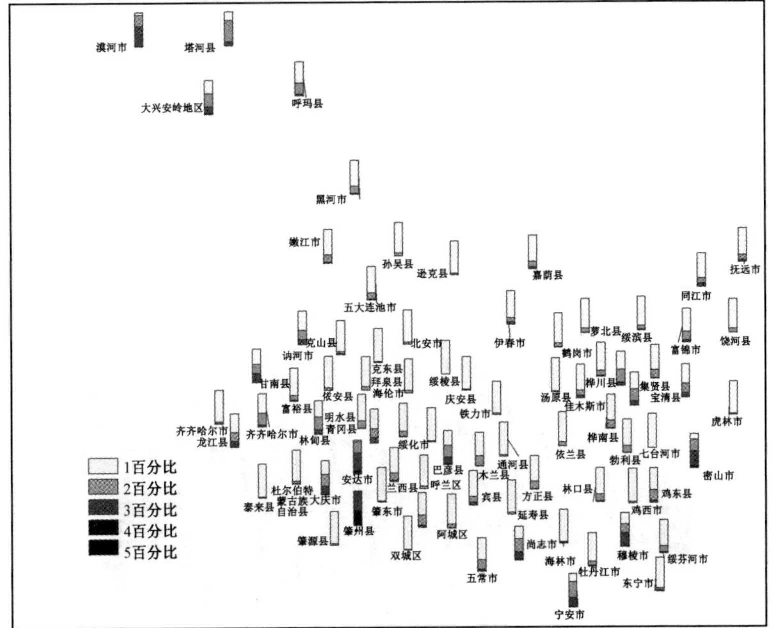

(c)2011年7月干旱等级面积占比

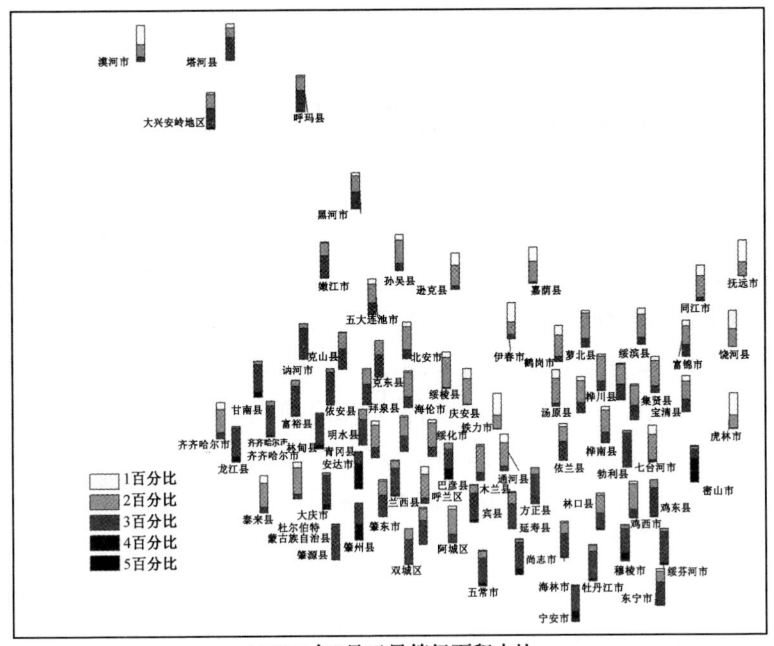

(d)2011年8月干旱等级面积占比

图 4-23(续 1)

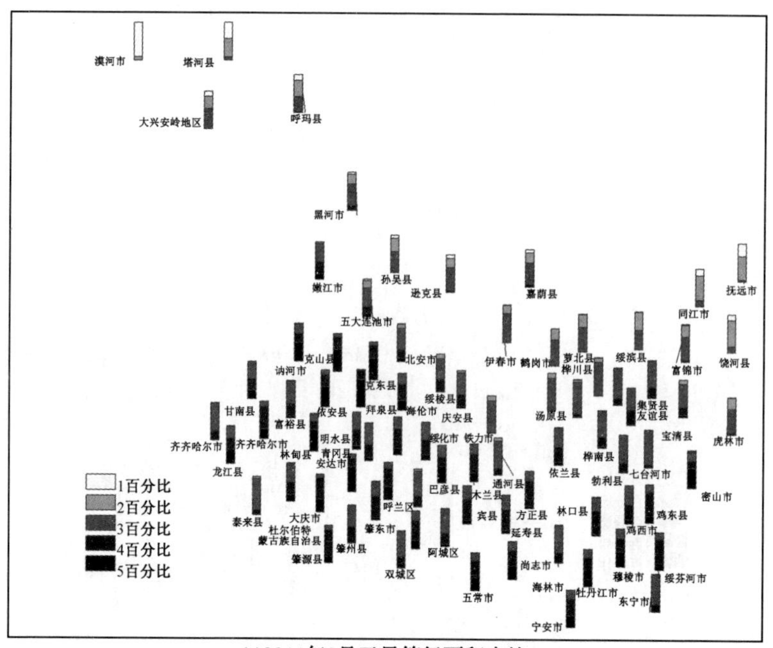

(e)2011年9月干旱等级面积占比

图 4-23(续 2)

4.4.5 实际旱情发生结果验证

根据表 4.5 干旱等级的划分标准,对多年以来以旬为单位的干旱监测结果进行分级,分别以不同灰度显示不同的等级。同时对 2015 年黑龙江省农用地进行干旱监测(图 4-10)。结果显示 7 月下旬全省大范围内出现中旱,至 8 月初期,松嫩平原出现局部重旱行情;8 月下旬,全省旱情缓解,三江地区旱情较严重。根据省内气象站点数据可知自 2015 年 7 月全省气温较每年略高,降水偏少,从 7 月开始全省旱情呈现波动变化,月末西部、东部均出现旱情,8 月初西部局部旱情加重,东部部分地区由于降雨干旱有所缓解,由于我省降雨分布不均,在泰来县、肇东市、肇源县降水量不足 10 mm,与历年同期相比,松嫩平原、三江平原个别县级呼玛县、孙吴县、绥芬河市、东宁市偏少 1~9 成,致使三江平原、松嫩平原大部分区域均受到不同程度的干旱影响。监测结果与实际气象部门监测结果相同,因此证明 TVDI 监测大面积土壤干旱方法可行,其 TVDI 的干旱等级划分标准也具有可行性。

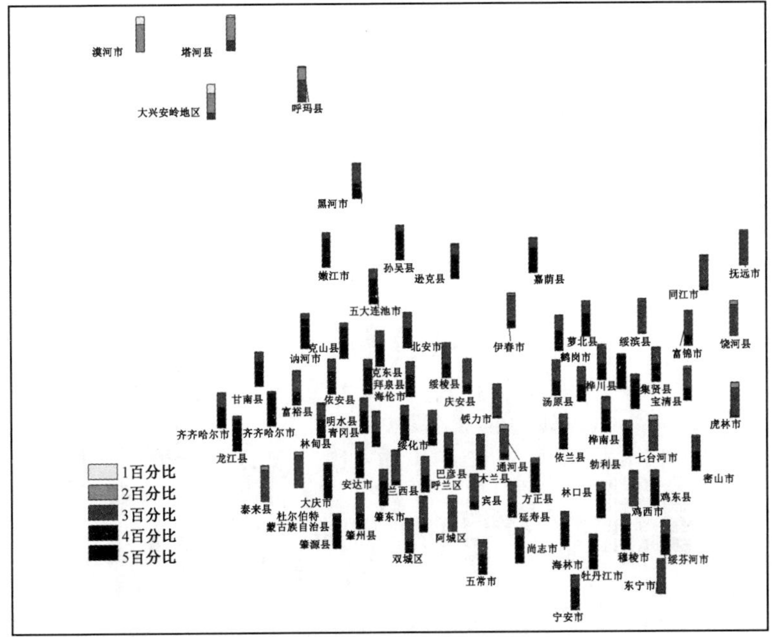

(a)2015年5月干旱等级面积占比

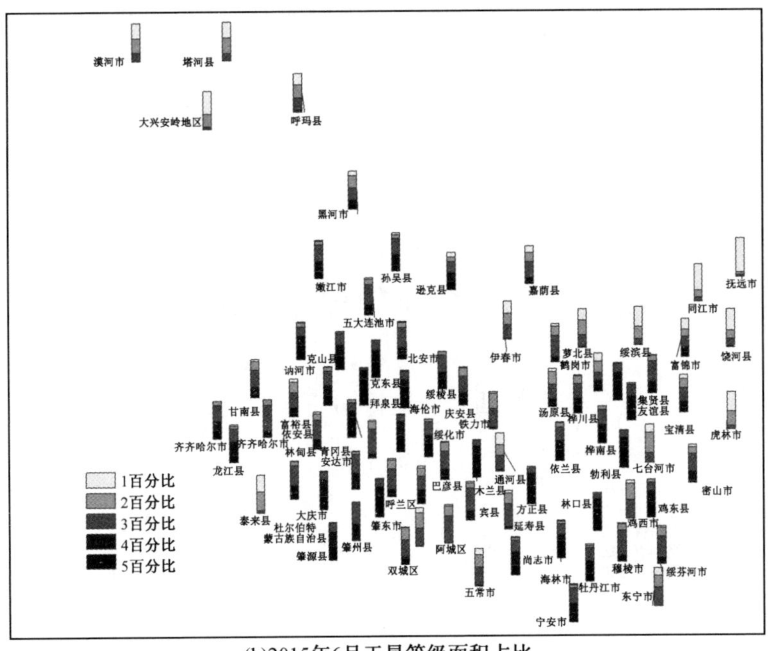

(b)2015年6月干旱等级面积占比

图 4-24　2015 年 5~9 月黑龙江省各县市干旱强度面积占比情况图

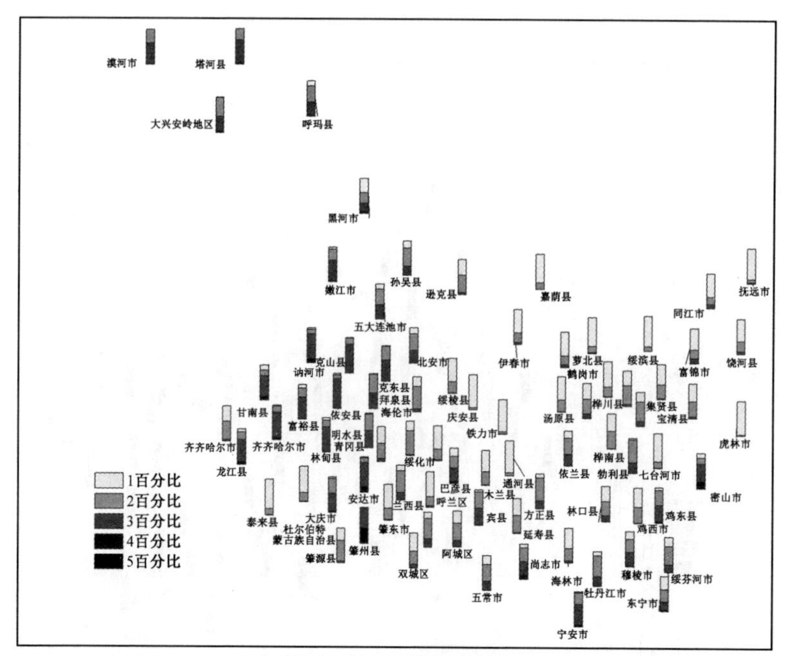

(c)2015年7月干旱等级面积占比

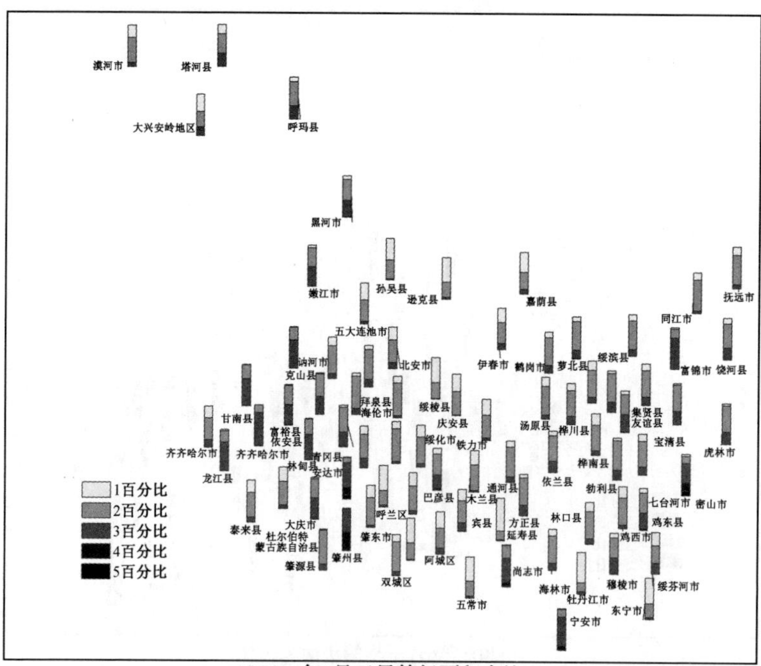

(d)2015年8月干旱等级面积占比

图 **4-24**(续 1)

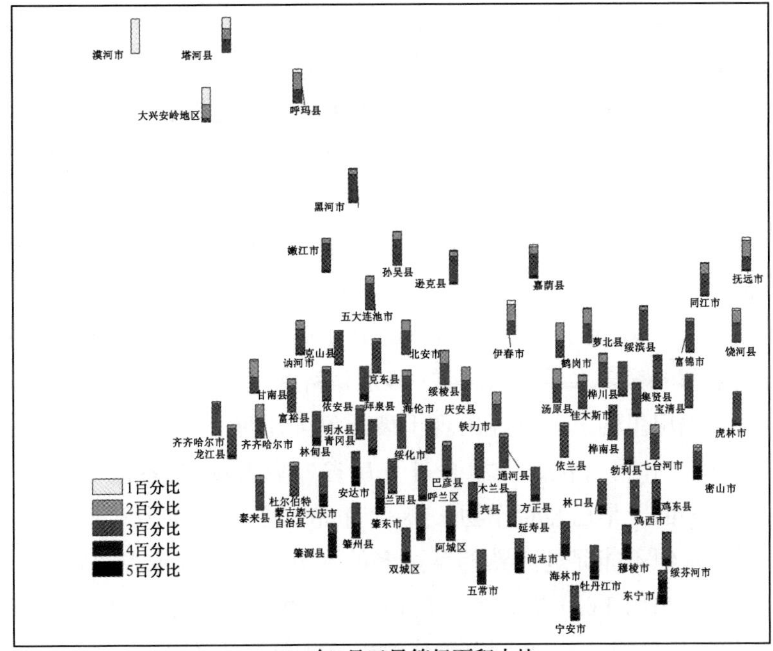

(e)2015年9月干旱等级面积占比

图 4-24(续 2)

4.5　研究结论

根据土壤相对湿度干旱等级划分标准将 TVDI 分级,对同一级别内的 TVDI 值进行统计分析,计算分析每一划分等级中 TVDI 的置信区间。分析结果将 TVDI 分为 5 个级别:$0<TVDI<0.46$ 为无旱,$0.46\leq TVDI<0.57$ 为轻旱,$0.57\leq TVDI<0.76$ 为中旱,$0.76\leq TVDI<0.86$ 为重旱,$0.86\leq TVDI<1$ 为特旱。

根据 TVDI 的等级划分标准,2011 年在肇东市、宾县设立监测区,分别在 6 月 8 日、6 月 27 日、8 月 11 日、8 月 28 日、9 月 14 日 5 个时间段内实地测取土壤相对湿度数据确定干旱分级情况,与相应的 TVDI 值确定的干旱分级情况相比对,结果表明相一致,证实了 TVDI 分级的准确性,其准确度达到 83%。

利用 TVDI 的干旱等级划分标准,对黑龙江省 2011 年 6~9 月的农业干旱发生情况进行了监测并与气象部门监测进行验证。从区域分布上,松嫩平原比三江平原地区旱情发生严重,松嫩平原西部较东部严重;从时间分布上,6 月份最为严重,7~8 月份有所缓解,8 月末 9 月初出现较轻旱情。因此,利用 TVDI 指导生产具备一定的可行性。未来可进一步将该方法与监测作物长势相结合，共同监测作物生长状况及估产研究。

本研究应用 TVDI 的等级划分标准，对 2015 年黑龙江省农用地干旱发生情况进行监测，发现从 7 月份开始，省内出现中旱面积较大，伴随少部分轻旱和正常现象；到 8 月份，西部地区干旱进一步加重，特别是肇源县、肇州县、甘南县区域由中旱转为重旱；东部局部地区由于降水旱情有所缓解。8 月中旬，虽然省内有降雨，但由于降雨分布不均，且降雨量不大，西部地区的旱情进一步扩大，编著者于 8 月 17 日~8 月 25 日在三江平原和松嫩平原分别对干旱情况进行实地验证，发现东部的很多水稻种植区域（特别是富锦市、宝清县）内出现了严重缺水的症状，水稻田里的土地已经出现干裂现象。证明了 TVDI 干旱监测等级划分结果的准确度和可行性。虽然 8 月下旬省内降雨较多，各地旱情均有所减弱，可前期长期的干旱已经对作物长势、产量造成了影响，8 月后期玉米已进入成熟期，降雨不但不能促进成熟相反过多的水分也会造病虫害的发生，加重灾害的发生，因此利用 TVDI 指导生产具备一定的可行性。未来可进一步将该方法与监测作物长势相结合，共同监测作物生长状况及估产研究。

TVDI 监测模型的干旱等级划分为干旱监测的产业化、运行化提供了理论基础，农业干旱监测是旱灾系统研究中的首要步骤，为后期防灾减灾的顺利进行提供参考及指导作用。TVDI 综合了植被信息和地表温度信息，可以反映出一个地区旱情程度的高低。这为以后能及时对黑龙江省内农用地旱情的监测、预测提供了方便。但是由于采用的 MODIS 数据分辨率与地面实际情况会有一些差异，对实际旱情监测会有一定的影响；影响旱情的因素是复杂多样的，在今后的研究中，加大高分数据的应用，利用高分数据影像代替地面实际调查，从而即减轻了工作强度，又提高了监测精度。在模型构建中也可以与其他植被监测指数进行对比分析以取得更好的效果，进一步提高监测精度。在使用 MODIS 数据时虽然做了预处理，进来了质量控制，但在 TVDI 模型中仍存在一些质量较差的像元，使得对遥感反演的 TVDI 值与实际土壤相对含水量建立的关系模型产生一定的误差，影响其精度，在以后土壤湿度的研究中，如何最大限度地减少或删除无效像元对遥感影像的影响是研究者们亟须解决的问题。

第 5 章　基于 TVDI 方法的黑龙江省干旱时空特征、趋势分析及影响因素研究

干旱是全球最为常见的自然灾害，我国也是干旱频繁发生的国家，特别是在我国北部地区。近年来，随着经济的迅速发展，人口增加，自然环境遭受破坏，受全球性气候变暖等因素的影响，干旱问题逐年加重。传统的农业旱情监测主要基于地面站点的土壤墒情数据，虽然其真实性较高，但监测精度受控于地面站点的分布密度，很难大范围精细地反映干旱状况。遥感技术以其及时、客观、数据连续性强、覆盖范围广等优点，弥补了地面站点的不足，已成为区域旱情监测的重要手段。遥感手段监测大范围旱情方法很多，其旱情指标或是建立在植被指数基础上，或是建立在地面温度基础上进行。学者指出植被指数是反映植物生长状况和地表植被覆盖度大小，利用植被指数作为水分胁迫指标表现出一定的滞后性，相比之下地面温度时效性更高，可如单独采用地面温度作为指标，在植被覆盖度较低的条件下旱情较高可能受到地面背景温度的干扰。因此，利用地表温度和植被指数特征空间耦合而成的 TVDI 监测大范围的旱情得到了快速发展。齐述华等利用不同时相的 T_s-NDVI 特征空间对全国进行了旱情监测，结果表明，TVDI 与土壤湿度显著相关，用来大范围评价旱情是合理的。范辽生推导出利用 TVDI 和干、湿边土壤水分计算土壤含水量的方程，利用方程反演了杭州市伏旱期间的土壤表层的相对湿度，结果表明反演值和实测值之间的平均绝对误差较小。由此看出，TVDI 方法是一种较为成熟和理想的干旱监测模型，因此，研究采用 TVDI 方法监测干旱情况。在干旱管理中，为了能及时了解和应对不同程度的干旱，人们往往把干旱划分为不同的等级。目前我国已有气象干旱指标，农业干旱指标的国家级干旱等级标准，但对遥感监测指标的干旱等级划分研究较少。在应用遥感手段监测干旱时必须要研究干旱的严重性、区域性和周期性等，而其严重程度会对遥感干旱监测指标进行分级。如果能将传统农业旱情监测法与现代的 TVDI 监测干旱方法相结合，根据现有的国家干旱等级标准，来进一步制定 TVDI 的干旱等级，这样即对干旱监测方法有了进一步的深入研究，又能获得近实时定量化的干旱遥感监测方法，进而提

高 TVDI 监测土壤旱情的精度。

5.1 基于 TVDI 方法的黑龙江省干旱时空特征

农业干旱是作物生长过程中因供水不足,阻碍作物正常生长而发生的水量供应不平衡的现象。黑龙江省是典型的旱作农业区,近 20 a 来黑龙江省旱灾占总农业气象灾害总面积的 63%,占据省内三大气象灾害首位。遥感监测技术以其宏观、快速、动态、经济的优势,成为旱灾监测研究的有效重要手段。众多学者研究表明,利用地面温度和植被指数特征空间耦合而成的 TVDI 监测旱情方法优越、可行性高。利用 TVDI 模型监测地表旱情时,其受传感器类型和数据空间分辨率的影响较小,因此被广泛应用到干旱监测中。

众多学者对黑龙江省的干旱研究主要归纳为两类:一是基于长时间的气象站点数据采用不同干旱方法进行时空特征、演变规律、变化趋势、灾害评价等研究;二是基于遥感数据进行干旱监测及预测模型分析。分析干旱时空特征研究基本都是以气象数据为基础的,其原因是气象数据历史时间更久,从 1951 年开始我国便已有气象站观测数据,时间越久对规律和趋势分析就越有利,这是气象数据的优点。但气象站属于点数据,不能代表面上干旱情况,学者须采用一系列方法进行面数据的转化,这样在监测精度上有所损失。遥感数据属于面数据,以像元为单元,可监测每一个像元的干旱程度弥补气象数据的不足,且 MODIS 数据具有时效性好、幅宽大、波段范围广、数据开放的优势,可快速实现全省范围内土壤干旱监测,在防治干旱,指导精准灌溉,节约水资源,降低农民损失方面均具有重要意义。目前对黑龙江省利用遥感数据进行 20 a 的时空变化特征研究特别缺少,学者主要集中在对单一时刻或某一时段的干旱监测上。针对如上问题研究基于 MODIS 时序数据计算逐月 TVDI,累计 20 年间黑龙江省干旱发生频率及干旱强度,分析黑龙江省干旱时间特征,找到规律并同时开展空间变化特征研究,为后续编著者进行黑龙江省干旱预警研究奠定基础,为政府抗旱救灾、制定农业政策和管控农业项目提供科学数据支撑。

5.1.1 研究方法

1. 标准化降水指数

降雨分布是一种偏态分布,因此直接用降雨量很难在不同时间、不同地区上进行相互比较，SPI 是表示某时段降水量出现概率的指标之一，因其具有概率属性，其能很好地比较不同区域的干旱状况。通过计数出累积降水的概率密度函数 Γ，进行正态标准化处理，其计算方法是在特定时间段内产生的降水量与平均值之差除以标准差，其中降水量平均值和标准差是根据过去的历年气象观测记录来确定的。公式如下：

$$\mathrm{SPI}=\begin{cases}-\left(t-\dfrac{c_0+c_1t+c_2t^2}{1+d_1t+d_2t^2+d_3t^3}\right), t=\sqrt{\ln\left(\dfrac{1}{(H(x))^2}\right)}, 0<H(x)<0.5\\ t-\dfrac{c_0+c_1t+c_2t^2}{1+d_1t+d_2t^2+d_3t^3}, t=\sqrt{\ln\left(\dfrac{1}{(1.0-H(x))^2}\right)}, 0.5<H(x)<1.0\end{cases} \tag{5-1}$$

式中　x——降水样本值；

$H(x)$——与 Γ 函数相关的降水分布累积概率；

$c_0=2.515\,517$；

$c_1=0.802\,853$；

$c_2=0.010\,328$；

$d_1=1.432\,788$；

$d_2=0.189\,269$；

$d_3=0.001\,308$。

研究计算的是 1 个月时间尺度下黑龙江各站点的 SPI 指数值。

2. 干旱评估指标

(1) 干旱强度(i)。

用 i 来标记干旱发生的严重程度，无旱为 1，轻旱为 2，中旱为 3，重旱为 4，特旱为 5。干旱等级(无旱、轻旱、中旱、重旱、特旱)可由不同时段的 TVDI 值来反映，TVDI 值越大，表明干旱就越严重，相反就越轻。20 a 总干旱强度为 I_{20}，定义 $I_{20}<60$ 为干旱频率低强度弱，$60\leq I_{20}<80$ 为干旱发生频率中强度中，$80\leq I_{20}$ 为干旱频率高强度大。

根据前文的研究，适宜黑龙江省的 TVDI 干旱分级结果为：0<TVDI<0.46 为无旱，0.46≤TVDI<0.57 为轻旱，0.57≤TVDI<0.76 为中旱，0.76≤TVDI<0.86 为重旱，0.86≤TVDI<1 为特旱。为方便绘图，研究将 TVDI 值扩大 100 倍进行分析，即 TVDI 值在 0~100。

(2) 干旱强度面积占比(P_i)。

干旱强度面积占比代表研究区内干旱发生范围的大小。公式表达如下：

$$P_i=\frac{m}{M}\times 100\% \tag{5-2}$$

式中 i——干旱强度,值为 1~5;

m——发生 i 干旱强度的像元数;

M——所有干旱强度的总像元数。

定义:当 $P_i \geqslant 50\%$时,即表明研究区内一半以上的面积发生 i 强度干旱,研究视为全区域性 i 强度干旱;

$50\% > P_i \geqslant 33\%$时视为区域性 i 强度干旱;

$33\% > P_i \geqslant 25\%$时视为部分区域 i 强度干旱;

$25\% > P_i \geqslant 10\%$时视为局域性 i 强度干旱;

$P_i < 10\%$时视为无明显 i 强度干旱。

(3)干旱频率(F_{ij})。

干旱频率 F 代表干旱发生的频繁程度,即干旱发生年数与总年数(20)之比。Fij 表示某一市(县)20 年中发生不同干旱强度(i)的频率,公式表达如下:

$$F_{ij} = \frac{n}{20} \times 100\% \tag{5-3}$$

式中 i——干旱强度;

j——市(县);

n——j 市(县)发现 P_i 的年数,主要研究 1~4 干旱强度全区域性(P_1、P_2、P_3、$P_4 > 50\%$)干旱发生的频率和 5 干旱强度局域性($P_5 \geqslant 10\%$)干旱发生的频率。

3. 标准化降水蒸散指数计算

标准化降水蒸散指数(Standardazed Precipltation Evapotranspiration Index, SPEI)根据降水量与蒸散量差值偏离平均状态的程度来表征某区域的干旱状况,SPEI 是在 SPI 指数的基础上考虑了温度对干旱的影响,引入潜在蒸散量构建的,所以 SPEI 也是基于概率模型的指数,同样具有多时间尺度的特性。

计算步骤包含:

(1)利用 Penman-Monteith 公式计算潜在蒸散量(Potential evapotranspiration, PET);

(2)计算降水量与潜在蒸散量的差值 D;

(3)对累积概率密度进行标准化:$P = 1 - F(x)$。

当累积概率 $P \leqslant 0.5$ 时:

$$W = \sqrt{-2\ln P}$$

$$\mathrm{SPEI} = \omega - \frac{c_0 + c_1\omega + c_2\omega^2}{1 + d_1\omega + d_2\omega^2 + d_3\omega^3} \tag{5-4}$$

当累积概率 $P>0.5$ 时：

$$W=\sqrt{-2\ln(1-P)}$$

$$\mathrm{SPEI}=-\left(\omega-\frac{c_0+c_1\omega+c_2\omega^2}{1+d_1\omega+d_2\omega^2+d_3\omega^3}\right) \tag{5-5}$$

式中 $c_0=2.5155$，$c_1=0.0103$，$d_1=1.4328$，$d_2=0.1893$，$d_3=0.0013$。

4. 干旱空间分布分析法

(1) TVDI平均值法。

本研究对干旱空间格局分布特征的分析采用平均值法[式(5-6)]，获得 TVDI_{22} 并对其根据干旱等级进行分等标注，得到22年黑龙江省干旱平均空间分布情况。

$$\mathrm{TVDI}_{22}=(\mathrm{TVDI}_{2000}+\mathrm{TVDI}_{2001}+\cdots\mathrm{TVDI}_{2022})/22 \tag{5-6}$$

式中 TVDI_{22}——黑龙江省域范围内每个TVDI像元22年平均值；

TVDI_{2000}、$\mathrm{TVDI}_{2001}\cdots\mathrm{TVDI}_{2022}$——2000—2021年每年黑龙江省域范围内每个TVDI像元年平均值。

(2) TVDI极差值法。

极差值代表黑龙江省域范围内每个TVDI像元22年来最大值与最小值之差[式(5-7)]，极差值越大，代表年际间干旱差距越大，说明该像元易受干旱年影响，极差越小代表年际间干旱差距越小，说明不受干旱年影响，常年多处于同一状态。

$$\mathrm{TVDI}_R=\mathrm{TVDI}_{\max}-\mathrm{TVDI}_{\min} \tag{5-7}$$

式中 TVDI_R——黑龙江省域范围内每个TVDI像元年际间极差值；

$\mathrm{TVDI}_{\max}$——22年中每个TVDI像元的最大值；

$\mathrm{TVDI}_{\min}$——22年中每个TVDI像元的最小值。

5.1.2 结果与分析

1. 精度验证

SPI是气象干旱监测中被广泛应用的指标，本书利用SPI与TVDI进行相互精度验证，可明确遥感TVDI干旱指标的指导意义。SPI选取2000—2019年黑龙江省40个气象站的5~9月的月降水量数据，计算1个月尺度SPI值，求40个站点平均值代表全省1个月尺度SPI情况，最后将1个月SPI值累积求平均获得年SPI值。同时获取与SPI时间相匹配的月TVDI值，将月TVDI值累积求平均获得年平均TVDI（$\mathrm{TVDI}_{\mathrm{mean}}$）。对年SPI与 $\mathrm{TVDI}_{\mathrm{mean}}$ 进行关系分析（图5-1），可见年平均SPI与 $\mathrm{TVDI}_{\mathrm{mean}}$ 有负相关关系，相关系数为-0.67，公式为：

SPI=-3.273 7TVDI+1.9136，p 值为 0.002，表明年平均 SPI 与 $TVDI_{mean}$ 存在极显著负相关性。说明 $TVDI_{mean}$ 可以很好地体现年干旱情况，即 $TVDI_{mean}$ 越高，年平均标准化降水指数越小，越干旱，且气象干旱也是造成农业干旱的主要原因。

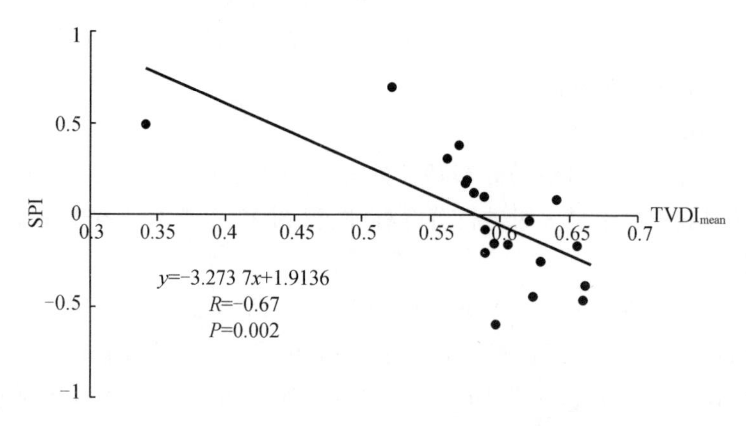

图 5-1　$TVDI_{mean}$ 与年平均 SPI 关系

SPEI 很好地描述了区域气象干旱情况，该指数除了考虑降水量外，还进一步考虑了温度以及蒸散发对气象干旱的影响，众多学者研究表明该指数是监测作物干旱较为理想的工具。研究利用 SPEI 对 TVDI 进行验证，计算 2000—2019 年每年 5~9 月的月尺度 SPEI 值，同时计算与 SPEI 时间相匹配的月平均 TVDI 值，将每年的 SPEI 与 TVDI 求平均，代表年平均干旱情况，分析二者关系（图 5-2）。结果表明 SPEI 与 TVDI 相关系数为-0.7，$P=0.000\ 7$ 说明 TVDI 与 SPEI 呈极显著负相关关系，这也表明年平均 TVDI 可以很好的体现年干旱情况，TVDI 越小，SPEI 越大，越湿润，相反就越干旱，同时也说明气象干旱会直接影响农业干旱。

2. 黑龙江省干旱基于 $TVDI_{mean}$ 和 $TVDI_{max}$ 的时间特征分析

研究全省 20 a 来干旱时间特征变化，$TVDI_{mean}$ 时序数据（图 5-3）显示，黑龙江省 2006 年是省内干旱趋势变化转折年。在 2000—2006 年期间，$TVDI_{mean}$ 均值为 0.63；到 2013 年，干旱水平降到最低，2007—2013 年 $TVDI_{mean}$ 均值为 0.57；2015 年 $TVDI_{mean}$ 值虽有所升高，但 2014—2019 年 $TVDI_{mean}$ 均值依然有所降低，为 0.56。3 个时段内 $TVDI_{mean}$ 均值呈下降趋势。对 2000—2019 年 $TVDI_{mean}$ 值与时间进行回归分析，表明 $TVDI_{mean}$ 值 20 a 间总体呈减弱的趋势，经过显著性分析得出 $P<0.05$，表明黑龙江省年平均干旱有显著减弱趋势。

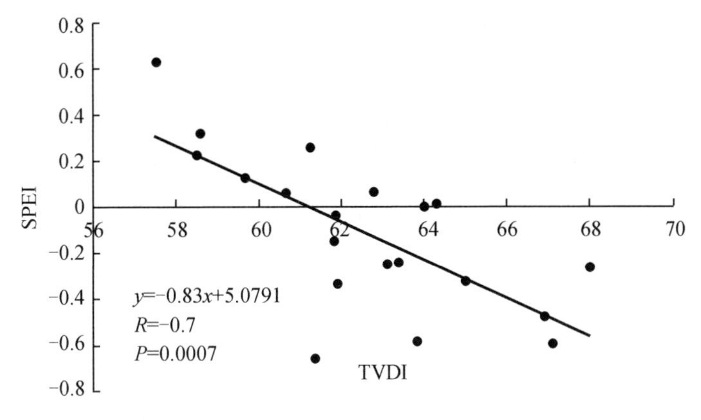

图 5-2　SPEI 与 TVDI 关系

$TVDI_{max}$ 监测(图 5-3)出黑龙江省 2006 年、2009 年和 2015 年极端干旱情况最重($TVDI_{max}$ 最大),且分布在 3 个不同干旱时间内,$TVDI_{mean}$ 与 $TVDI_{max}$ 关系不大,从变化趋势来看黑龙江省近 20 a 的 $TVDI_{max}$ 有减弱的趋势,但未通过显著性分析。

分析 2000—2019 年 $TVDI_{mean}$ 中干旱面积占比情况,由图 5-4 可以看出,黑龙江省年干旱类型中,无旱与特旱面积占比较少,主要集中在轻旱、中旱和重上,其中中旱面积占比最大,表明黑龙江省年干旱主要以中旱为主。轻旱和无旱面积占比呈增加趋势,其他干旱等级面积占比呈减少趋势,该趋势与 $TVDI_{mean}$ 呈减弱趋势相一致。

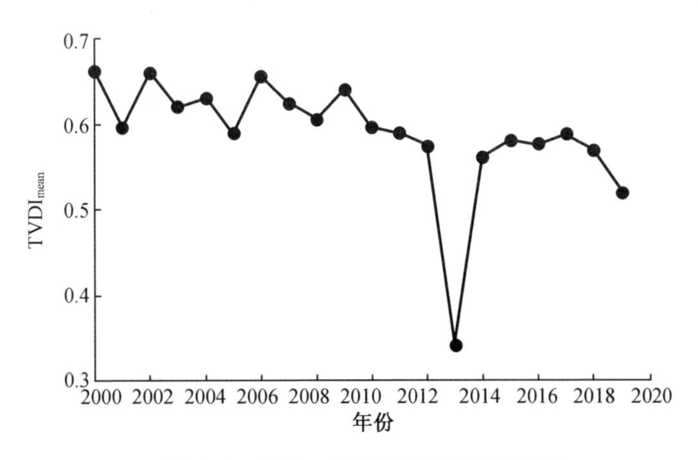

图 5-3　2000—2019 年 TVDI 变化特征

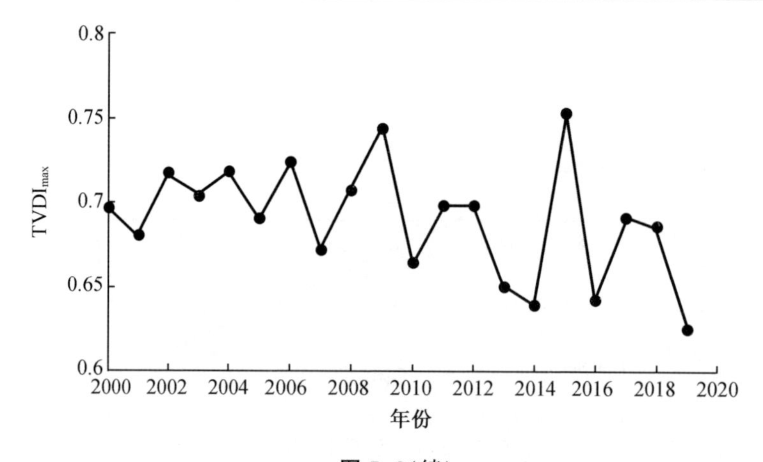

图 5-3(续)

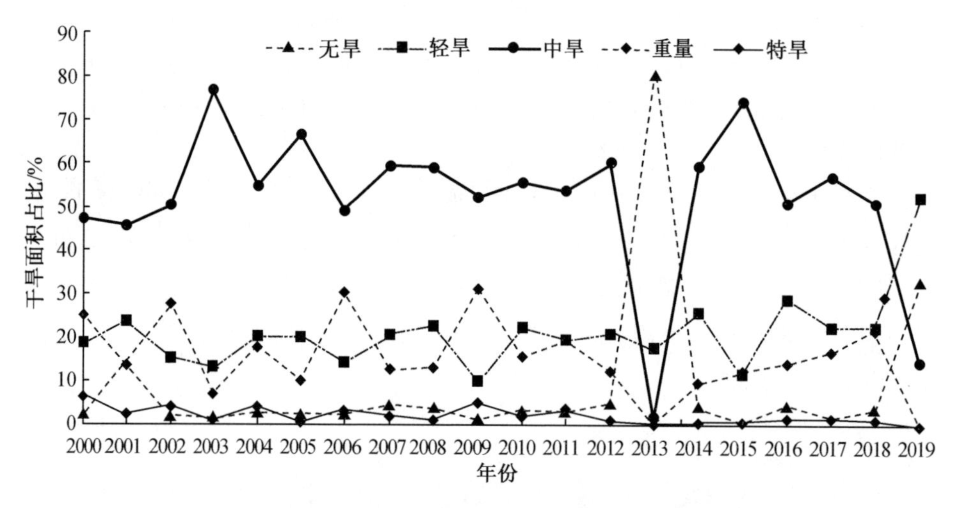

图 5-4　2000—2019 年黑龙江省不同等级干旱面积占比

分析 5~9 月近 20 a 平均干旱面积占比的月动态情况,由图 5-5 可知,黑龙江省无旱面积占比呈先增加后降低现象,在 7 月无旱面积占比达到峰值,8 月无旱面积占比剧降其比例小于 5 月和 6 月,9 月无旱面积占比降到最低;轻旱面积占比也呈先增加后降低现象,7 月轻旱面积占比达到峰值,8 月轻旱面积占比较 7 月减少但高于 6 月,9 月轻旱面积占比降到最低;中旱面积占比呈先降低后升高现象,7 月中旱面积占比降到最低,8 月中旱面积占比逆转升高比例高于 5 月和 6 月,9 月中旱面积占比达到峰值;重旱面积占比 6 月份最高,5 月重旱面积占比仅次于 6 月居第二,9 月重旱面积占比小于 6 月和 5 月,7 月和 8 月重旱面积占比特小;特旱面积占比呈降低现象 5 月最大,7 月和 8 月特旱面积占比最小,几乎接近 0 值,9 月特旱面积占比有所增加但仍小于 6 月。中旱、重旱、特旱

3 个等级干旱面积占比总和由大到小:9 月>5 月>6 月>8 月>7 月,其中虽然 9 月的 3 个等级干旱面积占比总量最大,但以中旱为主,特旱较少,重旱占比也比 5 月和 6 月少,中旱本身级别不高,9 月又属秋收季节,因此对作物影响不是很大;5 月虽不是 3 个等级干旱面积占比总量最大,但其重旱、特旱面积占比均较大。因此,分析表明 5 月是黑龙江省干旱最严重期,6 月是干旱期,7 月是黑龙江省干旱最弱时期,8 月是干旱较弱时期,9 月是干旱期以中旱为主。

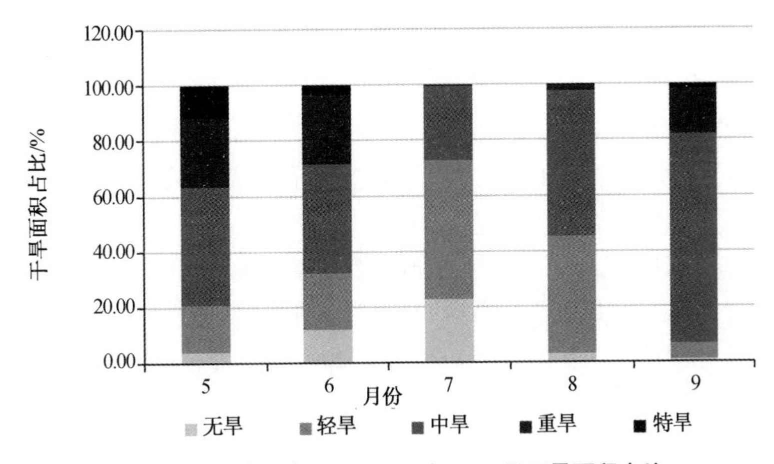

图 5-5　黑龙江省 2000-2019 年 5~9 月干旱面积占比

3. 黑龙江省 2000—2021 年 4 个农业区干旱时空特征分析

(1)空间特征。

黑龙江 2000—2021 年的平均 TVDI 和 TVDI 极差值空间分布结果表明:年平均 TVDI 和极差 TVDI 能够反映黑龙江省干旱的发生、严重程度和年际间的变化情况,空间上Ⅰ区耕地较少,极少受干旱影响,Ⅲ区受旱中等年际间差异小。Ⅳ区和Ⅱ区承载了省内主要的耕地资源,Ⅳ区表现出常年干旱的水平,特别是西部有常年重旱区;Ⅱ区内受旱等级多样,东部干旱最轻,很少受干旱影响,但年纪间差异明显($TVDI_R$>61),中部有少量常年重旱区,其他区域干旱适中。Ⅱ区是年际间干旱变化差异最大的区域。

(2)时间特征。

①年特征分析。

黑龙江省 2000—2021 年平均 TVDI 干旱等级面积占比(图 5-6(a))显示:中旱等级面积最大,占总面积的 70%,轻旱面积占比为 23%,重旱面积占比为 4%,正常面积占比为 3%,特旱面积占比为 0。中旱以上等级面积占 74%,表明干旱在黑龙江省地区全境普遍存在,以中旱等级为主且部分区域干旱严重。

黑龙江省 2000—2021 年 4 个农业区平均 TVDI 干旱等级面积占比显示：正常及轻旱面积和的占比Ⅰ区最大达 63%，Ⅱ区为 40%，Ⅲ区为 22%，Ⅳ区为 16%，Ⅳ区重旱面积占比是四个区中最大为 6%。因此四个区受旱影响等级由低到高依次是Ⅰ区、Ⅱ区、Ⅲ区和Ⅳ区。

黑龙江省 2000—2021 年逐年平均 TVDI 及干旱等级面积占比[图 5-6(b)]显示：2000—2009 年内年平均 TVDI 均较高，重旱与特旱面积占比和依次为 32%、16%、32%、8%、22%、11%、34%、15%、14%、36%，平均为 22%，表明省内 2000—2009 年内干旱较重，且有隔年一大旱的现象，干旱最重的年份分别为 2009 年、2006 年、2002 年和 2000 年，为干旱年。2010 年以后，年平均 TVDI 均有所降低，重旱与特旱面积占比和依次为 18%、23%、14%、0、10%、13%、16%、18%、23%、0、3%、7%，平均值为 12%，表明 2010 年以后干旱较之前有所减弱，特别是 2013 年和 2019 年较湿润。

黑龙江省 2000—2021 年 4 个农业区年逐年平均 TVDI 及干旱等级面积占比[图 5-6(c)]显示：Ⅳ区逐年平均 TVDI 与全省逐年平均 TVDI[图 5.7(b)]趋势相一致，除少数年份(2003、2013、2019、2020、2021)外，重旱与特旱面积占比和均较大，特别在 4 个干旱年均达到 50%，22 年平均为 25%，，因此表明省内 IV 区受旱面积大且等级强，是干旱典型区。Ⅲ区 22 年重旱与特旱面积占比和平均为 3%，正常和轻旱面积占比和平均为 33%；Ⅱ区 22 年重旱与特旱面积占比和平均为 6%，正常和轻旱面积占比和平均为 46%，Ⅲ区的重旱、特旱面积和与正常、轻旱面积和均小于Ⅱ区，其结果与图 5-6(b)分析一致，表明Ⅲ区受旱面积大但等级不强主是中旱，Ⅱ区内部干旱等级多样，有一定的重旱和特旱区域。Ⅰ区正常和轻旱面积占比和平均为 60%，常年较湿润。

②月特征分析。

黑龙江省 2000—2021 年每月平均 TVDI 及干旱等级面积占比[图 5-7(a)]表明：常年月 TVDI 平均值 7 月为 48%，8 月为 53%，属轻旱状态；5 月为 67%，6 月为 63%，9 月为 66%，属中旱状态。5 月重旱和特旱面积占比和为 25%，正常和轻旱面积占比和为 26%；6 月重旱和特旱面积占比和降为 22%，正常和轻旱面积占比和增为 36%，表明 6 月较 5 月干旱(中旱以上)面积减少、等级减弱；9 月重旱和特旱面积占比和降为 11%，正常和轻旱面积占比和降为 14%，表明 9 月干旱面积大，干旱等级集中主为中旱水平。黑龙江省作物属一年一熟制，春(5 月)、初夏(6 月)干旱影响作物生长发育，干旱严重会降低作物产量，秋季(9 月)是成熟季，一定程度的干旱有利于作物成熟及收获。

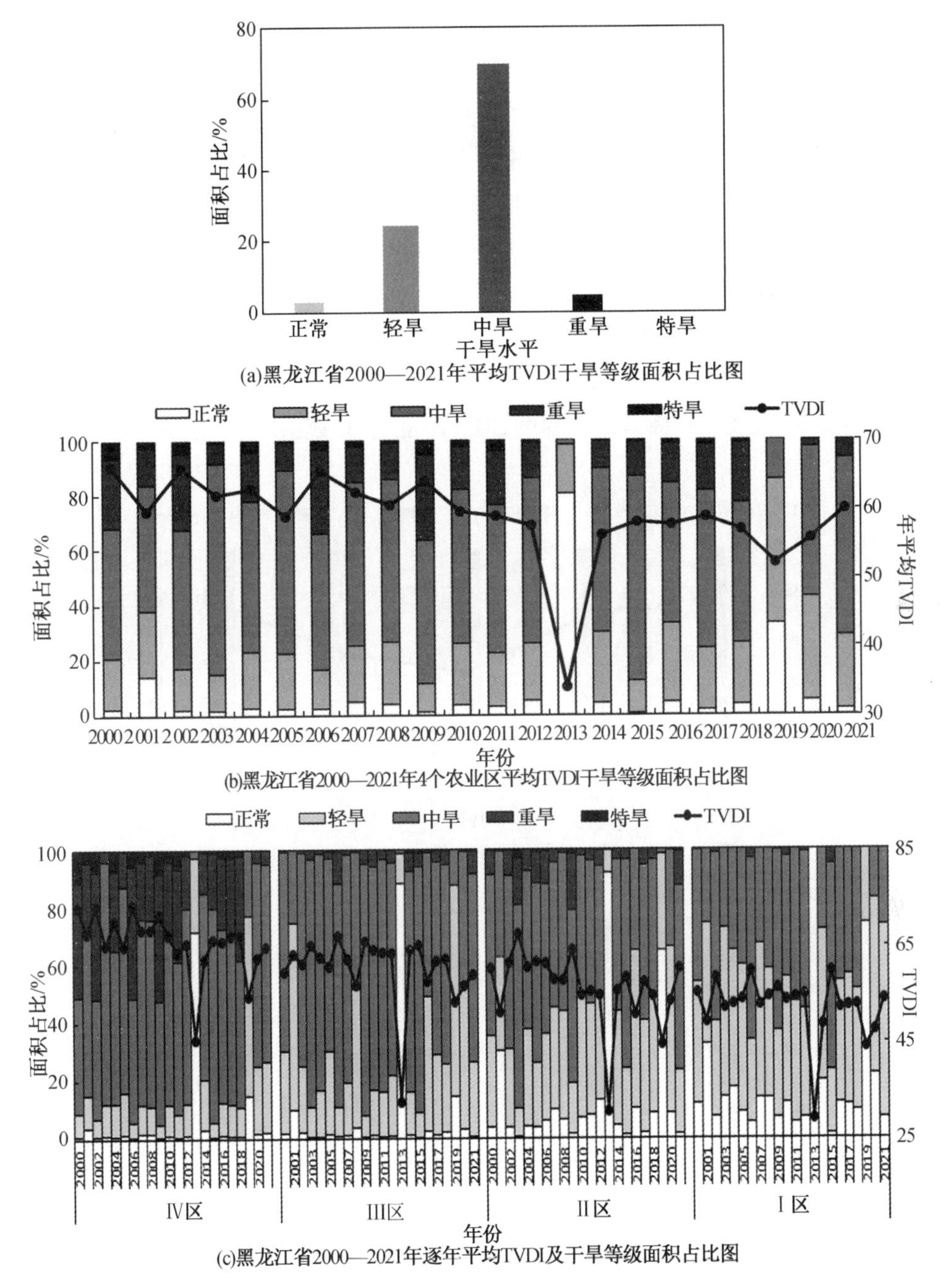

(a)黑龙江省2000—2021年平均TVDI干旱等级面积占比图

(b)黑龙江省2000—2021年4个农业区平均TVDI干旱等级面积占比图

(c)黑龙江省2000—2021年逐年平均TVDI及干旱等级面积占比图

图5-6　黑龙江省2000—2021年各分区平均TVDI及干旱等级面积占比图

黑龙江省2000—2021年4个农业区每月平均TVDI及干旱等级面积占比[图5-7(b)]表明：常年5~9月平均TVDI值I区为55.50%、46.68%、45.36%、45.98%、

49.78%,其中7、8月为正常无旱,5、6、9月为轻旱;Ⅱ区为56.88%、55.87%、47.58%、60.48%、67.78%,其中5、6、7月均为轻旱,8、9月为中旱;Ⅲ区为62.94%、52.3%、53.31%、61.09%、64.75%,其中5、8、9月为中旱,6、7月为轻旱;Ⅳ区为71.59%、68.52%、56.1%、5.46%、65.6%,其中5、6、9月为中旱,7、8为轻旱。Ⅳ区5~9月TVDI变化与全省5~9月TVDI变化走势相同,Ⅳ区的5月重旱和特旱面积占比和是所有月份、所有区域中最大的,为40%,6月其次为34%,结果表明黑龙江省内作物生长季内受旱面积大、等级严重的区域是Ⅳ区的春季(5月)和初夏(6月),干旱情况将阻碍作物的萌芽和生长。

综上对黑龙江省及4个农业区的时空变化研究表明,TVDI可监测大范围干旱的发生、发展并判断其干旱程度,但并不能直观表达干旱发生的频率。

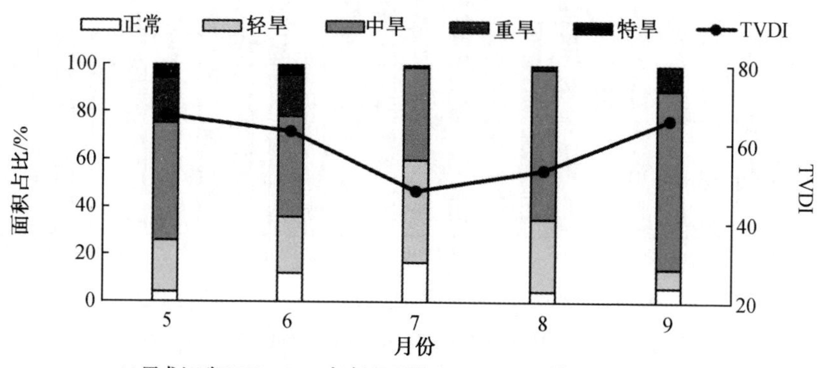

(a)黑龙江省2000—2021年每月平均TVDI及干旱等级面积占比图

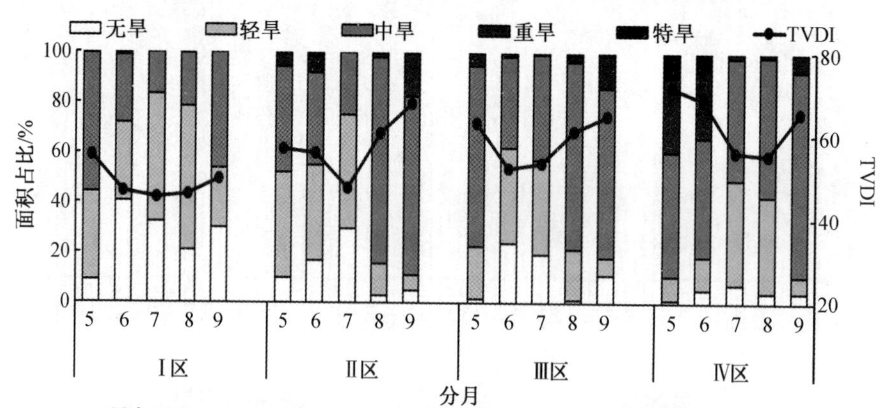

(b)黑龙江省2000—2021年4个农业区每月平均TVDI及干旱等级面积占比图

图5-7 黑龙江省2000—2021年各分区中每月干旱等级面积占比图

(3)干旱频率结果分析。

2000—2021年黑龙江省干旱发生总频率如图5-8所示。干旱频率分布与

$TVDI_{22}$ 分布相似。地面温度和有效降水决定了干旱等级和干旱频率的空间分布。干旱频率小于 40 次的主要分布在Ⅰ区和Ⅱ区东部，干旱频率大于 81 次的区域主要分布在Ⅳ区西部和Ⅱ区中部。2000—2021 年作物生长季内(5～9 月)共 110 个月内，全省有约 22.28%的耕地面积干旱频率不足 40 次，约 13.88%的耕地面积干旱频率发生在 40～60 次，约 63.84%的耕地面积干旱频率发生超过 60 次。

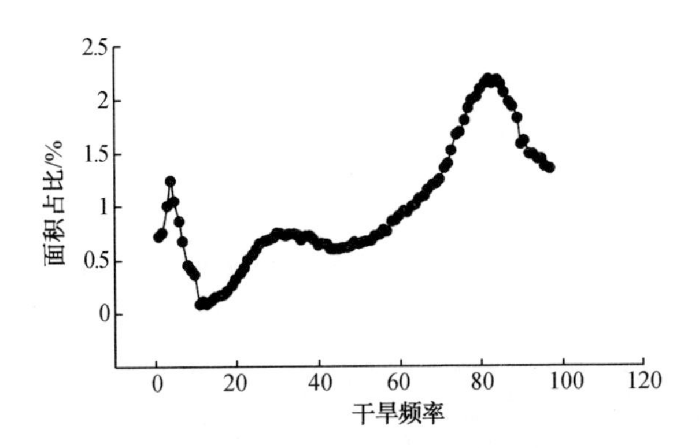

图 5-8　黑龙江省 2000—2021 年干旱发生总频率

分析 5～9 月 22 年累积的黑龙江省干旱发生频率分布及面积占比情况(图 5-9)，结果表明：全省每月平均干旱频率分别是 5 月 15.71 次，6 月 14.49 次，7 月 7.18 次，8 月 10.92 次，9 月 17.34 次，全省干旱发生频率次数最多的分别是 9 月和 5 月。发生 22 次干旱的面积占比最大的是 5 月达 17.9%，发生 20 次干旱的面积占比最大的是 9 月达 33.4%；发生 1 次干旱的面积占比最大的是 7 月达 10.7%，最小的是 9 月，为 0.2%几乎为 0；小于 16 次干旱的 5 月和 9 月面积占比均不超过 5%。

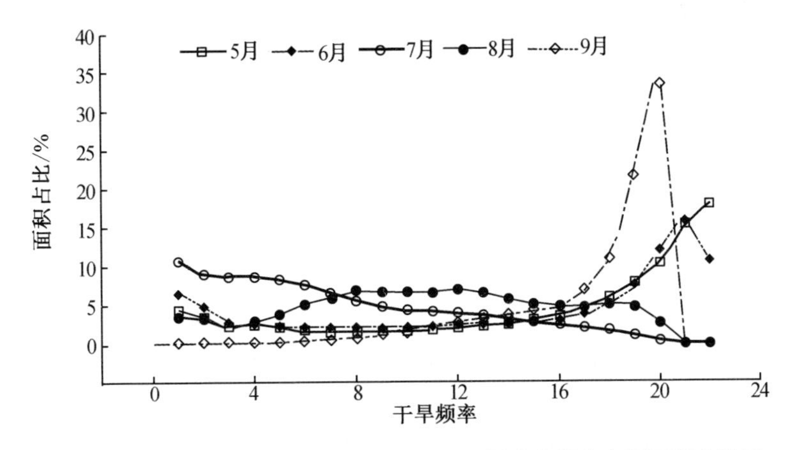

图 5-9　黑龙江省 2000—2021 年 5～9 月干旱发生频率空间面积占比图

分析5~9月22年累积的四个农业区的干旱发生频率,发现Ⅰ区5~9月平均干旱频率分别是11.3次、9.1次、3.6次、5.5次、12.5次,Ⅱ区为11.6次、10.4次、5.4次、9.4次、16.2次,Ⅲ区为:13.8次、10次、5次、9次、18.4次,Ⅳ区为18.5次、17.5次、8.6次、12.5次、18.2次。各区干旱发生频率次数最多的是Ⅳ区的5、9月和Ⅲ区的9月。当地春(5月)、秋(9月)两季降雨少,且更易受大风影响,加速土壤水分蒸发,进而加剧干旱频率。

2000—2021年干旱频发且发生广泛,基本贯穿了整个作物生长季,只是受旱面积、受旱频率和受旱程度存在一定的差异。春季和秋季干旱严重、频繁且影响面积广,夏季干旱虽然不重,但在Ⅳ区西南部地区频繁且普遍。

在不同年份内,雨季降雨量的多少和降雨量的分布都是存在一定的随机性的,在区域尺度上也同样存在一定的降雨季节性,因此干旱本身就具备一定的随机性和周期性。干旱频率正是描述干旱随机性和周期性的恰当指标,全省干旱频率从春季到夏季降低再从后夏季到秋季增加。研究发现,Ⅰ区、Ⅱ区和Ⅲ区作物整个生长季内干旱频率均有一定的变化,而Ⅳ区西南部作物整个生长季内干旱频率一直很高,表明黑龙江省内降水对一个干旱周期的形成作用显著,降水主要集中在夏季,但Ⅳ区西南部较少。

4. 黑龙江省干旱基于干旱强度的时间特征分析

基于黑龙江省2000—2019年每年平均TVDI结果,统计不同年际间不同干旱强度面积占比情况(P_i),绘制直方图。从图5-11(a)可见面积占比主要集中在2(轻旱)、3(中旱)、4(重旱)三个强度上,其中以强度3(中旱)最为集中,占比均在40%以上。在2(轻旱)、4(重旱)比较中发现[图5-10(b)]只有2000年、2002年、2006年、2009年和2015年中4(重旱)的面积占比高于2(轻旱),其他年份均是2(轻旱)的占比高于4(重旱),从图5-10(c)中1(无旱)和5(特旱)占比来看两者值均不大,主要集中在10%以下,5(特旱)在2000年占比最高,其次是2009年、2002年和2004年,1(无旱)在2001年占比最高。因此,可以判断黑龙江省在耕地上、作物整个生长时期内每年均有干旱发生,其强度主要以3(中旱)为主,2(轻旱)次之,其中2000年干旱严重,其干旱程度面积占比由高到低依次是3(中旱)>4(重旱)>2(轻旱)>5(特旱)>1(无旱)。

对黑龙江省2000—2019年5~9月份的TVDI干旱强度进行统计分析,绘制直方图。从图5-11(a)可见每年5月干旱各强度面积占比均未超过50%,以3(中旱)、4(重旱)、5(特旱)强度为主,其中3(中旱)比例最高,4(重旱)其次,5(特旱)在2009年比例最大大于30%,其次在2004年、2006年、2017年、2018年比例大于4(重旱),其余年份均小于4(重旱),2(轻旱)比例较小,1(无旱)比例最小;6月(图5-11(b))强度3(中旱)仍是干旱面积占比最多的,且较5月占比增加,4(重旱)、5(特旱)的占比较5月减少,1(无旱)、2(轻旱)占比均较5月增加;7月[图5-11(c)]3(中旱)、4(重旱)、5(特旱)面积占比明显降低,3(中旱)

占比除个别年份高外,大部分均小于 2(轻旱)占比,4(重旱)占比主要集中在 10%以下,5(特旱)占比几乎接近于 0 值,1(无旱)、2(轻旱)占比增加明显;8 月[图 5-11(d)]主要以 3(中旱)、2(轻旱)强度为主,1(无旱)次之,4(重旱)、5(特旱)面积占比较小;9 月(图 5-11(e))突出以 3(中旱)为主,且占比较高,2(轻旱)、4(重旱)、5(特旱)占比均不大,1(无旱)较小。综上可知,黑龙江省耕地上、作物整个生长时期内在 5 月、6 月和 9 月省内干旱面积占比较多,且 5 月发生干旱强度最强,易发生特旱,6 月较 5 月干旱强度有所缓解,9 月虽面积占比多但干旱强度不强以 3(中旱)为主,7 月最为湿润以 1(无旱)和 2(轻旱)为主,8 月干旱强度较轻以 2(轻旱)和 3(中旱)为主。

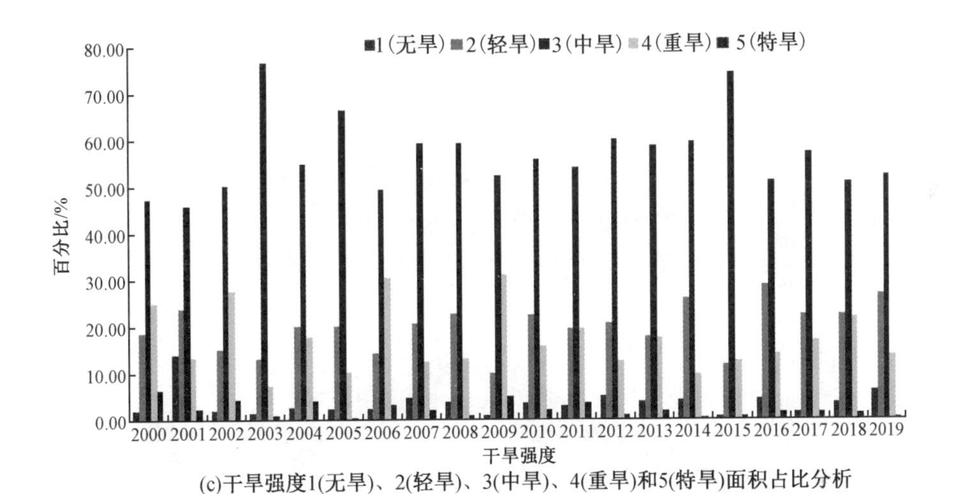

(c)干旱强度1(无旱)、2(轻旱)、3(中旱)、4(重旱)和5(特旱)面积占比分析

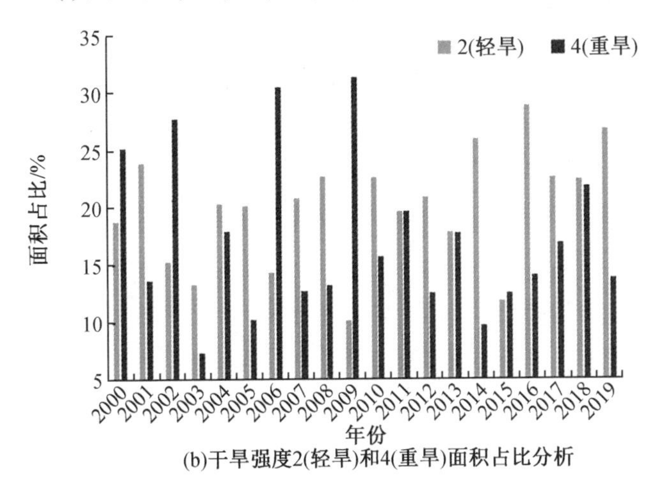

(b)干旱强度2(轻旱)和4(重旱)面积占比分析

图 5-10　黑龙江省 2000—2019 年干旱强度面积占比分析

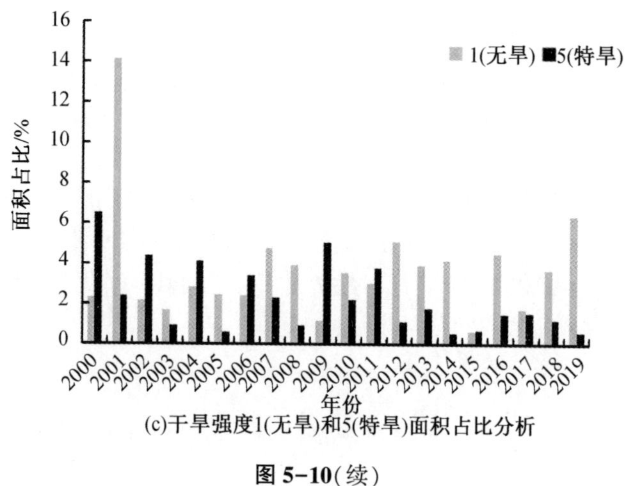

(c)干旱强度1(无旱)和5(特旱)面积占比分析

图 5-10(续)

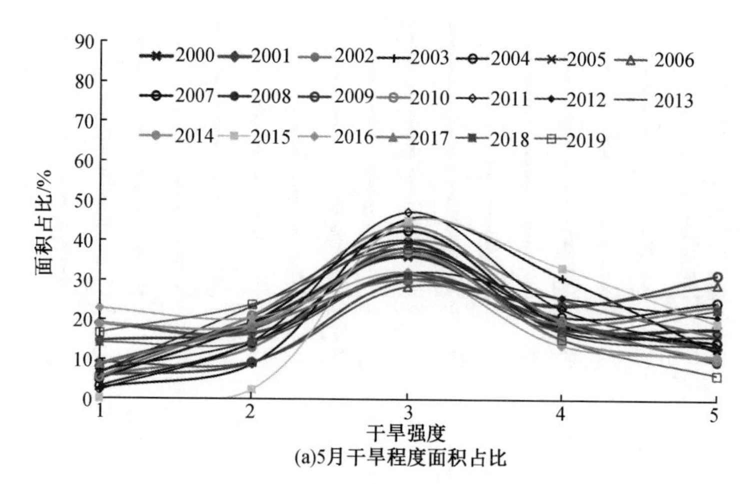

(a)5月干旱程度面积占比

图 5-11　黑龙江省 2000—2021 年 5~9 月干旱强度面积占比分析

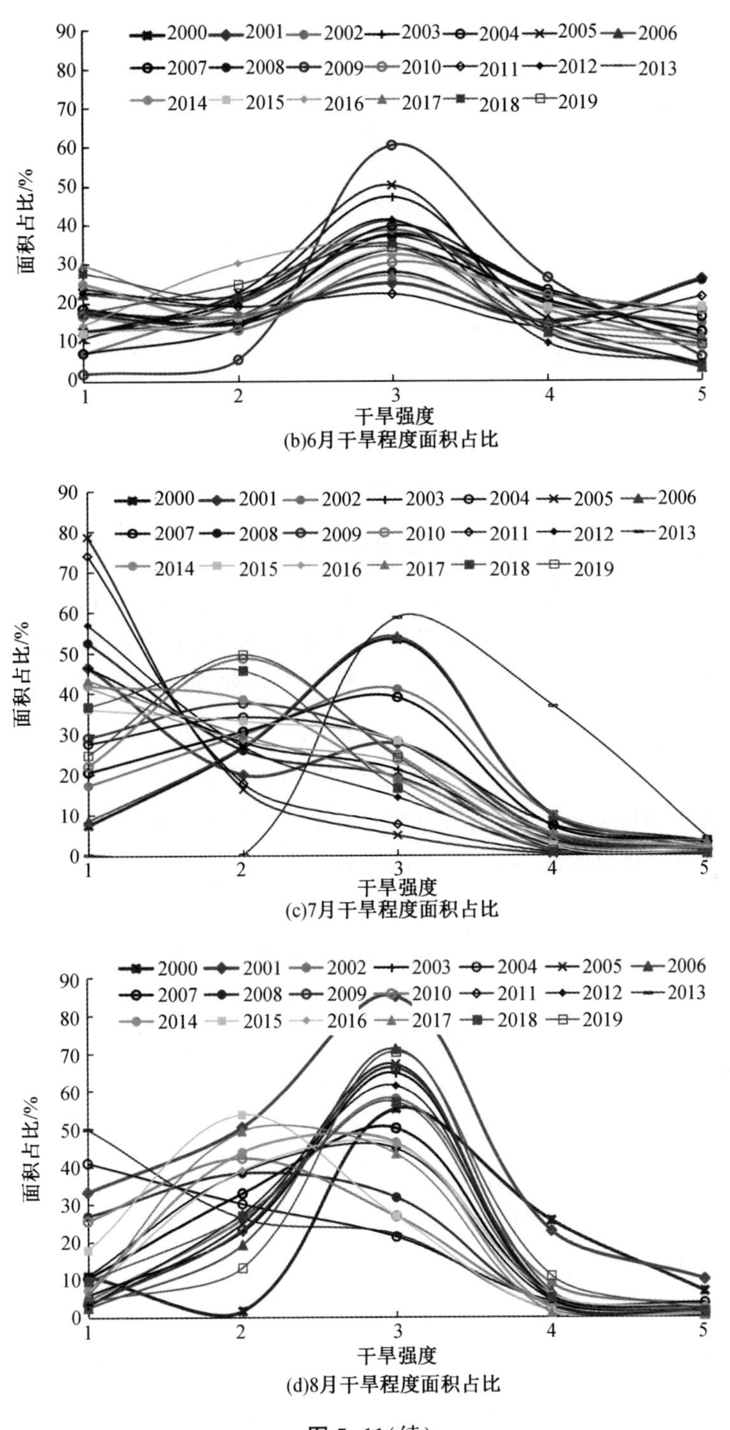

(b)6月干旱程度面积占比

(c)7月干旱程度面积占比

(d)8月干旱程度面积占比

图 5-11(续)

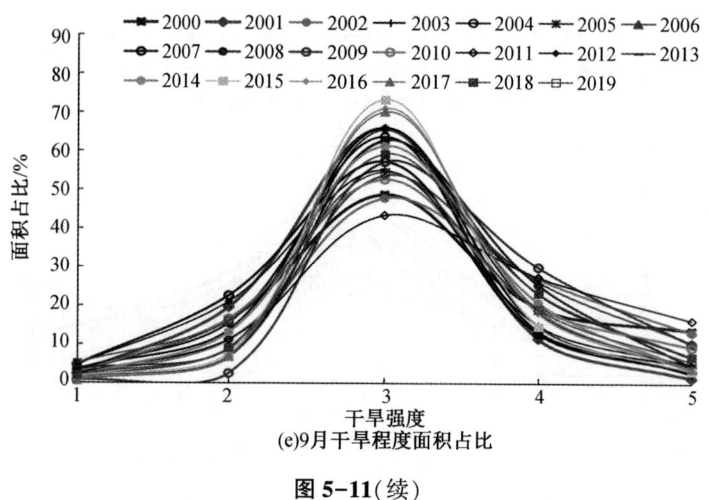

图 5-11(续)

5. 黑龙江省基于干旱强度的空间特征分析

根据定义 $TVDI_{mean}$ 值中各种干旱类型的干旱强度:无旱干旱强度为 1,轻旱干旱强度为 2,中旱干旱强度为 3,重旱干旱强度为 4,特旱干旱强度为 5,计算 I_{20},假设 20 a 同一像元干旱强度都为 4(重旱),那 80%就是重旱和中旱的临界值,因此认为 $80 \leqslant I_{20}$ 的像元点为干旱频率高且干旱强度大的区域称为重风险区,主要分布在讷河市、甘南县、齐齐哈尔市、龙江县、林甸县、泰来县、大庆市、肇源县和杜尔伯特蒙古族自治县。假设 20 a 同一点干旱强度都为 3(中旱),那 60%就是中旱和轻旱的临界值,因此认为 $60 \leqslant I_{20} < 80$ 的像元点为干旱频率中干旱强度中区域称为中风险区,主要分布在西部地区、宝清县、富锦市、友谊县、集贤县、勃利县和宁安市干旱频率中强度中。$I_{20} < 60$ 的像元点为干旱频率轻干旱强度轻区域称为低风险区,主要分布在北部、中部和东北部地区。

分析 5~9 月逐月干旱空间特征情况,5 月重风险区内含县市较多,主要分布在西部地区、宁安市、勃利县、鸡东县、友谊县、宝清县和集贤县,表明该地区每年 5 月发生重旱、特旱的概率大;中风险区主要分布在北部、中部;干旱频率轻干旱强度轻区域主要分布在东部地区。6 月重风险区明显减少,主要分布在西部部分地区;中风险区域增加,增加主要为 5 月的重风险区,也说明 6 月份较 5 月干旱有明显减弱;低风险区分布在北部和东部地区。7 月、8 月重风险区几乎没有,此结果与上文时间特征结果相吻合;中风险区零星分布在西部地区,该区面积 8 月大于 7 月;低风险区 7 月几乎覆盖全省(除齐齐哈尔市和大庆市附近外),8 月份除西南部外的全部区域,表明 7 月、8 月较少发生干旱。9 月重风险区主要分布在大庆市周边及泰来县、龙江县、甘南县、齐齐哈尔市、讷河市等地;中风险区分布在西部地区和东南部地区;低风险区主要分布在北部和东北部。

6. 黑龙江省基于干旱发生频率的空间特征分析

基于黑龙江省 79 个市(县)遥感获取 20 年来每年 TVDI 平均值,统计不同干旱强度下 $P_i \geqslant 50\%$ 的全区干旱出现的频率。分析发现,1(无旱)强度下全省各市(县)只有塔河县、漠河县、呼玛县、大兴安岭地区、抚远市、同江市、饶河县、虎林市存在全区域无旱情况,频率在 5-75%[图 5-12(a)],其中漠河县全区无旱频率 75%,大兴安岭地区 50%,塔河县 20%,呼玛县、抚远市均为 10%,其余均为 5%。2(轻旱)强度下全省各市(县)存在全区域轻旱频率在 0~65%[图 5-12(b)],其中通河县、方正县全区轻旱频率最大均为 85%,虎林市 75%,塔河县、抚远市、铁力市均为 65%,同江市、伊春市均为 60%,呼玛县、饶河县均为 55%,其余市(县)全区轻旱频率均小于 50%。3(中旱)强度下全省各市(县)存在全区域中旱频率在 0~100%,3(中旱)频率高值区分布如图 5-12(c),其中北安市、勃利县、七台河市、巴彦县全区中旱频率达 100%,说明该四个市(县)常年处于中旱状态。4(重旱)强度下全省各市(县)存在全区域重旱频率在 5%~60%[图 5-12(d)],其中依安县、肇州县频率为 60%。5(特旱)强度下全省只有依安县 2000 年 5(特旱)面积占比达到 51%,齐齐哈尔市 2004 年 5(特旱)面积占比达 74.5%,龙江县 2004 年 5(特旱)面积占比达 55.07%,这属于极端事件,其余全省无全区($P_5 \geqslant 50\%$)特旱频率,因此研究统计 5(特旱)强度局域性($P_5 \geqslant 10\%$)发生频率[图 5-12(e)],其值在 5~45%,频率较高主要分布在讷河市、龙江县、杜尔伯特蒙古族自治县和大庆市。

7. 黑龙江省基于干旱强度及发生频率的特征分区

基于黑龙江省 20 年干旱强度(1~5)及其发生频率的空间特征,进行干旱空间特征分区。研究表明黑龙江省 3(中旱)发生频率较高且几乎全省分布,1(无旱)、2(轻旱)与 4(重旱)、5(特旱)具有局部空间特征性,因此研究定义划分三个特征区:受干旱影响弱区、受干旱影响中区、受干旱影响强区。

将 1(无旱)、2(轻旱)强度合并作为干旱强度弱区,计算 $P_{1+2} \geqslant 50\%$ 的频率分布特征(图 5-13(a)),$F_{(1+2)j}>50\%$ 县有漠河县、塔河县、大兴安岭地区、呼玛县、通河县、黑河市、伊春市、铁力市、方正县、绥滨县、同江市、抚远市、饶河县、虎林市共 14 个市(县)定义该区为受干旱影响弱区。

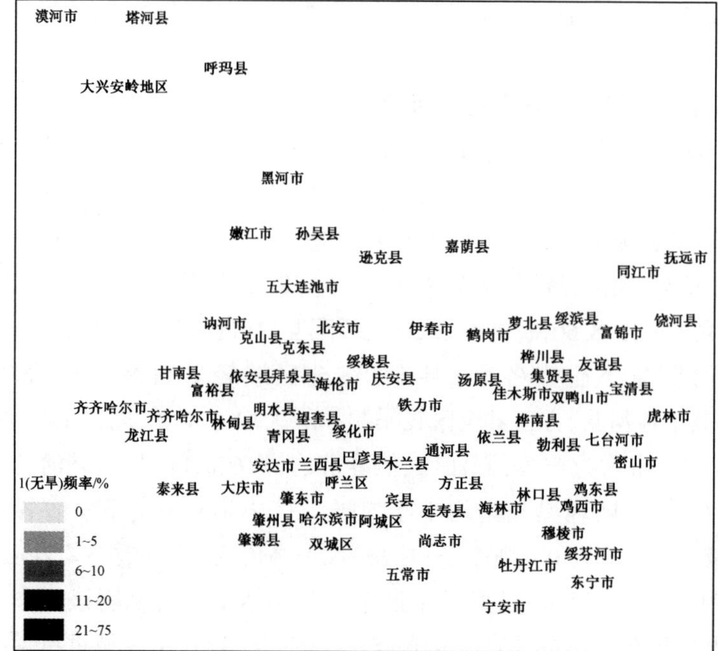

(a)1(无旱)强度发生频率分布图

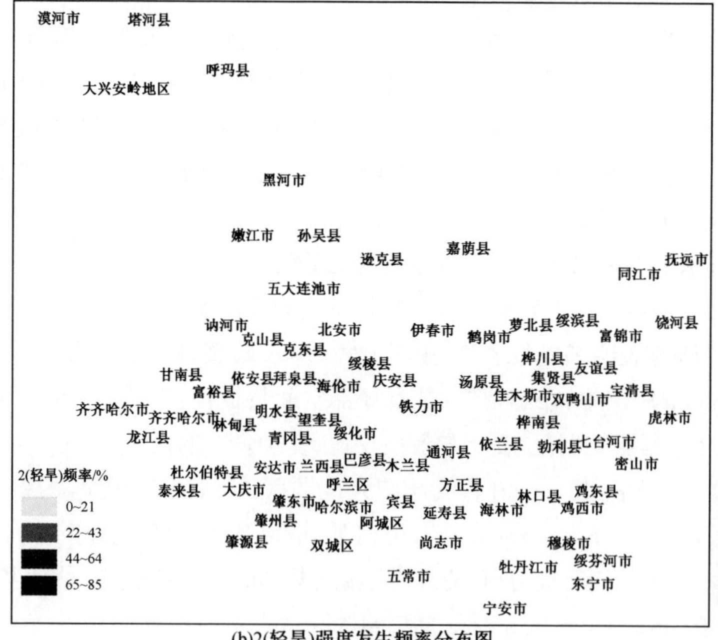

(b)2(轻旱)强度发生频率分布图

图 5-12 不同干旱强度发生频率分布图

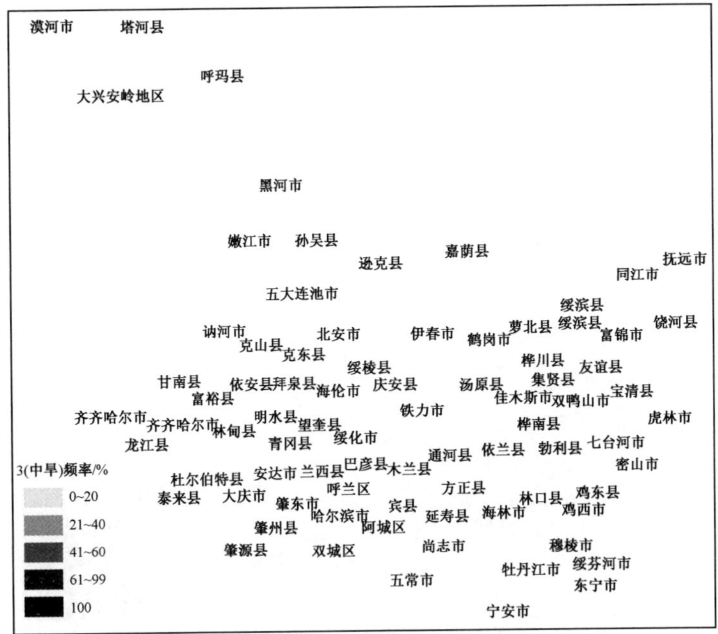

(c)3(中旱)强度发生频率分布图

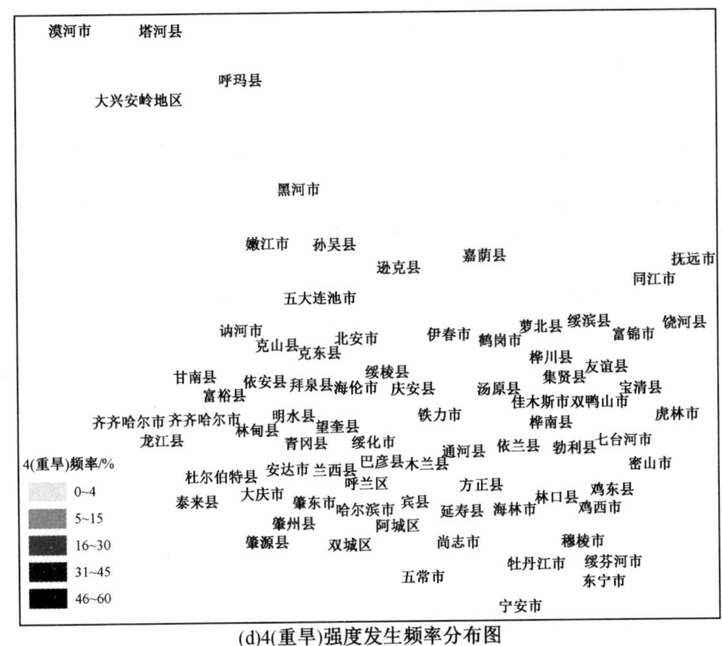

(d)4(重旱)强度发生频率分布图

图 5-12(续 1)

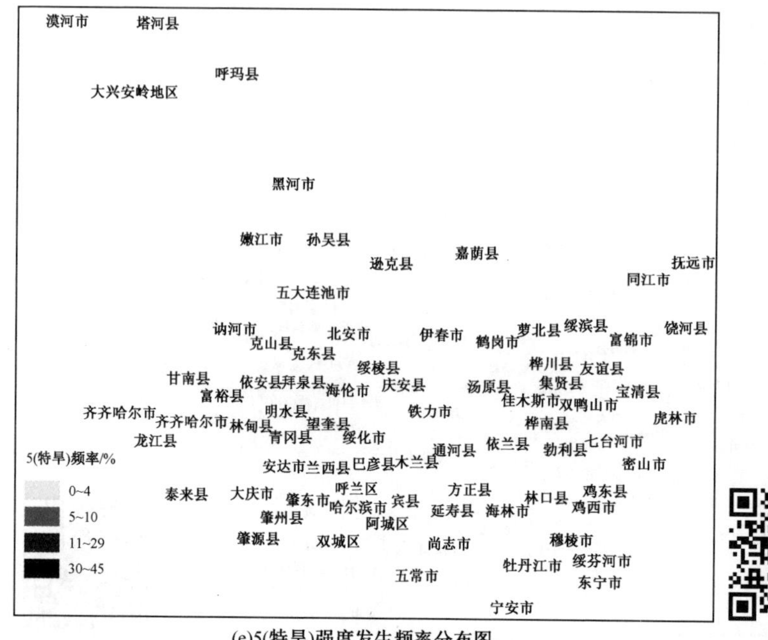

(e)5(特旱)强度发生频率分布图

图 5-12(续 2)

将 4(重旱)、5(特旱)强度合并作为干旱强度强区,同时考虑 $P_{4+5}\geqslant 50\%$的频率(图 5-13(b))和 $P_5\geqslant 10\%$的频率(图 5-12(e))分布特征,取满足 $F_{(4+5)j}\geqslant 50\%$或 $F_{(5)j}\geqslant 30\%$条件的市(县)为受干旱影响强区,包含依安县、肇州县、讷河市、甘南县、龙江县、泰来县、杜尔伯特县、林甸县、大庆市 9 个市(县)。

其余 56 个市(县区)包括望奎县、青冈县等统称受干旱影响中区,分区空间分布图如图 5-14 所示。

5.1.3 讨论

作者较前研究已对温度植被干旱指数干旱监测指标的干旱强度进行了划分,且该划分结果也在黑龙江省进行应用与验证证明了划分的 TVDI 干旱强度对黑龙江省土壤干旱情况的反演具有较好的适用性。研究就是基于此对黑龙江省开展 2000—2019 年的干旱时空变化特征研究,张剑侠以气象数据和统计数据计算月干旱指数,统计 30 a(1975~2005)内月干旱发生的次数,区域划分干旱多发区、干旱次发区和较少发生干旱区,区域划分结果与本研究结果具有一致性。基于 TVDI 的干旱空间特征分析是以像元为基础单元,属于面状数据,对于全省研究更具有代表性,而传统的气象数据和统计数据均是以气象监测站和县为基础单元,属于点状数据，对全省研究属以点概面，因此 TVDI 监测更具优势。

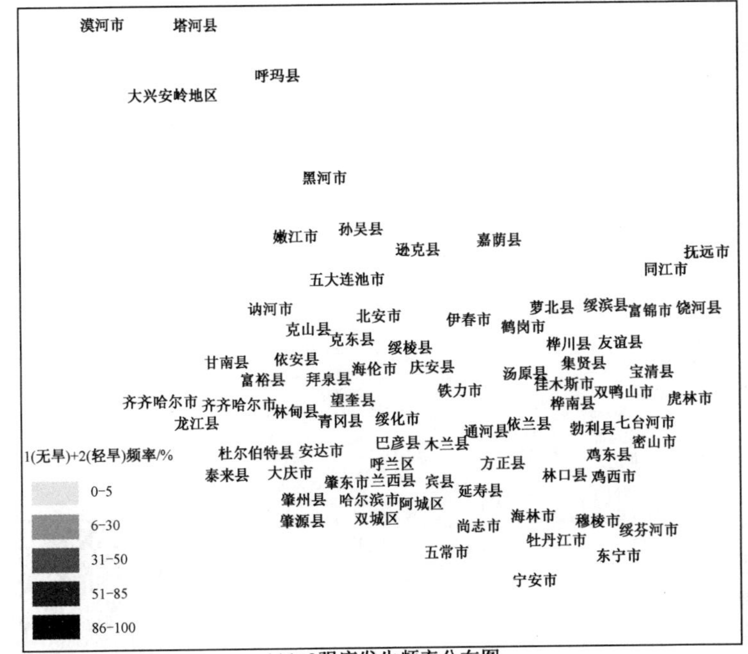

(a)1+2强度发生频率分布图

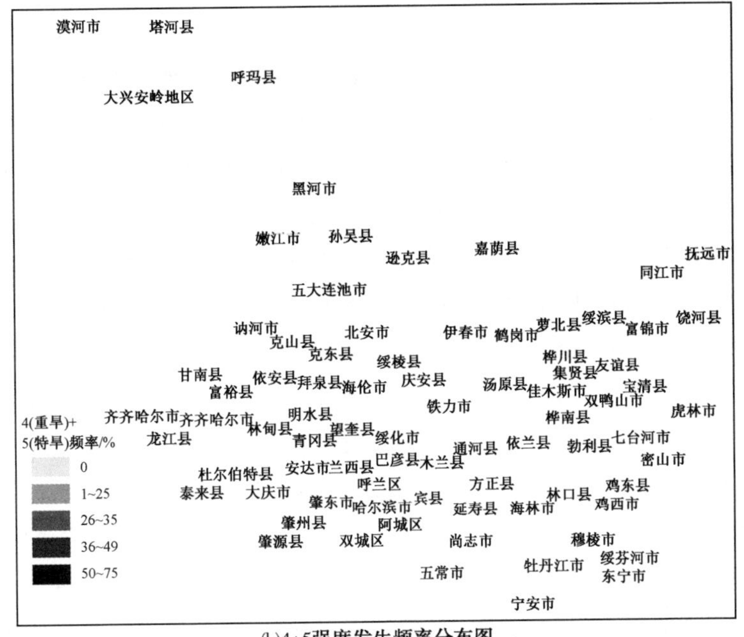

(b)4+5强度发生频率分布图

图 5-13　频率分布图

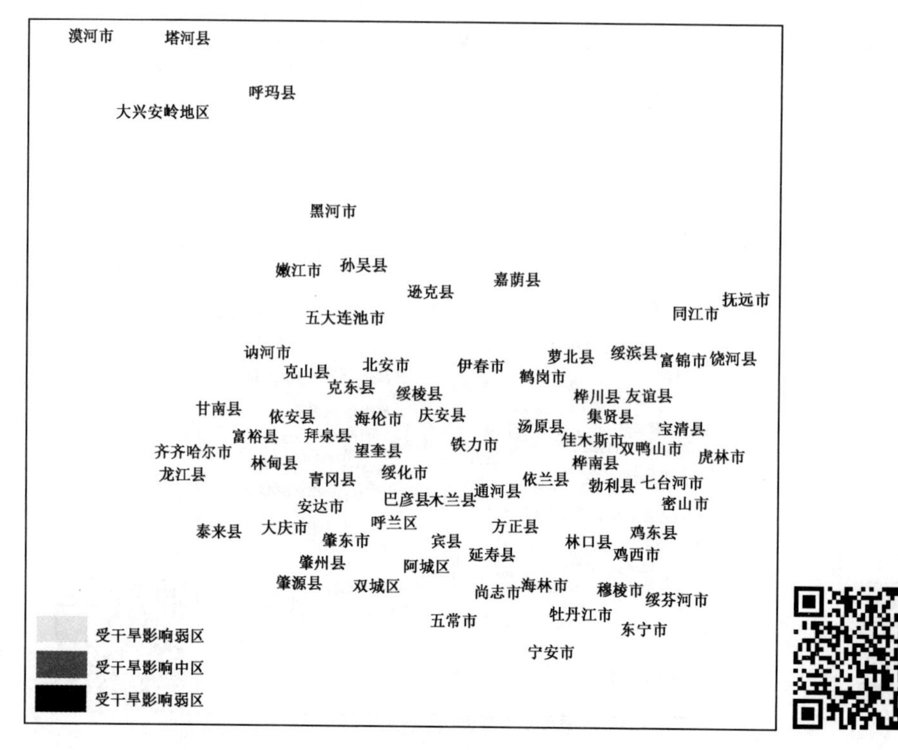

图 5-14　黑龙江省干旱特征分区

TVDI 的构建是基于温度-植被的理想假设，即在相同植被覆盖度的前提下，地表温度越高，土壤水分越低，这一区域就越干旱，反之就越湿润。研究的黑龙江省耕地范围生长季内的干旱情况，仅从区域角度和时间跨度上进行分析，并未考虑到地面附着植被类型，由于植被类型的不同，植株高矮存在一定的差异，对 TVDI 的计算会有一定的影响，因此会对从植被覆盖类型出发，在不同植被类型、不同时期、不同区域中对干旱的响应程度的研究将更有意义。

研究利用覆盖全省的面状 TVDI 数据，分析了不同时间尺度下干旱的特征和空间分布情况，揭示了黑龙江省 20 年来干旱变化的规律和趋势。李崇瑞利用 SPEI 分析东北地区 1989—2018 年时间尺度（1、3、6、12、24 个月）玉米干旱规律，明确 2000—2010 年干旱较为严重，干旱高发月为 5 月，其干旱面积和程度最大，黑龙江省西南部为干旱高发区，该结果与研究结果一致。研究干旱空间分布是利用了 TVDI 每个像元点的干旱强度来统计频率分布的，而李崇瑞虽考虑到仅依靠气象站点数据不能完全体现区域整体干旱特点，采用了考虑海拔等影响的 ANUSPLIN 专业气象数据插值软件对所有气象因子数据进行空间插值，获取区域面数据，虽准确度有所提升，但由于区域、环境、气候的复杂性 TVDI 逐像元的监测干旱更具有优势。

于家瑞利用黑龙江省1953—2015年气象站点数据,计算不同时间尺度(1、3、6、12个月)的SPI,分析干旱时空特征和趋势变化情况,结果表明黑龙江省总体干旱呈弱增加趋势。该结果与研究的减弱趋势有所不同。李险峰根据黑龙江省62个气象站点1961—2018年的降水资料,计算不同时间尺度(3、12个月)的SPI,分析黑龙江省近60年的气候干湿时空格局特征,结果表明黑龙江省总体气候状况表现为湿润化趋势,这与研究的减弱趋势相一致。出现这样的原因主要是因为研究截止年限的不同,于家瑞时间止于2015年,从本书中研究年平均TVDI值(图5-3)可知,2015年值明显高于周边年份,2016年后均较2015年有所降低,说明2015年年平均干旱较重。而李险峰研究时间止于2018年,其结果与本书中研究结果更相近。研究利用20年的遥感数据分析黑龙江省干旱变化趋势,受数据年限的局限性,该趋势是偶然还是常态仍需要不断填补新的数据来支持,才能得到更科学更准备的变化规律。

本书着重分析了黑龙江省耕地范围内干旱发生频率分布特征,并划分3个特征区:受干旱影响弱区、受干旱影响中区、受干旱影响强区。各特征区内种植结构不同,受干旱影响弱区主要以种植玉米、大豆为主,玉米居多;受干旱影响中区主要以大豆、玉米、水稻为主,有少量小麦;受干旱影响弱区主以水稻为主。研究并未针对这三个区内不同作物类型进行探讨和分析,未来可利用TVDI监测干旱的同时,考虑不同作物类型对干旱的响应程度,针对不同干旱时期对早、晚熟作物影响危害和不同干旱特征区适宜选种作物品种的研究将更有意义。

5.1.4 结论

(1)从时间尺度上来分析,2000—2019年黑龙江省20 a间2000—2006年干旱严重、2007—2013年干旱减弱、2014—2019年干旱震荡减弱;$TVDI_{max}$监测出黑龙江省2006年、2009年、2015年3年中极端干旱情况最重;20 a间$TVDI_{mean}$有显著减弱趋势而$TVDI_{max}$未通过显著性检验。分析20 a间$TVDI_{mean}$中干旱面积占比可知,全省中旱现象较为普遍。分析月内干旱情况可知,5月是黑龙江省干旱发生的最严重时期,6月是干旱期,7月是黑龙江省干旱最弱时期,8月是干旱较弱时期,9月也是干旱期以中旱为主。

(2)从空间尺度上来分析,20 a重风险区主要分布在讷河市、甘南县、齐齐哈尔市、龙江县、林甸县、泰来县、大庆市、肇源县和杜尔伯特蒙古族自治县。中风险区主要分布在西部地区、宝清县、富锦市、友谊县、集贤县、勃利县和宁安市。低风险区主要分布在北部、中部和东北部地区。分析逐月干旱空间特征:

西部地区、宁安市、勃利县、鸡东县、友谊县、宝清县和集贤县等地区5月干旱发生频率高强度大,西部部分地区6月持续高频率高强度干旱,大庆市周边及泰来县、龙江县、甘南县、齐齐哈尔市、讷河市等地区9月干旱发生频率高强度大。

(3)依据干旱强度大小及发生频率多少将黑龙江空间划分为3个干旱特征区:受干旱影响弱区、受干旱影响中区和受干旱影响强区。受干旱影响弱区包含漠河县、塔河县等14个市(县、区),受干旱影响中区包含望奎县、青冈县等56个市(县、区),受干旱影响强区包含依安县、肇州县等9个市(县、区)。

2000—2021年黑龙江省耕地干旱现象频繁且严重,在作物整个生长季中干旱程度以中旱现象最为突出,占耕地总面积的70%,分布全省,在监测的110个月内,干旱频率大于80次主要分布在Ⅳ区西部和Ⅱ区中部,约63.84%的耕地面积干旱频率发生超过60次。TVDI监测20年间,2000—2009年干旱严重,2010年后有缓解的现象,2000年、2002年、2006年和2009年为干旱年,2013和2019年为湿润年。虽然近年来黑龙江省气候温度在逐渐升高,但受强烈降雨的影响,短期干旱有所缓解。全省4个农业区中Ⅳ区为干旱典型区,其常年受干旱面积大、强度重,特别是在每年的5月、6月受旱强度最重,9月受旱面积最大但强度适中,同时该区的5月、9月干旱频率也是最多的。Ⅱ区内干旱等级多样,中部常年受旱强,东部常年受旱弱,其多样的受旱等级致使其年际间波动大,较易受干旱年影响。黑龙江省作物熟制属一年一熟制,9月为秋季收获季,不严重的干旱有利于作物的成熟与收获,春季降雨少,且易受大风影响,加剧了干旱的发生,春季、初夏季(5~6月)强烈干旱严重影响了作物的萌芽和生长。年干旱总频率分布与$TVDI_{22}$分布相似,TVDI与SPEI有显著相关性,表明降水和地表温度决定了干旱等级和干旱频率的空间分布。由于降雨时间、降雨量和分布具有不确定性,干旱也伴有随机性和周期性,因此,区域干旱必须得到准确的监测,而其干旱发生的机制也同样需要更深入的探讨,如同时考虑社会、人文、自然和其他影响因素的研究将更有意义。

5.2 基于TVDI方法分析农业干旱趋势研究

5.2.1 研究方法

1. 趋势分析法

趋势分析法可逐像元模拟其研究时间范围内的变化趋势。通过计算每个像元的年 TVDI 平均值,获得 2000—2021 年每年平均 TVDI 的空间分布情况,采用趋势分析法分析时间序列中 TVDI 的变化趋势,从而得到干旱的变化情况。公式为

$$\theta_{\text{slope}} = \frac{m \times \sum_{i=1}^{m} (i \times \text{TVDI}_i) - \sum_{i=1}^{m} i \sum_{i=1}^{m} \text{TVDI}_i}{m \times \sum_{i=1}^{m} i^2 - (\sum_{i=2}^{m} i)^2} \tag{5-8}$$

式中　θ_{slope}——某个像元 TVDI 年际变化的斜率;

m——时间序列的总年数($m=22$);

TVDI_i——该像元第 i 年 TVDI 平均值;

当 $\theta_{\text{slope}}>0$,表明该像元有干旱的趋势,$\theta_{\text{slope}}<0$,表明该像元有湿润的趋势。

2. 移动平均法

移动平均法是一种较常见的趋势预测方法,根据时间序列确定周期年,逐项进行推移,依次计算周期年后项数的时序平均数,来进行预测的方法。该方法特别适用于明显趋势的时间序列预测,建立预测目标的时间关系模型,最终得到预测值。

$$Y_{n+1} = \frac{X_{n-(m-1)} + X_{n-(m-2)} + \cdots + X_{n-1} + X_n}{m} \tag{5-9}$$

式中　m——周期年;

n——从第 m 年至第 22 年,值为 $m-22$。

5.2.2　趋势分析结果

基于逐年的平均 TVDI 数据($\text{TVDI}_{\text{mean}}$)利用趋势移动平移法分析黑龙江省未来 $\text{TVDI}_{\text{mean}}$ 的变化趋势[图 5-15(a)]。2000—2006 年 $\text{TVDI}_{\text{mean}}$ 值波动较大,周期选择 7 年,一次移动平均后发现变化趋势仍不明显[图 5-15(a)],对其进行二次移动平均修正,发现二次平移后有明显直线下降趋势,进而建立趋势预测模型,通过该模型可预测未来 $\text{TVDI}_{\text{mean}}$ 值,进而判断未来年平均 TVDI 情况,二次平移后 $\text{TVDI}_{\text{mean}}$ 与年际间的 R^2 为 0.999,$P<0.01$ 表明相关性极显著,说明 $\text{TVDI}_{\text{mean}}$ 有减弱趋势。

不同月份来看[图 5-15(b)~(f)],5~9 月 TVDI 均有减弱趋势,其中 5 月二次移动平移呈对数减弱关系,7 月和 8 月二次移动平移有线性减弱关系,6 月和 9 月二次移动平移有多项式减弱关系,从 TVDI 值大小来看,5 月、9 月 TVDI

值最高,7 月、8 月 TVDI 值较小,利用 5~9 月的趋势预测模型可以预测未来短期年内各月份的 TVDI 值。

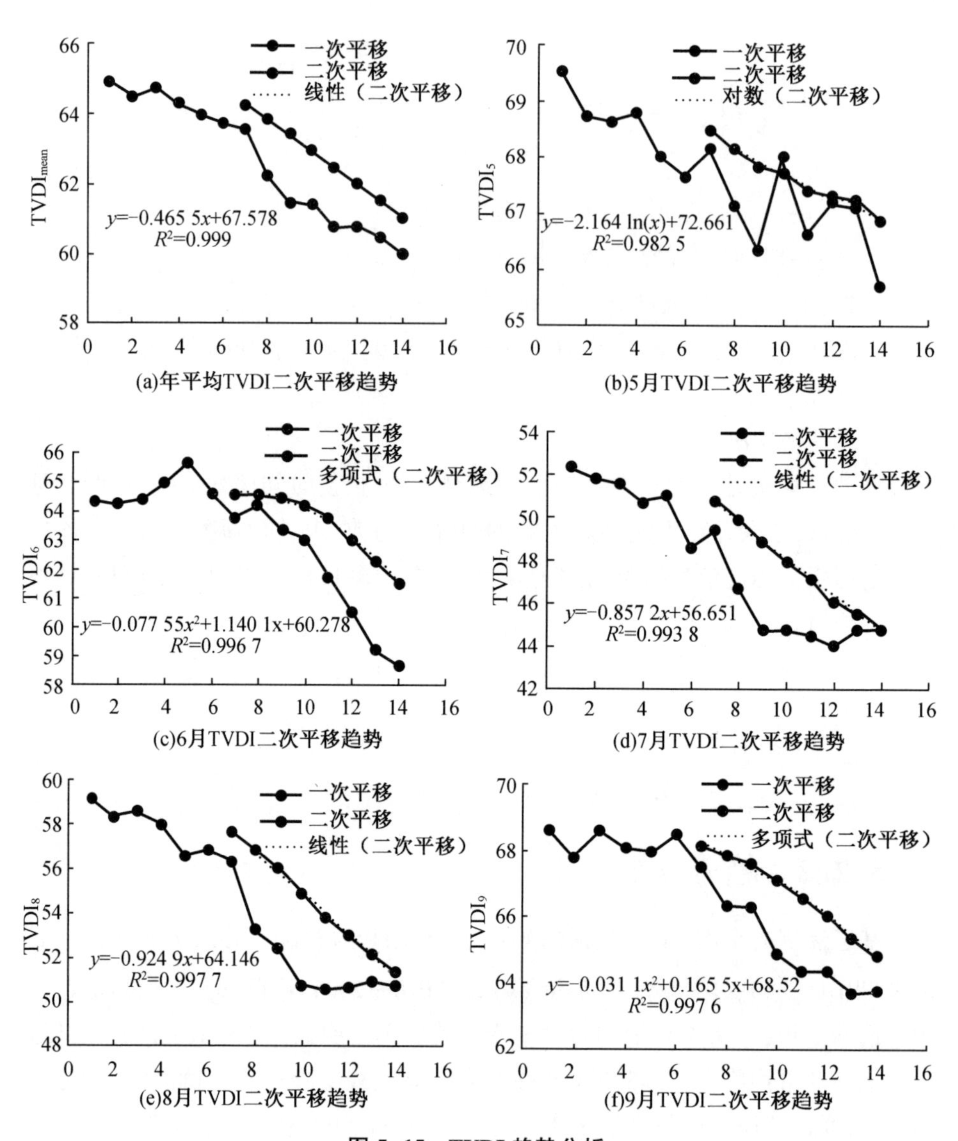

图 5-15 TVDI 趋势分析

5.2.3 黑龙江省 2000—2021 年干旱空间趋势特征

通过月平均 TVDI 计算黑龙江省 2000—2021 逐年年平均 TVDI 值,基于趋势分析方法利用公式(5-9),分析黑龙江省 2000—2021 年像元尺度的 TVDI 变化趋势。将其分为两类:增加趋势($\theta_{slope}>0$)和减少趋势($\theta_{slope}<0$)。得到全省增加趋势($\theta_{slope}>0$)面积占 32.82%,减少趋势($\theta_{slope}<0$)面积占 67.18%,,整体上表现为减少趋势,减少趋势主要分布在松嫩平原地区。吴英杰对变化趋势进行统计检验,根据变化趋势值大小将其划分为 5 个等级:明显减少($\theta_{slope}\leqslant-0.015$)、轻度减少($-0.015<\theta_{slope}\leqslant-0.005$)、基本稳定($-0.005<\theta_{slope}\leqslant0.005$)、轻度增加($0.005<\theta_{slope}\leqslant0.015$)、明显增加($\theta_{slope}>0.015$)。轻度增加面积占比为 5.46%,主要分布在三江平原和张广才岭;轻度减少面积占比为 14.53%,主要分布在松嫩平原和三江平原;基本稳定面积占比最大为 78.44%,其中稳定偏减小($-0.005<\theta_{slope}<0$)的面积占 51.23%;明显减少和明显增加的面积占比均较小。综上分析可知,22 a 来黑龙江省变化趋势为基本稳定偏减小,其中东部有干旱趋势轻度增加像元。

5.3　黑龙江省影响 TVDI 变化的气象因素分析

为了探明气象因子与 TVDI 变化之间的关系,研究分析了 TVDI 变化与降雨量、气温和气象指数(标准化降水蒸散指数)的相关关系。因未获取到 2020-2021 年气象数据,因此研究采用 2000—2019 年的降雨量和气温与年平均 TVDI 进行关系分析。以每年 5~9 月的月降雨量之和作为生长季年降雨量,以每年 5~9 月的月气温的平均值作为生长季年平均气温,计算研究区内 31 个气象站点的年平均气温和年降雨量,同时取各站点的平均值代表黑龙江省年平均气温及年降雨量情况,并采用一元线性回归法对时间序列进行分析,得到 20 年间黑龙江省年降水量与年平均气温的变化情况(图 5-16)。图 5-16(a)显示黑龙江省年降水量值在 300~650 mm,且逐年呈增加趋势,$P<0.01$ 表明年降雨量逐年有极显著增加趋势;图 5-16(b) 显示年平均气温在 17~19 ℃波动,无明显的变化趋势。

将黑龙江省 20 年间的年平均 TVDI 与年降雨量、年平均气温及 SPEI 做 Pearson 相关性分析,找到影响 TVDI 变化的主要因素。结果表明省内年降雨量与年 TVDI 呈负相关关系(图 5-17),相关系数为-0.58,$P<0.01$ 说明年降雨量与 TVDI 呈极显著负相关关系。年平均气温与年 TVDI 关系不明显,未通过 0.05 水平的显著性检验。TVDI 与 SPEI 呈极显著负相关关系(图 5-18),即 TVDI 与气象干旱指数存在极显著负相关关系。结果说明,黑龙江省 TVDI 变化主要取决于气象因素中的降雨量,降雨量的增加是影响黑龙江省 2000—2019 年 TVDI 减小的主要因素,是干旱减弱的主要限制型因子,气象干旱将会导致农

业干旱的发生。

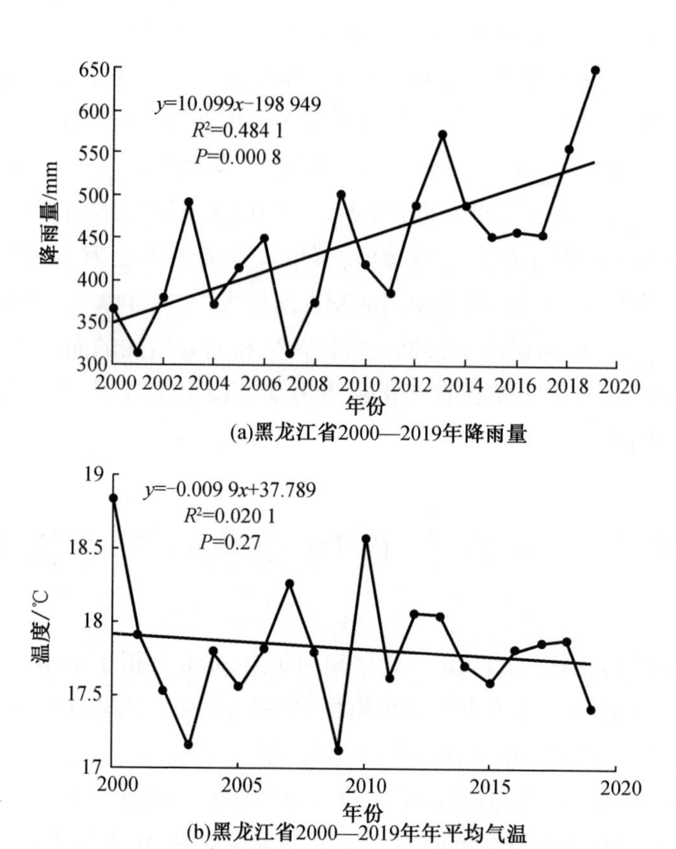

图 5-16　黑龙江省 2000—2019 年降雨量及年平均气温

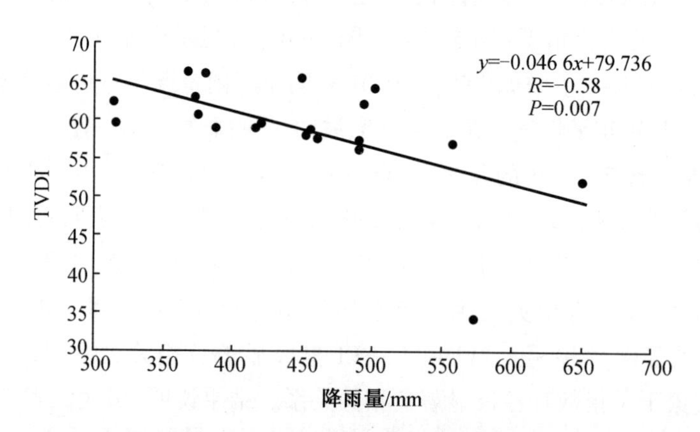

图 5-17　年 TVDI 与降雨量关系

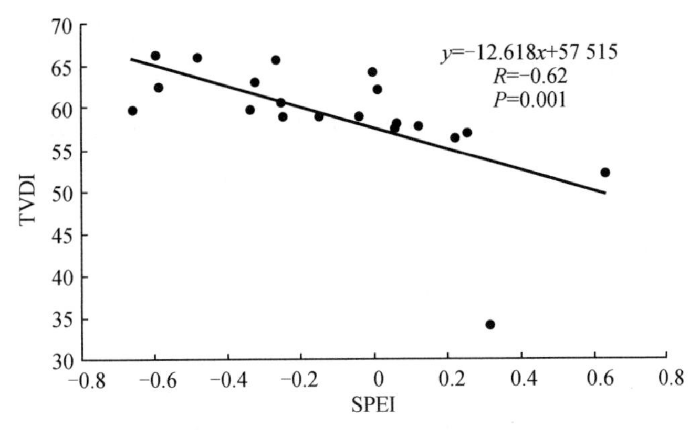

图 5-18　年 TVDI 与 SPEI 关系

5.4　讨　　论

研究表明 TVDI 指数可以较好地表征研究区历史多年干旱变化特征情况，并采用趋势分析法对黑龙江省 2000—2021 年来的干旱变化趋势进行了分析。李崇瑞利用 SPEI 分析东北地区 1989—2018 年时间尺度(1、3、6、12、24 个月)玉米干旱规律，指出黑龙江省西南部为干旱高发区，该结果与研究结果一致。李崇瑞还通过考虑海拔等影响的 ANUSPLIN 专业气象数据插值软件对所有气象因子数据进行空间插值，获取区域面数据，虽准确度有所提升，但由于区域、环境、气候的复杂性，研究作者利用 TVDI 逐像元的监测研究区的面数据干旱特征更具有优势。

本研究受 MODIS 数据时间限制，只研究了 2000—2021 年 22a 的黑龙江省 TVDI 变化特征情况，在分析变化趋势上虽采用了趋势分析方法，但数据年限少的影响依然存在。趋势特征往往与研究的时间尺度紧密相关，因此未来将随着 MODIS 数据存档数量的增加或从多数据源入手，加长时间序列，开展更长时间的遥感干旱分析研究将对干旱的变化分析更有指导意义。

5.5　研 究 结 论

从黑龙江省 2000—2019 年的 $TVDI_{mean}$ 和 $TVDI_{max}$ 的时空特征分析，时间上黑龙江省 2000—2019 年 20 a 间 2000—2006 年干旱严重、2007—2013 年干旱减弱、2014—2019 年干旱震荡减弱；$TVDI_{max}$ 监测出黑龙江省 2006 年、2009 年、

2015年三年中极端干旱情况最重；20 a间$TVDI_{mean}$有显著减弱趋势而$TVDI_{max}$未通过显著性检验。分析20 a间$TVDI_{mean}$中干旱面积占比可知，全省中旱现象较为普遍。分析月内干旱情况可知，5月是黑龙江省干旱发生的最严重时期，干旱强度最强，重旱、特旱占比较大；6月是干旱期，强度次之，以中旱和重旱为主；7月是黑龙江省干旱最弱时期，为湿润以轻旱和无旱为主；8月是干旱较弱时期，以轻旱和中旱为主；9月也是干旱期以中旱为主。空间上，20 a重风险区主要分布在讷河市、甘南县、齐齐哈尔市、龙江县、林甸县、泰来县、大庆市、肇源县和杜尔伯特蒙古族自治县。中风险区主要分布在西部地区、宝清县、富锦市、友谊县、集贤县、勃利县和宁安市。低风险区主要分布在北部、中部和东北部地区。分析逐月干旱空间特征：西部地区、宁安市、勃利县、鸡东县、友谊县、宝清县和集贤县等地区5月干旱发生频率高强度大，西部部分地区6月持续高频率高强度干旱，大庆市周边及泰来县、龙江县、甘南县、齐齐哈尔市、讷河市等地区9月干旱发生频率高强度大。

从黑龙江省基于干旱强度及发生频率多少分析，黑龙江空间划分为3个干旱特征区：受干旱影响弱区、受干旱影响中区和受干旱影响强区。受干旱影响弱区包含漠河县、塔河县等14个市(县、区)，受干旱影响中区包含望奎县、青冈县等56个市(县、区)，受干旱影响强区包含依安县、肇州县等9个市(县、区)。

从黑龙江4个农业区来分析干旱时空特征，黑龙江省2000—2021年作物生长季共110个月中，大兴安岭干旱频率70%，三江平原干旱频率80.91%，张广才岭干旱频率85.45%，松嫩平原干旱频率92.73%；干旱强度以轻旱和中旱为主，仅有松嫩平原存在10%频率的重旱发生。逐月干旱变化来看，5月和9月TVDI值较高，7月最低，表明省内春秋易发生干旱，夏季较湿润。5月松嫩平原的TVDI值为4个区中最高值，表明松嫩平原春季干旱发生频率与强大最大；大小兴安岭地区受旱影响最小。

从黑龙江省干旱趋势来分析，得到年平均TVDI和月平均TVDI均有减弱的趋势。其中5月TVDI有对数减弱关系，6和9月有多项式减弱关系，7和8月有线性减弱关系。黑龙江省22a来干旱趋势呈基本稳定偏减少，其中东部有干旱趋势轻度增加像元。根据趋势预测模型可预测未来年平均TVDI和月平均TVDI值，进而预测未来年的干旱情况。

从黑龙江省影响TVDI变化的气象因素来分析，黑龙江省TVDI的变化主要由降雨量决定，与气温关系不大。降雨是干旱变化的主要限制型因子，年降雨量的增加使得黑龙江省年内TVDI值减小，也是省内干旱减弱的一个主要因素。本书研究土地利用类型为耕地，其对天然降水变化响应显著。气象干旱会导致农业干旱的发生。

参 考 文 献

[1] 包云轩,孟翠丽,申双和,等.江苏省典型干旱过程特征[J].生态学报,2011,(22):6853-6865.

[2] 薄燕飞.不同土地利用类型下 TVDI 与气象干旱指数的关系研究:以陕甘宁地区为例[D].西安:陕西师范大学,2016.

[3] 鲍艳松,严婧,闵锦忠,等.基于温度植被干旱指数的江苏淮北地区农业旱情监测[J].农业工程学报,2014,30(7):163-172,294.

[4] 蔡斌,陆文杰,郑新江.气象卫星条件植被指数监测土壤状况[J].国土资源遥感,1995(4):45-50,66.

[5] 陈斌,张学霞,华开,等.温度植被干旱指数(TVDI)在草原干旱监测中的应用研究[J].干旱区地理,2013,36(5):930-937.

[6] 陈海山,朱伟军,邓自旺,等.江苏冬季气温的年代际变化及其背景场分析[J].南京气学院学报,2004,27(4):433-442.

[7] 陈怀亮,冯定原,邹春辉.麦田土壤水分 NOAA/AVHRR 遥感监测方法研究[J].遥感技术与应用,1998,13(4):27-35.

[8] 陈晶,贾毅,余凡.双极化雷达反演裸露地表土壤水分[J].农业工程学报,2013,29(10):109-115.

[9] 陈俊蕙.MODIS 数据云检测算法研究[D].北京:中国农业大学,2007.

[10] 陈书林,刘元波,温作民.卫星遥感反演土壤水分研究综述[J].地球科学进展,2012,27(11):1192-1203.

[11] 陈述彭.遥感信息机制研究[M].北京:科学出版社,1998.

[12] 陈维英,肖乾广,盛永伟.距平植被指数在 1992 年特大干旱监测中的应用[J].环境遥感,1994,36(2):106-112.

[13] 陈伟,周红妹,袁志康,等.基于气象卫星分形纹理的云雾分离研究[J].自然灾害学报,2003,12(2):133-139.

[14] 陈晓光,苏占胜,郑广芬,等.宁夏气候变化的事实分析[J].干旱区资源与环境,2005,19(6):43-47.

[15] 从靖,赵天保,马玉霞.中国北方干旱半干旱区降水的多年代际变化特征

及其与太平洋年代际振荡的关系[J]. 气候与环境研究,2017,22(6):643-657.

[16] 邓辉,周清波. 土壤水分遥感监测方法进展[J]. 中国农业资源与区划,2004,25(3):46-49.

[17] 邓辉. 基于 MODIS 数据的大区域土壤水分遥感监测研究[D]. 北京:中国农业科学院,2004.

[18] 邓振墉,倾继祖,黄蕾诺. 干旱对农业危害的特点及其减灾技术[J]. 安徽农业科学,2009,37(32):16177-16179.

[19] 董婷,孟令奎,张文. MODIS 短波红外水分胁迫指数及其在农业干旱监测中的适用性分析[J]. 遥感学报,2015,19(2):319-327.

[20] 杜灵通. 基于多源空间信息的干旱监测模型构建及其应用研究[D]. 南京:南京大学,2013.

[21] 范金城,梅长林. 数据分析[M]. 北京:科学出版社,2010.

[22] 范辽生,姜纪红,盛晖,等. 利用温度植被干旱指数(TVDI)方法反演杭州伏旱期土壤水分[J]. 中国农业气象,2009,30(2):230-234.

[23] 方帅,周亚楠,董张玉. 基于土壤水分实测数据的土壤线提取[J]. 合肥工业大学学报(自然科学版),2020,43(11):1492-1499.

[24] 冯克鹏,田军仓. 近 53 a 宁夏地区多尺度干旱特征分析[J]. 灌溉排水学报,2016,35(2):50-58.

[25] 冯湘华. 西部典型牧区草地生态系统植被生态需水研究[D]. 西安:西安理工大学,2019.

[26] 傅姣琪. 基于 Landsat 8 TIRS 数据的海表温度遥感反演研究[D]. 舟山:浙江海洋大学,2020.

[27] 高惫芳,覃志豪,徐斌. 用 MODIS 数据反演地表温度的基本参数估计方法[J]. 干旱区研究,2007,24(1):113-119.

[28] 高磊,覃志豪,卢丽萍. 基于植被指数和地表温度特征空间的农业干旱监测模型研究综述[J]. 国土资源遥感,2007(3):1-7.

[29] 高学睿. 基于水循环模拟的农田土壤水效用评价方法与应用[D]. 北京:中国水利水电科学研究院,2013.

[30] 高彦春,龙笛. 遥感蒸散发模型研究进展[J]. 遥感学报,2008,12(3):515-528.

[31] 管珍. 三河源区土地利用/土地覆被变化分析及其驱动机制研究[D]. 西宁:青海师范大学,2011.

[32] 郭广猛,杨青生. 利用 MODIS 数据反演地表温度的研究[J]. 遥感技术与应用,2004,19(1):34-36.

[33] 郭虎,王瑛,王芳. 旱情灾情监测中的遥感应用综述[J]. 遥感科学与应用. 2008,23(1):111—116.

[34] 郭茜,李国春. 用表观热惯量法计算土壤含水量探讨[J]. 中国农业气象 2005,26(4):215-219.

[35] 郭茜月,刘国金,李悦萱. 农业遥感干旱监测研究进展[J]. 乡村科技,2020(21):117-118.

[36] 祁连县志编纂委员会. 祁连县志[M]. 兰州:甘肃人民出版社,1993.

[37] 韩丽娟,王鹏新,王锦地,等. 植被指数-地表温度构成的特征空间研究[J]. 中国科学 D 辑,2005,35(4):371-377.

[38] 韩丽娟,王鹏新,王锦地,等. 植被指数-地表温度构成的特征空间研究[J]. 中国科学 D 辑:地球科学,2005,35(4):371-377.

[39] 韩素芹,刘淑梅. EOS/MODIS 卫星资料在监测冬小麦面积中的应用[J]. 天津农学院学报,2004(2):26-28.

[40] 郝小翠,张强,杨泽粟,等. 一种基于地表能量平衡的遥感干旱监测新方法及其在甘肃河东地区干旱监测中的应用初探[J]. 地球物理学报,2016(9):3188-3201.

[41] 黄彬彬,王悦,龙昊宇,等. 赣江流域气象要素变化及径流响应关系[J]. 南昌工程学院学报,2020,39(4):13-19.

[42] 黄梦杰,贺新光,卢希安,等. 长江流域的非平稳 SPI 干旱时空特征分析[J]. 长江流域资源与环境,2020,29(7):1597-1611.

[43] 黄妙芬,邢旭峰,刘素红,等. 运用热惯量估算大气下行长波辐射的遥感方法研究:以 Landsat/TM 为例[J]. 资源科学,2006,28(3):37-43.

[44] 季国华,胡德勇,王兴玲,等. 基于 Landsat8 数据和温度—植被指数的干旱监测[J]. 自然灾害学报,2016(2):43-52.

[45] 蒋耿明. MODIS 数据基础处理方法研究和软件实现[D]. 北京:中国科学院研究生院(遥感应用研究所),2003.

[46] 焦文哲. 利用遥感指数监测干旱的时空敏感性与适用性对比研究[D]. 北京:中国科学院大学(中国科学院遥感与数字地球研究所),2017.

[47] 金博文,康尔泗,宋克超,等. 黑河流域山区植被生态水文功能的研究[J]. 冰川冻土,2003,25(5):580-584.

[48] 雷少刚,卞正富,JOHN L D,等. 增强分辨率的土壤水表观热惯量法反演

[J]. 中国有色金属学报,2014,24(6):1866-1873.
[49] 黎雅楠. 基于 Landsat8 数据的地表温度反演技术探讨[J]. 环境与发展,2020,32(5):238-239.
[50] 李保国,龚元石,左强,等. 农田土壤水的动态模拟及应用[M]. 北京:科学出版社,2000.
[51] 李崇瑞,游松财,武永峰. 东北地区干旱特征与春玉米生长季干旱主导气象因子[J]. 农业工程学报,2020,36(19):97-106.
[52] 李德仁. 遥感用于自然灾害监测预警大有作为[J]. 科技导报 2007,13(10):PⅠ0001.
[53] 李粉玲. 关中地区冬小麦叶片氮素高光谱数据与卫星影像定量估算研究[D]. 西安:西北农林科技大学,2016.
[54] 李俐,王荻,王鹏新,等. 合成孔径雷达土壤水分反演研究进展[J]. 资源科学,2015,37(10):1929-1940.
[55] 李明,柴旭荣,王贵文,等. 长江中下游地区气象干旱特征[J]. 自然资源学报,2019,34(02):374-384.
[56] 李品,谭德宝,秦其明,等. 基于特征空间的遥感干旱监测方法综述[J]. 长江科学院院报,2010,27(1):37-41.
[57] 李琴,陈曦,FRANK V,等. 干旱半干旱区土壤含水量反演与验证[J]. 水科学进展,2010,21(2):201-207.
[58] 李姗姗. 基于 RS 与 GIS 的祁连山南坡水源涵养量估算系统研究与实现[D]. 西宁:青海师范大学,2015.
[59] 李廷全,王萍,祖世亨. 黑龙江省 2000 年农业气象灾害综述[J]. 黑龙江气象,2001(2):13-15.
[60] 李险峰,朱海霞,李秀芬,等. 1961—2018 年黑龙江省干湿气候的时空格局特征[J]. 东北林业大学学报,2019,47(12):73-78,99.
[61] 李星. 基于多源遥感数据的干旱监测方法及生态系统响应研究[D]. 成都:电子科技大学,2018.
[62] 李星敏,刘安麟,张树誉,等. 热惯量法在干旱遥感监测中的应用研究[J]. 干旱地区农业研究,2005,23(1):54-59.
[63] 李韵珠,陆锦文,吕梅,等. 作物干旱指数(CWSI)和土壤干旱指数(SW-SI)[J]. 土壤学报,1995,32(2):202-209.
[64] 梁任刚,周旭,李松,等. 基于 CWSI 的贵州省干旱时空变化特征及影响因素分析[J]. 水土保持研究,2022,29(3):284-291.

[65] 梁芸,张峰,韩涛.利用 EOS/MODIS 植被供水指数监测庆阳地区的土壤湿度[J].干旱气象,2007,25(1):44-47.

[66] 林巧,王鹏新,张树誉,等.不同时间尺度条件植被温度指数干旱监测方法的适用性分析[J].干旱区研究,2016,33(1):186-192.

[67] 林巧,王鹏新,张树誉,等.基于 Aqua-MODIS 数据的条件植被温度指数干旱等级监测研究[J].遥感信息,2014,29(3):67-72.

[68] 刘安麟,李星敏,何延波,等.作物缺水指数法的简化及在干旱遥感监测中的应用[J].应用生态学报,2004,15(2):210-214.

[69] 刘昌明,王会肖.土壤-作物-大气水界面水分过程和节水控制[M].北京:科学出版社,1999.

[70] 刘恒柏,张佳宝,朱安宁.砂壤土中目标物的 GPR 图像解译及土壤含水量反演[J].灌溉排水学报,2008,27(4):55-57.

[71] 刘晶森,丁浴国,王纪军.利用任意时刻 AVHRR 资料近似估计区域地表温度日较差的试验[J].南京气象学院学报,2001,24(3):323-329.

[72] 刘立文,张吴平,段永红,等.TVDI 模型的农业旱情时空变化遥感应用[J].生态学报,2014,34(13):3704—3711.

[73] 刘丽,周颖,杨凤,等.用遥感植被供水指数监测贵州干旱[J].贵州气象,1998,22(6):17-21.

[74] 刘良明,胡艳,郡俊洁,等.MODIS 干旱监测模型各参数权值分析[J].武汉大学学报(信息科学版),2005,30(2):139-142.

[75] 刘良明,向大享,文雄飞,等.云参数法干旱遥感监测模型的完善[J].武汉大学学报(信息科学版),2009,2(3):207-209,235.

[76] 刘良云,刘银年.利用温度和植被指数进行地物分类和土壤水分反演[J].红外与毫米波学报,2002,21(4):269-273.

[77] 刘培君,张琳,常萍,等.卫星遥感估测土壤水分的一种方法[J].遥感学报,1997,1(2):135-138,181.

[78] 刘万侠,王娟,刘凯,等.植被覆盖地表主动微波遥感反演土壤水分算法研究[J].热带地理,2007,27(5):411-420,450.

[79] 刘巍.黑龙江省灌溉水利用效率时空分异规律及节水潜力研究[D].哈尔滨:东北农业大学,2017.

[80] 刘贤德,李效雄,张学龙,等.干旱半干旱区山地森林类型的土壤水文特征[J].干旱区地理,2009,32(5):691-697.

[81] 刘星文,冯勇进.应用热惯量编制土壤水分图及土壤水分探测效果[J].

土壤学报,1987,24(3):272-280,299.

[82] 刘英,岳辉,李遥,等.基于 MODIS 的河南省春旱遥感监测[J].干旱地区农业研究,2018,36(3):218-223.

[83] 刘颖秋,宋建军,张庆杰.干旱灾害对我国社会经济影响研究[M].北京:中国水利水电出版社,2005.

[84] 刘玉凤,王珍琪,鹿嘉智,等.叶绿体 NAD(P)H 脱氢酶复合体调控光合作用的研究进展[J].植物生理学报,2019,55(7):932-940.

[85] 刘玉杰,杨忠东.MODIS 遥感信息处理原理与算法[M].北京:科学出版社,2001.

[86] 刘振华,赵英时,李笑宇,等.基于蒸散发模型的定量遥感缺水指数[J].农业工程学报,2012,2:114-120.

[87] 刘振华,赵英时,宋小宁.MODIS 卫星数据地表反照率反演的简化模式[J].遥感技术与应用,2004,19(6):508-511.

[88] 刘振华,赵英时.一种改进的遥感热惯量模型初探[J].中国科学院研究生学报,2005,22(3),380-385.

[89] 刘志明.利用气象卫星信息遥感土壤水分的探讨[J].遥感信息,1992(1):21-23.

[90] 路京选,曲伟,付俊娥.国内外干旱遥感监测技术发展动态综述[J].中国水利水电科学研究院学报,2009,7(2):265-271.

[91] 罗彪,刘潇,郭萍.基于 MODIS 数据的河套灌区遥感干旱监测[J].中国农业大学学报,2020,25(10):44-54.

[92] 吕建海,陈曦,王小平,等.大面积棉花长势的 MODIS 监测分析方法与实践[J].干旱区地理,2004,27(1):118-123.

[93] 毛克彪,胡德勇,黄健熙,等.针对被动微波 AMSR-E 数据的土壤水分反演算法[J].高技术通讯,2010,20(6):651-659.

[94] 毛克彪,王建明,张孟阳,等.GNSS-R 信号反演土壤水分研究分析[J].遥感信息,2009(3):92-97.

[95] 毛克彪.基于热红外和微波数据的地表温度和土壤水分反演算法研究[M].北京:中国农业科学技术出版社,2007.

[96] 毛学森,张永强,沈彦俊.水分胁迫对冬小麦植被指数 NDVI 影响及其动态变化特征[J].干旱地区农业研究,2002,20(1):69-71.

[97] 莫伟华,王阵会,孙涵,等.基于植被供水指数的农田干旱遥感监测研究[J].南京气象学院学报,2006,29(3),396-401.

[98] 牟伶俐,吴炳方,闫娜娜,等.农业旱情遥感指数验证与不确定性分析[J].水土保持通报,2007(2):119-122.
[99] 聂忆黄.基于地表能量平衡与SCS模型的祁连山水源涵养能力研究[J].地学前缘,2010,17(3):269-275.
[100] 裴青宝,黄监初,桂发亮,等.海绵城市建设对萍乡市城区河流健康影响评价[J].南昌工程学院学报,2019,36(6):69-74.
[101] 裴巍.区域农业旱灾风险评价及时空变异研究:以黑龙江省为例[D].哈尔滨:东北农业大学,2017.
[102] 齐述华,王长耀,牛铮.利用温度植被旱情指数(TVDI)进行全国旱情监测研究[J].遥感学报,2003,7(5):420-427.
[103] 齐述华.干旱监测遥感模型和中国干旱时空分析[D].北京:中国科学院遥感应用研究(遥感应用研究所),2004.
[104] 乔平林,张继贤,王翠华.应用AMSR-E微波遥感数据进行土壤湿度反演[J].中国矿业大学报,2007,36(2):262-265.
[105] 乔平林,张继贤,燕琴,等.利用TM6进行土壤水分的监测研究[J].测绘通报,2003,(7)14-15,18.
[106] 邱新彩,郑冬梅,王海宾,等.结合地统计学与Landsat 8影像的乔木林地上碳储量估算[J].中南林业科技大学学报,2020,40(11):138-146.
[107] 邱玉宝,施建成,蒋玲梅.AMSR-E被动微波土壤水分与降雨率时空相关性分析研究[J].北京师范大学学报(自然科学版),2007,43(3):350-355.
[108] 申广荣,田国良.基于GIS的黄淮海平原旱灾遥感监测研究:作物缺水指数模型的实现[J].生态学报,2000,20(2):224-228.
[109] 申广荣,田国良.作物缺水指数监测旱情方法研究[J].干旱地区农业研究,1998,16(1):123-128.
[110] 沈志宝,左洪超.青藏高原地面反射率变化的研究[J].高原气象,1993,12(3):294-301.
[111] 施建成,李震,李新武.目标分解技术在植被覆盖条件下土壤水分计算中的应用[J].遥感学报,2002,6(6):412-415.
[112] 帅明君.基于SCP分析模型浅析江西省棉花产业经济现状[J].棉花科学,2019,41(4):38-40.
[113] 宋小宁,赵英时,李新辉.半干旱地区遥感双层蒸散模型研究[J].干旱区资源与环境,2010,24(9):64-67.
[114] 宋小宁,赵英时.改进的区域缺水遥感监测方法[J].中国科学:地球科

学,2006,36(2):188-194.

[115] 孙德亮,吴建峰,李威,等.基于SPI指数的近50年重庆地区干旱时空分布特征[J].水土保持通报,2016,36(4):197-203.

[116] 孙家柄.遥感原理与应用[M].武汉:武汉大学出版社,2013.

[117] 孙丽,王飞,吴全.干旱遥感监测模型在中国冬小麦区的应用[J].农业工程学报,2010,26(1):243-249,389.

[118] 覃艺,张廷斌,易桂花,等.2000年以来内蒙古生长季旱情变化遥感监测及其影响因素分析[J].自然资源学报,2021,36(2):459-475.

[119] 谭德宝,刘良明,鄢俊洁,等.MODIS数据的干旱监测模型研究[J].长江科学院院报,2004,21(3):11-16.

[120] 汤萃文,张海风,陈银萍,等.祁连山南坡植被景观格局及其破碎化[J].生态学杂志,2009,28(11):2305-2310.

[121] 王荣,唐伶俐,戴昌达.MODIS数据在测量地物辐射亮度和反射率特性中的应用[J].遥感信息,2002(3):21-25,T004.

[122] 唐世浩,朱启疆,门广建.遥感地表参量反演的理论与方法[J].北京师范大学学报(自然科学版),2001,37(2):266-273.

[123] 田国良,徐兴奎.用于地表能量交换的动态地表特征模式[J].遥感学报,2000(4):121-128.

[124] 田国良.热红外遥感[M].北京:电子工业出版社,2006.

[125] 田庆久,闵祥军.植被指数研究进展[J].地球科学进展,1998,13(4):327-333.

[126] 万程辉,杨金文,裴青宝,等.基于SWMM模型的暴雨模拟与LID效果评价:以萍乡市示范区为例[J].南昌工程学院学报,2019,36(6):75-80.

[127] 王纯枝,毛留喜,何延波,等.温度植被干旱指数法(TVDI)在黄淮海平原土壤湿度反演中的应用研究[J].土壤通报,2009,40(5):998-1005.

[128] 王航,时家明,赵大鹏,等.绿色背景下可见光—近红外与热辐射波段具备特征反射光谱薄膜的研究[J].真空科学与技术学报,2019,39(2):140-144.

[129] 王康.基于多源多时相热红外遥感技术的丹东地热资源探测方法研究[D].长春:吉林大学,2020.

[130] 王丽华,李晓燕.1995年世界气候概况[J].气象,1996,22(4):24-27.

[131] 王连喜,李菁,李剑萍,等.气候变化对宁夏农业的影响综述[J].中国农业气象,2011,32(2):155-160,166.

[132] 王联友,林建涛,袁伟俭. 基于遥感的城市水环境监测方法研究[J]. 测绘与空间地理信息,2020,43(11):152-155.

[133] 王敏,尹义星,陈晓旸,等. 基于 SPEI 的近百年天津地区气象干旱时空演变特征[J]. 干旱气象,2022,40(1):11-21.

[134] 王宁练,张世彪,贺建桥,等. 祁连山中段黑河上游山区地表径流水资源主要形成区域的同位素示踪研究[J]. 科学通报,2009(15):2148-2152.

[135] 王鹏新,龚健雅,李小文. 条件植被温度指数及其在干旱监测中的应用[J]. 武汉大学学报(信息科学版),2001,26(5):412-418.

[136] 王鹏新,孙威. 基于植被指数和地表温度的干旱监测方法的对比分析[J]. 北京师范大学学报(自然科学版),2007,43(3):319-323.

[137] 王鹏新,WAN Z M,龚健雅. 基于植被指数和土地表面温度的干旱监测模型[J]. 地球科学进展,2003,18(4):527-533.

[138] 王萍,王桂霞,石剑,等. 黑龙江省 2002 年农业气象灾害综述[J]. 黑龙江气象,2003(3):24-25.

[139] 王赛林. 遥感技术在水资源管理中的应用[J]. 水利科技与经济,2020,26(11):85-88.

[140] 王升,包小怀,容莹,等. 降雨强度对西南喀斯特坡地土壤水分及产流特征的影响[J]. 农业现代化研究,2020,41(5):889-898.

[141] 王帅兵,李常斌,杨林山,等. 基于标准化降水指数与 Z 指数的洮河流域干旱趋势分析[J]. 干旱区研究,2015,32(3):565-572.

[142] 王文,蔡晓军. 长江中下游地区干旱变化特征分析[J]. 高原气象,2010,29(6):1587-1593.

[143] 王欣烨. 晋西北黄土丘陵区植被类型林地土壤有效水和持水能力刍议[J]. 青海环境,2020,30(2):61-64,78.

[144] 王长耀,林文鹏. 基于 MODIS EVI 的冬小麦产量遥感预测研究[J]. 农业工程学报,2005,22(10):90-94.

[145] 王兆礼,李军,黄泽勤,等. 基于改进帕默尔干旱指数的中国气象干旱时空演变分析[J]. 农业工程学报,2016,32(2):161-168.

[146] 王正兴,刘闯. 植被指数研究进展:从 AVHRR-NDVI 到 MODIS-EVI[J]. 生态学报,2003,23(5):979-987.

[147] 王志伟,翟盘茂. 中国北方近 50 年干旱变化特征[J]. 地理学报,2003,58(A1):62-68.

[148] 卫洁,武志涛,李强子,等. 基于气象和遥感的黄淮海平原干旱监测[J].

中国农学通报,2019,35(5):127-136.

[149] 卫俊霞,相里斌,高晓惠,等.基于K-均值聚类与夹角余弦法的多光谱分类算法[J].光谱学与光谱分析,2011,31(5):1357-1360.

[150] 魏凤英,曹鸿兴.地统计学分析技术及其在气象中的适用性[J].气象,2002,28(12):3-8.

[151] 吴炳方.全国农情监测与估产的运行化遥感方法[J].地理学报,2000,55(1):25-35.

[152] 吴黎,解文欢,张有智,等.基于温度植被干旱指数的黑龙江省20年干旱时空特征研究[J].水土保持研究,2022,29(5):358-363.

[153] 吴黎.基于MODIS数据温度植被干旱指数干旱监测指标的等级划分[J].水土保持研究,2017,24(3):130-135.

[154] 吴英杰,全强,陈晓俊,等.2000—2018年锡林郭勒地区干旱时空变化及其气候响应[J].干旱区地理,2020,43(5):1289-1297.

[155] 吴泽棉,邱建秀,刘苏峡,等.基于土壤水分的农业干旱监测研究进展[J].地理科学进展,2020,39(10):1758-1769.

[156] 武晓波,阎守邑.在GIS支持下用NOAA/AVHRR数据进行旱情监测[J].遥感学报,1998,2(4),280-284.

[157] 奚绍礼.基于星载热红外与可见光数据融合构建三维温度场的研究[D].沈阳:辽宁科技大学,2020.

[158] 肖乾广,陈维英,盛永伟.用气象卫星监测土壤水分的试验研究[J].应用气象学报,1994,5(3):312-317.

[159] 肖乾广,陈维英.用NOAA/AVHRR资料监测土壤湿度[J].遥感信息,1990,5(1):22-25.

[160] 刑素丽,张广录.我国农业遥感的应用现状与展望[J].农业工程学报,2003,19(6):174-178.

[161] 徐元进,胡光道.基于穷举法的高光谱遥感图像地物识别研究[J].武汉大学学报(信息科学版),2008(2):124-128.

[162] 许德民.土壤的热惯量测量方法研究[J].长春光学精密机械学院学报,1992,15(1):40-43.

[163] 许佳琦.基于卫星遥感的黑龙江省干旱监测研究[D].哈尔滨:东北农业大学,2017.

[164] 薛昌颖,刘荣花,马志红,等.黄淮海地区夏玉米干旱等级指标研究[C].全国优秀青年气象科技工作者学术研讨会,2014.

[165] 晏红波,周国清. 地表土壤湿度光学遥感反演方法研究进展[J]. 亚热带资源与环境学报,2017,12(2):82-89.
[166] 杨邦杰,裴志远. 我国农情遥感监测关键技术研究进展[J]. 农业工程学报,2002,18(3):191-194.
[167] 杨宝钢,丁裕国. 考虑植被的热惯量法反演土壤湿度的一次试验[J]. 南京气象学院学报,2004,27(2):218-223.
[168] 杨亮彦. 基于 MODIS 数据的秦岭生态环境遥感评价指数研究[J]. 南方农业,2020,14(26):197-198.
[169] 杨鹏,李春强,高祺,等. 多种干旱遥感监测模型在河北地区的适用性研究[J]. 江苏农业科学,2018,46(16):231-237.
[170] 杨诗秀,雷志栋. 田间土壤含水率的空间结构及取样数目确定[J]. 地理学报,1993,48(5):447-456.
[171] 杨树聪,沈彦俊,郭英,等. 基于表观热惯量的土壤水分监测[J]. 中国生态农业学报,2011,19(5):1157-1161.
[172] 杨涛,宫辉力,李小娟,等. 土壤水分遥感监测研究进展[J]. 生态学报,2010,30(22):6264-6277.
[173] 杨旭超. 基于多源遥感的漾濞核桃林分布信息提取方法研究[D]. 昆明:云南大学,2019.
[174] 姚春生,张增祥,汪潇,等. 使用温度植被干旱指数法(TVDI)反演新疆土壤湿度[J]. 遥感技术与应用,2004,19(6):473-478.
[175] 姚春生. 使用 MODIS 数据反演土壤水分研究[D]. 北京:中国科学院研究生院,2003.
[176] 姚云军,秦其明,赵少华,等. 基于 MODIS 短波红外光谱特征的土壤含水量反演[J]. 红外与毫米波学报,2011,30(1):9-14,79.
[177] 叶殿秀,张强,肖风劲. 2005 年中国气候特点[J]. 气候变化研究进展,2006,2(2):71-73,97.
[178] 万程辉,杨金文,裴青宝,等. 基于 SWMM 模型的暴雨模拟与 LID 效果评价:以萍乡市示范区为例[J]. 南昌工程学院学报,2019,38(6):75-80.
[179] 银朵朵,王艳慧. 温带大陆性半干旱季风气候区植被覆盖度时空变化及其地形分异研究[J]. 生态学报,2021,41(3):1-10.
[180] 于家瑞,艾萍,袁定波,等. 基于 SPI 的黑龙江省干旱时空特征分析[J]. 干旱区地理(汉文版),2019,42(5):1059-1068.
[181] 于敏,程明虎. 基于 NDVI-Ts 特征空间的黑龙江省干旱监测[J]. 应用气

象学报,2010,21(2):221-228.

[182] 余灏哲,李丽娟,李九一.基于TRMM降尺度和MODIS数据的综合干旱监测模型构建[J].自然资源学报,2020,35(10):2553-2568.

[183] 余涛,田国良,吕永红.一种简单的土壤热惯量野外实测方法[J].土壤学报,1998,35(4):560-268.

[184] 於琍,李克让,陶波.长江中下游区域生态系统对极端降水的脆弱性评估研究[J].自然资源学报,2012,27(1):82-89.

[185] 詹志明,秦其明,汪冬冬,等.基于NIR-Red光谱特征空间的土壤水分监测新方法[J].中国科学D辑,2006,36(11):1020-1026.

[186] 张成才,陈继祖,叶伟,等.基于信息扩散理论的河南省区域干旱等级模糊综合评价[J].郑州大学学报(工学版),2010,31(4):56-60.

[187] 张剑侠,孙彦坤,王晨轶,等.黑龙江省近30 a干旱发生规律及趋势分析[J].黑龙江气象,2010,27(1):20-25.

[188] 张瑾,王斌,白建军.基于植被状态指数的甘肃省2000—2019年干旱时空特征分析[J].水土保持研究,2022,29(6):167-173,182.

[189] 张仁华,苏红波,李召良,等.地表受光面和阴影温差的潜在信息及遥感土壤水分的新途径[J].中国科学E辑,2000(C1):46-53.

[190] 张仁华.定量热红外遥感模型及地面实验基础[M].北京:科学出版社,2009.

[191] 张树誉,赵杰明,袁亚社,等.NOAA/AVHRR资料在陕西省干旱动态监测中的应用[J].中国农业气象,1998,19(5):26-29,33.

[192] 张堂堂,文军,ROGIER V D V,等.基于ENVISAT/ASAR资料的土壤湿度反演方法[J].高原气象,2008,27(2):279-285.

[193] 张文宗,姚树然,找春雷,等.利用MODIS资料监测和预警干旱新方法[J].气象科技,2006,34(4):501-504.

[194] 张向前,马蔼乃,崔承禹.热惯量成像研究[J].遥感信息,1986,(12):17-22.

[195] 张学艺,张晓煌,李剑萍,等.我国干旱遥感监测技术方法研究进展[J].气象科技,2007,35(4):574-578.

[196] 张滢,丁建丽,周鹏.干旱区土壤水分微波遥感反演算法综述[J].干旱区地理,2011,34(4):671-678.

[197] 张友静,王军战,鲍艳松.多源遥感数据反演土壤水分方法[J].水科学进展,2010,21(2):222-228.

[198] 赵广敏,李晓燕,李宝毅. 基于地表温度和植被指数特征空间的农业干旱遥感监测方法研究综述[J]. 水土保持研究,2010,7(5):245-250.
[199] 赵杰鹏,张显峰,廖春华,等. 基于 TVDI 的大范围干旱区土壤水分遥感反演模型研究[J]. 遥感技术与应用,2011,26(6):742-750.
[200] 赵聚宝,徐祝龄,钟兆站,等. 中国北方旱地农田水分平衡[M]. 北京:中国农业出版社,1999.
[201] 赵立军. 基于 MODIS 数据的北京地区土壤含水量遥感信息模型研究[D]. 北京:中国农业大学,2004.
[202] 赵卿. 基于 VTVDI 的江西省干旱遥感监测研究[D]. 武汉:华中农业大学,2016.
[203] 赵少华,杨永辉,邱国玉,等. 基于双时相 ASAR 影像的土壤湿度反演研究[J]. 农业工程学报,2008,24(6):184-188.
[204] 赵听奕,刘继韩. 黄淮海平原冬小麦生长期旱情分析[J]. 地理科学,1999,19(2),181-185.
[205] 赵选民,徐伟,师义民,等. 数理统计[M]. 2 版. 北京:科学出版社,2002.
[206] 赵逸舟,马耀明,黄镇,等. 利用 TRMM/TMI 资料反演青藏高原中部土壤湿度[J]. 高原气象,2007,26(5):952-957.
[207] 赵英时. 遥感应用分析原理与方法[M]. 北京:科学出版社,2003.
[208] 郑有飞,黄图南,段长春,等. 微波遥感土壤湿度反演算法及产品研究进展[J]. 江苏农业科学,2017,45(5):1-7.
[209] 中华人民共和国国家质量监督检验检疫总局. GB/T 20481—2006 中华人民共和国国家标准:气象干旱等级[S]. 北京:中国标准出版社,2006.
[210] 钟伟,卢宏玮,管延龙,等. 基于温度植被指数 TVDI 的拉萨地区土壤湿度特征分析[J]. 中国农村水利水电,2021(12):1-14.
[211] 周国宏,聂小荣. 江西省森林旅游发展优势及现状分析[J]. 现代农村科技,2019(12):88-89.
[212] 周鹏,丁建丽,王飞,等. 植被覆盖地表土壤水分遥感反演[J]. 遥感学报,2010,14(5):959-973.
[213] 朱闯,刘沁萍,田洪阵,等. 2001—2017 年中国土地利用时空变化[J]. 中国资源综合利用,2019,37(9):70-71,74.
[214] 朱圣男,刘卫林,吴德胜,等. 基于 CMIP5 模式和 SDSM 的抚河流域未来气候要素模拟与预估[J]. 南昌工程学院学报,2020,39(1):32-37.
[215] 庄丽莉. 1990 年世界气候概况[J]. 气象,1991,17(4):27-28,17.

[216] 左冰洁,孙玉军.福建省几种气象干旱指数的对比分析[J].气象,2019,45(5):685-694.

[217] ANDERSON L O , MALHI Y , ARAGAO L E ,et al. Remote sensing detection of droughts in Amazonian foresteano canopies[J]. New Phytologist, 2010,187(3): 733-750.

[218] ANNA VERHOEF. Remote estimation of thermal inertia and soil heat flux for bare soil[J]. Agricultural and Forest Meteorology,2004,123(3-4): 221-236.

[219] BAILEY B. Ecosystem Geography[M]. New York:Springer,1996.

[220] BAJGIRAN P R,DARVISHSEFAT A A,KHALILIA,et al. Using AVHRR-based vegetation indices for drought monitoring in the Northwest of Iran [J]. Journal of Arid Environments, 2008, 72(6):1086-1096.

[221] BARTSEH A,BALZTER H,GEORGE C. The influence of regional surface soi1 moisture anomalies on forest fires in Siberia observed from satellites [J]. Environmental Research Letters,2009,4(4):940-941.

[222] BAWA K,ROSE J,GANESHAIAH K N,et al. Assessing biodiversity from space:an example from the western Ghats,India [J]. Ecology and Society, 2002,6(2):7.

[223] JOHN D B,WADE T C,XIWU Z. Evaluating the utility of remotely sensed soil moisture retrievals for operational agricultural drought monitoring[J]. IEEE Journal of Selected Topics in Applied Earth Observations and Remote Sensing,2010,3(1):57-66.

[224] BOWERS S A,HUNKS R J. Reflection of radiant energy from soils[J]. Soil Science,1965,100(2): 130-138.

[225] CAI G,XUE Y,HU Y,et al. Soil moisture retrieval from MODIS data in Northern China Plain using thermal inertia model[J]. International journal of remote sensing,2007,18(16):3567-3581.

[226] CAMPBELL G S. An Introduction to Environmental Biophysics[M]. New York:Springer,1977.

[227] CARLSON T N BOLAND F F. Analysis of urban-rural canopy using a surface heat flux temperature model[J]. Journal of applied meteorology, 1978,17:998-1013.

[228] CARLSON T ,GILLISE R R,PERRY E,et al. A method to make use of

thermal infrared temperature and NDVI measurements to infer surface soil water content and fractional vegetation cover[J]. Remote Sensing Reviews, 1994,9:161-173.

[229] DHAKAR R,SEHGAL V K. Impact of drought on sptaio-temporal pattern of phenology in Rajasthan[J]. Journal of Agrometeorology,2013,15(Special Issue Ⅱ):58-63.

[230] ULABY F T, BATLIVALA P P, DOBSON M C. Microwave backscatter dependence on surface roughness, soil moisture, and soil texturee: part I-bare soil[J]. Geoscience Electronics IEEE Transactions on, 1978, 16(4): 286-295.

[231] EVERITT J H, ESCOBAR D E, ALANIZ M A, et al. Using multispectral video imagery for detecting soil surface condition[J] Photogrammetric Engineering and Remote Sensing ,1989,55(4):467-471.

[232] FRIEDL M A, DAVIS F W. Sources of variation in radiometric surface temperature over a tallgrass prairie[J]. Remote Sensing of Environment, 1994, 48(1):1-17.

[233] GEIGER R. The Climate Near the Ground. [M]. Cambridge: Harvard University Press,1957.

[234] GHULAM A,QIN Q,TEYIP T,et al. Modified perpendicular drought index (MPDI):a real-time, drought monitoring method[J]. Isprs Journal of Pohotogrammetry & Remote Sensing,2007,62(2):150-164.

[235] GOETZ S J. Multi-sensor analysis of NDVI, surface temperature and biophysical variables at a mixed grassland site [J]. International Journal of Remote Sensing,1997,18(1):71-94.

[236] GUTIERREZ M,JOHNSON E. Temporal variations of natural soil salinity in an arid environment using satellite images[J]. Journal of South American Earth Sciences,2010,30(1):46-57.

[237] HAN P,WANG P X,ZHANG S Y,et al. Drought forecasting based on the remote sensing data using ARIMA models[J]. Mathematical and Computer Modelling,2010,51(11-12):1398-1403.

[238] MATTIJN V H , LI J , JIE Z ,et al. Early drought detection by spectral analysis of satellite time series of precipitation and normalized difference vegetation index (NDVI)[J]. Remote Sensing, 2016, 8(5):422-422.

[239] HOLZMAN M E, RIVAS R, PICCOLO M C. Estimating soil moisture and the relationship with crop yield using surface temperature and vegetation index[J]. International Journal of Applied Earth Observation & Geoinformation, 2014, 28(5): 181-192.

[240] HUETE A, LIU H. Development of vegetation and soil indices for MODIS [J]. Remote Sensing of Environment, 1994, 49: 224-234.

[241] IDSO S B, JACKSON R D, PINTER P J, et al. Normalizing the stress-degree-day parameter for environmental variability[J]. Agricultural Meteorology, 1981, 24: 45-55.

[242] ARNELL N, LIU C, COMPAGNUCCI R, et al. Hydrology and water resources: impacts, adaptation, and vulnerability : contribution of Working Group Ⅱ to the third assessment report of the Intergovernmental Panel on Climate Change[J]. 2001.

[243] JACKSON R D, LDSO S B, REGINATO R J, et al. Canopy temperature as a crop water stress indicator[J]. Water Resource Research, 1981, 17(4): 1133-1138.

[244] JAIN S K, KESHRI R, GOSWAMI A, et al. Application of meteorological and vegetation indices for evaluation of drought impact: a case study for Rajasthan, India[J]. Natural Hazards, 2010, 54(3): 643-656.

[245] DUFFIE J A, WILLIAM A B, BECKMAN. Solar engineering of thermal processes[J]. Journal of Solar Energy Engineering, 1994, 116(1): 67-98.

[246] KAHLE A B. A simple thermal model of the earths surface for geologic mapping by remote sensing[J]. Journal of geophysical research, 1977, 82 (11): 1673-1679.

[247] KARNER O, DIGROLARMO L. On automatic cloud detection over ocean [J]. International Journal of Remote Sensing, 2001, 22(15): 3047-3052.

[248] KIMES D S. Remote sensing of row crop structure and compontent temperatures using directional temperatures and inversion techniques[J]. Remote Sensing of Environment, 1983, 13(1): 33-55.

[249] KOGAN F N. Application of vegetation index and brightness temperature for drought detection[J]. Advances in Space Research, 1995, 15: 91-100.

[250] KOGAN F N. Remote sensing of weather impacts on vegetation in non-homogeneous areas[J]. International Journal of Remote Sensing, 1990, 11(8):

1405-1419.

[251] KRISHNA T M, RAVIKUMAR G, KRISHNAVENI M. Remote sensing based agricultural drought assessment in paler basin of Tamil Nadu State, India[J]. Journal of Indian Society of Remote sensing,2009,37(1):9-20.

[252] LABED J,STOLL M P. Spatial variability of land surface emissivity in the thermal infrared band:spectral signature and effective surface temperature [J]. Remote Sensing of Environment,1991,38(1):1-17.

[253] LACAVA T, LEO E V D, PERGOLA N,et al. Space-time soil wetness variations monitoring by adult-temporal microwave satellite records analysis [J]. Physies and Chemistry of the Earth,2006,31(18):1274-1283.

[254] LAMBIN E F ,EHRLICH D. The surface temperature-vegetation index for land cover and land cover change analysis[J]. International Journal of Remote Sensing,1996,17:463-487.

[255] LIANG S. Narrowband to broadband conversions of land surface albedo I: Algorithms[J]. Remote Sensing of Environment,2001,76(2):213-238.

[256] MARTIN H,TOMAS K. Surface temperature change of spruce forest as a result of bark beetle attack:remote sensing and GIS approach[J]. European journal of forest researeh,2005,127(4):327-336.

[257] MCCUNE B,KEON D. Equations for potential annual direct incident radiation and heat load[J]. Journal of Vegetation Sienee,2002,13(4):603-606.

[258] MENDICINO G,SENATORE A,VERSACE P. A Groundwater resource Index(GRI) for drought monitoring and forecasting in a mediterranean climate[J]. Journal of Hydrology,2008,357(3-4):282-302.

[259] MOHANTY B P,SKAGGS T H. Spatio-temporal evolution and time-stable characteristics of soil moisture within remote sensing footprints with varying soil,slope,and vegetation[J]. Remote sensing of Environment,2001,24(9-10):1051-1067.

[260] MORAN M S,CLARKE T R,INOUE Y,et al. Estimating crop water deficit using the relation between surface air temperature and spectral vegetation index[J]. Remote Sensing of Environment,1994,49:246-263.

[261] NARAYANAN R M ,HORNER J R,ST GERMAIN K M. Simulation study of a robust algorithm for soil moisture and surface roughness estimation using L-band radar back scatter[J]. Geocarto International,1999,14(1):5-13.

[262] NEMANI R,PIERCE L,RUNNING S,et al. Developing satellite-derived estimates of surface moisture status [J]. Journal of Applied Meteorology, 1993,32(3):548-557.

[263] NEMANI R R,RUNNING S W. Estimation of regional surface resistance to evapotranspiration from NDVI and therma-IR AVHRR data[J]. Journal of Application Meteorlogical,1989, 28(4):276-284.

[264] JOHN G. Radiative Processes in Meteorology and Climatology[J]. Physics Bulletin,1976,27(12):554.

[265] PIEREE K B,LOOKINGBILL T,URBAN D. A simple method for estimating potential relative radiation(PRR) for landscape-scale vegetation analysis[J]. Landscape Eology,2005,20(2):137-147.

[266] PRICE J C. Using spatial context in satellite data to infer regional scale evapotranspiration [J]. IEEE Transactions on Geoscience and Remote Sensing,1990,28(5):940-948.

[267] PRICE J C. Thermal inertia mapping:a new view of the earth[J]. Journal of Geophysical Research. Part C: Oceans,1997,82(C18):2582-2590.

[268] RESHRNIDEVI T V,JANA R,ELDHO T I. Geospatial estimation of soil moisture in rain-fed paddy field susing SCS-CN-based model[J]. Agricultural Water Managment,2008,95(4):447-457.

[269] ROJAS O,VRIELING A,REMBOLD F. Assessing drought probability for agricultural areas in Africa with coarse resolution remote sensing imagery [J]. Remote Sensing of Environment,2011,115(1):343-352.

[270] SAMANTA A,GANGULY S,MYNELLI R B. MODIS enhanced vegetation index data do not show greening of Amazon forests during the 2005 drought [J]. New Phytologist. 2010,189(1):11-15.

[271] SANDHOLT I,RASMUSSEN K,ANDERSEN J. A simple interpretation of the surface temperature-vegetation index space for assessment of surface moisture status[J]. Remote Sensing of Environment,2002,79:213-224.

[272] SHABAN A. Indicators and aspects of hydrological drought in lebanon[J]. Water Resources Management, 2009.

[273] SHU Y,STISEN S,JENSEN K H,et al. Estimation of regional evapotranspiration over the North China plain using geostationary satellite data[J]. International Journal of Applied Earth Observation & Geoinformation,2011,

13(2):192-206.

[274] SOBRINO J A,KHARRAZ M H E. Combining afternoon and morning NOAA satellites for thermal inertia estimation[J]. Journal of Geophysical Research,1999,104:9445-9453.

[275] SUMMERELL G,SHOEMARK V,GRANT S,et al. Using passive microwave response to soil moisture change for soil mapping:a case study for the living stone creek catchment[J]. IEEE Geoscience and Remote sensing letter, 2009,6(4):649-652.

[276] TADESSE T,WILHITE D A,HARMS S K,et al. Drought monitoring using data mining techniques:a case study for nebraska,USA[J]. Natural Hazards,2004,33(1):137-159.

[277] TALLSEY M A. Investigating the potential for soil moisture and surface roughness monitoring in dry lands using ERS SAR data[J]. International Journal of RmoteSensing,2001,22(11):2129-2149.

[278] GRIEND A A V D , OWE M. On the relationship between thermal emissivity and the normalized difference vegetation index for natural surfaces[J]. International Journal of Remote Sensing,1993,14(6):1119-1131.

[279] BAJGIRAN P R,DARVISHSEFAT A A, KHALILI A ,et al. Using AVHRR-based vegetation indices for drought monitoring in the Northwest of Iran [J]. Journal of Arid Environments, 2008, 72(6):1086-1096.

[280] WAN Z,WANG P,LI X. Using MODIS land surface temperture and normalized difference vegetation index products for monitoring in the sourthern great plains, USA[J]. International Journal of Remote Sensing, 2004, 25 (1):61-72.

[281] WANG J P,BUGHRARA S S. Monitoring of gene expression profiles and identification of candidate genes involved in drought responses in Festuca mairei[J]. Molecular Genetics and Genomies,2007,277(5):571-587.

[282] WANG L L,QU J J. NMDI:A normalized multi-band drought index for monitoring soil and vegetation moisture with satellite remote sensing[J]. Geophysical Research Letters,2007,34(20):1-5.

[283] KENNEY D. Drought and water crises:science, technology, and management issues[M]. Boca Raton:Crc Press,2005.

[284] KUSTAS W P, NORMAN J M, ANDERSON M C, et al. Estimating

subpixel surface temperatures and energy fluxes from the vegetation index-radiometric temperature relationship[J]. Remote Sensing of Environment, 2003, 85(4):429-440.

[285] XIN L,XIAO L,ZHU M A. Analysis on the,drought characteristics in the main arid regions in the world since recent hundred-odd years[J]. Arid Zone Research,2004,21(2):97-103.

[286] XUE Y,CRACKNELL A P. Advanced thermal inertia modeling. int j remote sens[J]. International Journal of Remote Sensing, 1995, 16(3):431-446.

[287] YIRDAW S Z, SNELGROVE K R, AGBOMA C O. GRACE satellite observations of terrestrial moisture changes for drought characterization in the Canadian Prairie[J]. Journal of Hydrology,2008,356(1-2):84-92.

附录一　农业干旱等级

（GB/T　32136—2015）

1　范围

本标准规定了农业干旱的等级划分和指标计算方法。

本标准适用于农业干旱监测、预警与评估。

2　规范性引用文件

下列文件对于本文件的应用是必不可少的。凡是注日期的引用文件，仅注日期的版本适用于本文件。凡是不注日期的引用文件，其最新版本（包括所有的修改单）适用于本文件。

3　术语和定义

下列术语和定义适用于本文件。

3.1　作物需水量 crop water requirement

农作物正常生长发育情况下，农田蒸发与作物蒸腾之和。

3.2　作物需水临界期 critical period of crop water requirement

作物水分临界期

作物生育和产量形成过程中对水分多少反应最敏感的时期。这个时期如果水分供应不足或者过多，将严重阻碍正常生长发育并导致显著减产。

3.3　作物系数 crop coefficient

在土壤水分充分供应的条件下，作物的实际蒸散量与作物参考蒸散量的比值。

3.4 作物水分亏缺指数 crop water deficit index

外界水分不能满足作物需水量的部分占作物需水量的比例,以百分率(%)表示。

3.5 作物水分亏缺距平指数 crop water deficit abnormal index

归一化的作物水分亏缺指数与其平均值之差,以百分率(%)表示。

3.6 土壤相对湿度指数 soil relative moisture index

作物根层平均土壤相对湿度与作物发育期调节系数的乘积,以百分率(%)表示。

3.7 农田与作物干旱形态指标 cropland state and crops morphological index under drought situation

根据农田和作物受干旱影响下的外在形态特征确定的干旱指标。

3.8 农业干旱 agricultural drought

农作物生长季内,因水分供应不足导致农田水量供需不平衡,阻碍作物正常生长发育的现象。

3.9 农业干旱等级 grade of agricultural drought

描述不同农业干旱程度的级别标准。

4 等级划分

农业干旱等级分为4级,分别为1、2、3、4,对应的干旱等级类型为轻旱、中旱、重旱、特旱。

采用作物水分亏缺距平指数、土壤相对湿度指数、农田与作物干旱形态指标来进行农业干旱的界定。

5 等级指标

5.1 作物水分亏缺距平指数

基于作物水分亏缺距平指数(CWDIa)的等级见附表1.1。

附表 1.1　基于作物水分亏缺距平指数(CWDIa)的等级

等级	类型	作物水分亏缺距平指数/%	
		作物需水临界期	其余发育期
1	轻旱	35<CWDIa≤50	40<CWDIa≤55
2	中旱	50<CWDIa≤65	55<CWDIa≤70
3	重旱	65<CWDIa≤80	70<CWDIa≤85
4	特旱	CWDIa>80	CWDIa>85

5.2　土壤相对湿度指数

基于土壤相对湿度指数(Rsm) 的等级见附表 1.2。

附表 1.2　基于土壤相对湿度指数(Rsm)的等级

等级	类型	土壤相对湿度指数/%		
		砂土	壤土	黏土
1	轻旱	45≤Rsm<55	50≤Rsm<60	55≤Rsm<65
2	中旱	35≤Rsm<45	40≤Rsm<50	45≤Rsm<55
3	重旱	25≤Rsm<35	30≤Rsm<40	35≤Rsm<45
4	特旱	Rsm<25	Rsm<30	Rsm<35

注:土壤质地分类参见附录 1. A。

5.3　农田与作物干旱形态指标

基于农田与作物干旱形态指标的等级见附表 1.3。

附表 1.3　基于农田与作物干旱形态指标的等级

等级	类型	农田与作物干旱形态				
		播种期		旱地作物	水稻	生长发育
		旱地	水田	出苗期	移栽期	阶段
1	轻旱	出现干土层,且干土层厚度小于 3 cm	因旱不能适时整地,水稻本田期不能及时按需供水	因旱出苗率为 60%~80%	栽插用水不足,秧苗成活率为 80%~90%	因旱叶片上部卷起

附表 1.3(续)

等级	类型	农田与作物干旱形态				
		播种期		旱地作物出苗期	水稻移栽期	生长发育阶段
		旱地	水田			
2	中旱	干土层厚度 3 cm~6 cm	因旱水稻田断水,开始出现干裂	因旱播种困难,出苗率为 40%~60%	因旱不能插秧;秧苗成活率为 60%~80%	因旱叶片白天凋萎
3	重旱	干土层厚度 7 cm~12 cm	因旱水稻田干裂	因旱无法播种或出苗率为 30%~40%	因旱不能插秧;秧苗成活率为 50%~60%	因旱有死苗、叶片枯萎、果实脱落现象
4	特旱	干土层厚度大于 12 cm	因旱水稻田开裂严重	因旱无法播种或出苗率低于 30%	因旱不能插秧;秧苗成活率小于 50%	因旱植株干枯死亡

5.4 使用原则

当具有计算作物水分亏缺距平指数所需要的观测资料时,使用作物水分亏缺距平指数划分农业干旱等级。当具有连续土壤水分观测资料时,采用土壤相对湿度指数划分农业干旱等级。当上述两者划分的农业干旱等级出现分歧时,以作物水分亏缺距平指数划分的等级为准。当前面两者资料均不具备时,采用农田与作物干旱形态指标划分农业干旱指标等级。

6 指标计算方法及适用范围

6.1 作物水分亏缺距平指数计算方法及适用范围

作物水分亏缺指数是表征作物水分亏缺程度的指标之一,但由于在不同季节、不同气候区域,作物种类不同,蒸散差别较大,作物水分亏缺指数难于以统一的标准表达各区域水分亏缺程度,因此,本标准选用作物水分亏缺距平指数以消除区域与季节差异。本指数适用范围为气象要素观测齐备的各种农区。

某时段作物水分亏缺距平指数(CWDIa) 按式(1.1)计算：

$$\mathrm{CWDIa}=\begin{cases}\dfrac{\mathrm{CWDI}-\overline{\mathrm{CWDI}}}{100-\overline{\mathrm{CWDI}}}\times 100\% & \overline{\mathrm{CWDI}}>0\\ \mathrm{CWDI} & \overline{\mathrm{CWDI}}\leqslant 0\end{cases} \tag{1.1}$$

式中：

CWDIa——某时段作物水分亏缺距平指数；

CWDI——某时段作物水分亏缺指数,计算见式(1.2)；

$\overline{\mathrm{CWDI}}$——所计算时段同期作物水分亏缺指数平均值(取 30 年),其计算见式(1.3)。

$$\mathrm{CWDI}=a\times \mathrm{CWDI}_j+b\times \mathrm{CWDI}_{j-1}+c\times \mathrm{CWDI}_{j-2}+d\times \mathrm{CWDI}_{j-3}+e\times \mathrm{CWDI}_{j-4} \tag{1.2}$$

式中：

CWDI——某时段水分亏缺指数,%；

CWDI_j——第 j 时间单位(本标准取 10 天)的水分亏缺指数,%,按式(1.4)计算；

CWDI_{j-1}——第 $j-1$ 时间单位的水分亏缺指数,%；

CWDI_{j-2}——第 $j-2$ 时间单位的水分亏缺指数,%；

CWDI_{j-3}——第 $j-3$ 时间单位的水分亏缺指数,%；

CWDI_{j-4}——第 $j-4$ 时间单位的水分亏缺指数,%；

a 、b 、c 、d 、e——各时间单位水分亏缺指数的权重系数,a 取值为 0.3;b 取值为 0.25;c 取值为 0.2;d 取值为 0.15;e 取值为 0.1。各地可根据当地情况,通过历史资料分析或田间试验确定系数值。

$$\overline{\mathrm{CWDI}}=\frac{1}{n}\sum_{i=1}^{n}\mathrm{CWDI}_i \tag{1.3}$$

式中：

n——30,代表最近 3 个年代；

i——各年的序号,$i=1,2,\cdots,n$。

$$\mathrm{CWDI}_j=\left(1-\frac{P_j+I_j}{ETc_j}\right)\times 100\% \tag{1.4}$$

式中：

P_j——某 10 天的累计降水量,单位为毫米(mm)；

I_j——某 10 天的灌溉量,单位为毫米(mm)；

ETc_j——作物某 10 天的潜在蒸散量,单位为毫米(mm), 可由式(1.5)

计算：

$$ETc_j = K_c \cdot ET_0 \tag{1.5}$$

式中：

ET_0——某10天的参考作物蒸散量（计算方法见GB/T 20481—2011）；

K_c——某10天某种作物所处发育阶段的作物系数或多种作物的平均作物系数，有条件的地区可以根据试验数据来确定本地的作物系数（计算方法见附录1.B），无条件地区可以直接采用FAO的数值或国内临近地区通过试验确定的数值（见附录1.C）。

6.2 土壤相对湿度指数的计算方法及适用范围

土壤相对湿度指数是表征土壤干旱的指标之一，能直接反映作物可利用水分的状况。本标准采用的土壤相对湿度在作物播种期和苗期土层厚度取0 cm~20 cm，其他生长发育阶段取0 cm~50 cm。

本指数适用范围为旱地作物区。土壤相对湿度指数按式(1.6)计算：

$$\mathrm{Rsm} = \alpha \times \left(\sum_{i=1}^{n} \frac{w_i}{fc_i} \times 100\% \right) / n \tag{1.6}$$

式中：

Rsm——土壤相对湿度指数，%；

α——作物发育期调节系数，苗期为1.1，水分临界期（主要作物水分临界期划分见附录1.D）为0.9，其余发育期为1；

w_i——第i层土壤湿度，%，计算方法见附录1.E；

fc_i——第i层土壤田间持水量，%，计算方法见附录1.E；

n——作物发育阶段对应土层厚度内相同厚度（以10 cm为划分单位）的各观测层次土壤湿度 测值的个数（在作物播种期和苗期$n=2$，其他生长阶段$n=5$）。

6.3 农田与作物干旱形态指标的原理及适用范围

农田与作物干旱形态指标是表征农田和作物受水分胁迫程度外在形态的重要指标之一，直观地反映出农业干旱对作物的影响程度。采用田间观测取样方法，以农田干燥程度、作物播种出苗（秧苗移栽）状况、叶片萎蔫程度等为综合指标。本指标适用范围为农区旱情实地调查。

附录 1. A

(资料性附录)
我国土壤质地的分类标准

我国土壤质地的分类标准见附表 1. A. 1。

附表 1. A. 1 我国土壤质地的分类标准

质地组	质地名称	各粒级占百分比/%		
		砂粒 0. 05 mm~1 mm	粗粉粒 0. 01 mm~0. 05 mm	胶粒 <0. 01 mm
砂土	粗砂土	>70	—	—
	细砂土	60~70	—	—
	面砂土	50~60	—	—
壤土	粉砂土	>20	—	—
	粉土	<20	>40	<30
	粉壤土	>20	—	—
	黏壤土	<20	>40	—
黏土	砂黏土	>50	—	>30
	粉黏土	—	—	30~35
	壤黏土	—	—	35~40
	黏土	—	—	>40

附录 1.B

(规范性附录)

作物系数(K_c)值的计算方法

1.B.1 作物系数(K_c)的计算原理与计算方法

作物系数(K_c)是计算农田实际蒸散量的重要参数之一,其基本定义为在土壤水分充分供应时,作物的实际蒸散量(ET_C) 与可能蒸散量(ET_0)的比值。作物系数通常是采用田间试验的方法确定,作物的实际蒸散量和可能蒸散量都是用仪器测定得到的,由于不同的气候区、不同的作物以及作物生长的不同阶段,作物的实际蒸散量是不同的,因此作物系数也是不同的,有条件的地区可以根据实验数据来确定本地的作物系数;无条件的地区,可根据式(1.B.1) 的方法确定,也可参照邻近区域的作物参考值来确定(参见附录 1.C)。

$$K_c = \frac{ET_c}{ET_0} \tag{1.B.1}$$

K_c 也可采用联合国粮农组织(FAO) 推荐的方法计算。

1.B.2 联合国粮农组织的作物系数 K_c 计算方法

采用联合国粮农组织推荐的单作物系数 K_c 计算方法,将作物发育期分为 3 个主要阶段,即初期、中期、后期,分别给出 3 个阶段的 K_c 参考值:$K_{c\ \mathrm{ini}}$、$K_{c\ \mathrm{mid}}$、$K_{c\ \mathrm{end}}$ 再根据区域的气候、农田管理、降水分布等进行调整。作物的发育期与 K_c 参考值的划分如附图 1.B.1 所示。

各生育阶段的作物系数 K_c 的参考值列于附表 1.B.1,表中数据适用于半湿润气候区(相对湿度≈45%,风速≈2 m/s),管理良好。不受环境要素胁迫的作物,需与 FAO 推荐的 ET_0 计算公式匹配使用。

$K_{c\ \mathrm{ini}}$ 是作物生长发育初期湿润时间间隔与蒸散速率的函数,表中所列的 $K_{c\ \mathrm{ini}}$ 溉条件下,其他条件下需要进行订正,可根据附图 1.B.2、附图 1.B.3 进行估计。

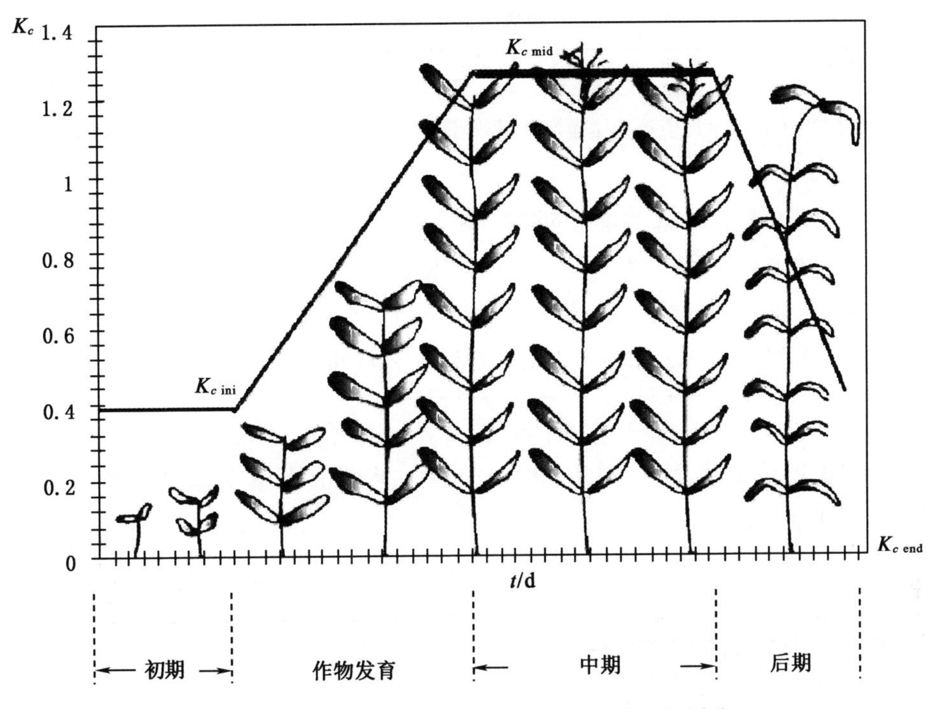

附图 1.B.1 作物发育期及其 K_c 参考值的阶段划分

附表 1.B.1 FAO 主要作物各生育阶段的作物系数 K_c 的参考值

作物	$K_{c\ ini}$ [a]	$K_{c\ mid}$	$K_{c\ end}$	最大作物高度/m
冬小麦	0.4 土壤封冻 0.7 未封冻	1.15	0.2~0.4[b]	1.0
春小麦	0.3	1.15	0.2~0.4[b]	1.0
玉米	0.3	1.20	0.60,0.35[c]	2.0
水稻	1.05	1.20	0.9~0.6	1.0
棉花	0.35	1.15~1.20	0.70~0.50	1.2~1.5
高粱	0.3	1.0~1.10	0.55	1.0~2.0
大豆	0.4	1.15	0.50	0.5~1.0
花生	0.4	1.15	0.60	0.4
向日葵	0.7~0.8	1.05~1.2[b]	0.7~0.8[d]	2.0
油菜	0.35	1.0~1.15[b]	0.35[d]	0.6
马铃薯	0.5	1.15	0.75[c]	0.6

附表 1. B. 1(续)

作物	$K_{c\ ini}$[a]	$K_{c\ mid}$	$K_{c\ end}$	最大作物高度/m

[a] 表中的 $K_{c\ ini}$ 常规值较土壤湿润的状况偏低,对经常喷灌和几乎天天降雨的地区其值可增大到 1.0~1.2。

[b]手工收割的作物 $K_{c\ end}$ 值高于机械收割。

[c]$K_{c\ end}$ 的前值表示籽粒含水量较高的情况,后值表示在籽粒干燥的情况。

[d]在雨养农业区作物的 $K_{c\ mid}$ 值低于高密度种植区。

[e]生长周期长,直到地上部分枯死的马铃薯 $K_{c\ end}$ 值为 0.4 左右。

附图 1. B. 2 适用于作物生长初期各种类型土壤由于降水或灌溉增加 3 mm~10 mm 态下。

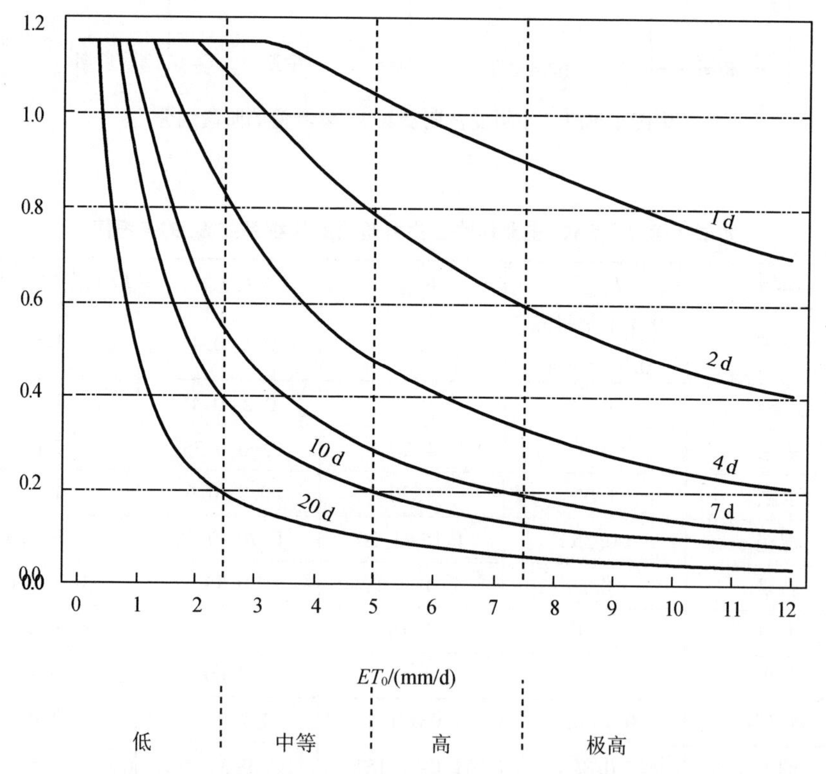

附图 1. B. 2　土壤水分增加 3 mm~10 mm 以后的 $K_{c\ ini}$ 值的变化

附图 1. B. 3 是极湿事件情况,附图 1. B. 3(a)适用于粗粒结构土壤,附图 1. B. 3(b)适用于细粒和中粒结构土壤,由于降水或灌溉使土壤水分增加 40 mm 之后的情况。

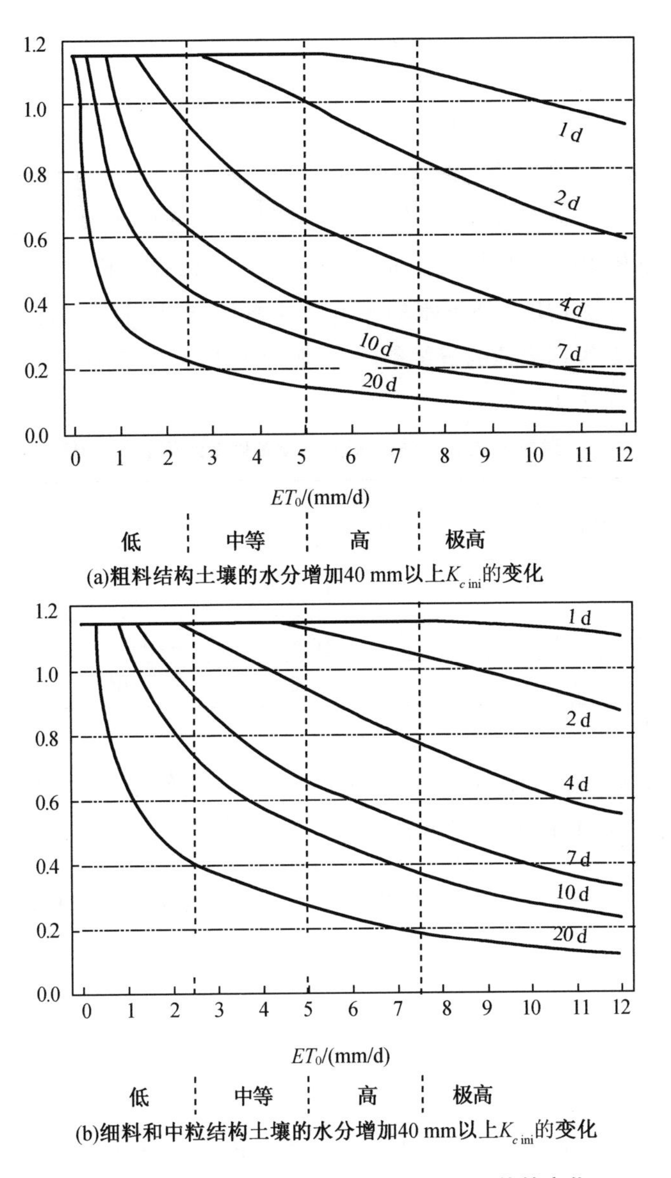

附图 1. B. 3　土壤水分增加 40 mm 以上 $K_{c\ ini}$ 值的变化

当由于降水或灌溉使土壤水分增加 10 mm~40 mm 之后，$K_{c\ ini}$ 可根据式(1.B.2)由附图 1.B.2、附图 1.B.3 来估计：

$$K_{c\ ini} = K_{c\ ini(附图1.B.2)} + \frac{I-10}{40-10}\left[K_{c\ ini(附图1.B.2)} - K_{c\ ini(附图1.B.3)}\right] \tag{1.B.2}$$

式中：

$K_{c\ ini(附图1.B.2)}$——附图 1.B.2 中的 K_c 值；

$K_{c\ ini(附图1.B.3)}$——附图 1.B.3 中的 K_c 值；

I——平均降水量或灌溉量(mm)；

10 和 40——附图 1.B.2、附图 1.B.3 的平均降水量或灌溉量。

生长季稻田的水深为 0.10 m~0.20 m，在生长初期 E。主要来自于标准的水面蒸发。附表 1.B.1 所列水稻 $K_{c\ ini}$ 为半湿润气候、中等风速条件下的取值。水稻 $K_{c\ ini}$ 需要根据当地的气候条件，按照附表 1.B.2 来调整。

附表 1.B.2　FAO 不同气候条件下水稻 $K_{c\ ini}$ 的值

气候	风速		
	低	中	高
干旱-半干旱	1.10	1.15	1.20
半湿润-湿润	1.05	1.10	1.15
极湿	1.00	1.05	1.10

在湿度不等于 45%，风速大于或小于 2 m/s 气候条件下，附表 1.B.1 中的 $K_{c\ mid}$ 需要按式(1.B.3)进行调整：

$$K_{c\ mid} = K_{c\ mid(附表1.B.1)} + \left[0.04(u_2-2) - 0.004(RH_{min}-45)\right]\left(\frac{h}{3}\right)^{0.3} \tag{1.B.3}$$

式中：

$K_{c\ mid(附表1.B.1)}$——附表 1.B.1 中的 $K_{c\ mid}$ 值；

u_2——作物生长中期草地上 2 m 的日平均风速，$1\ m/s \leq u_2 \leq 6\ m/s$；

RH_{min}——作物生长中期的日最小相对湿度，$20\% \leq RH_{min} \leq 80\%$；

h——作物生长中期的平均高度，$0.1\ m \leq h \leq 10\ m$。

当附表 1.B.2 所列 $K_{c\ end}$ 值大于 0.45 时，可参照 $K_{c\ mid}$ 的方法，将式(1.B.3) 中的 $K_{c\ mid}$ 替换成 $K_{c\ end}$ 进行修正。

附录　1.C

(资料性附录)
国内部分地区作物系数(K_c)参考值

冬小麦、春小麦、棉花、夏玉米、春玉米、早稻、晚稻、中稻的各月作物系数 K_c 值分别见附表 1.C.1、附表 1.C.2、附表 1.C.3、附表 1.C.4、附表 1.C.5、附表 1.C.6、附表 1.C.7、附表 1.C.8。

附表 1.C.1　冬小麦各月作物系数 K_c 值

地区	10月	11月	12月	1月	2月	3月	4月	5月	6月
山西	0.58	0.76	0.4	0.14	0.24	0.58	1.04	1.24	0.84
河北	0.85	0.92	0.54	0.33	0.24	0.42	1.14	1.42	0.73
河南	0.63	0.83	0.93	0.31	0.50	0.91	1.40	1.29	0.60
山东	0.67	0.70	0.74	0.64	0.64	0.90	1.22	1.13	0.83
安徽	1.18	1.15	1.25	1.13	1.14	1.07	1.16	0.87	—
江苏	1.14	1.14	1.19	0.82	0.91	0.86	1.77	1.43	0.41

附表 1.C.2　小麦各月作物系数 K_c 值

地区	3月	4月	5月	6月	7月	8月	9月	全生育期
辽宁	—	0.58	0.77	0.89	1.19	—	—	0.82
内蒙古	—	0.47~0.55	0.78~0.9	1.16~1.59	0.82~1.48	—	—	0.92~1.13
青海	0.25~0.64	0.29~0.75	0.97~1.23	1.0~0.32	0.97~1.97	1.01	1.41	0.9~1.15
宁夏	0.9	0.5	1.43	1.31	0.61	—	—	1.118

附表 1.C.3　棉花各月作物系数 K_c 值

地区	4月	5月	6月	7月	8月	9月	10月	全生育期
山东	0.53~0.62	0.6~0.67	0.52~0.73	1.24~1.43	1.4~1.43	1.06~1.26	0.69~0.98	0.94~0.97
河北	0.38~0.78	0.38~0.62	0.53~0.73	0.78~1.07	1.07~1.21	0.89~1.39	0.74~0.78	0.71~0.75
河南	0.32~0.69	0.32~0.69	0.48~1.07	1.07~1.28	1.23~1.73	0.55~1.4	0.55~1.2	0.87~0.89
陕西	0.66	0.60~0.73	0.69~0.77	1.16~1.23	1.29~1.44	1.25~1.58	1.60~1.65	0.96
江苏	—	0.49	0.85	1.32	1.26	1.1	1.06	0.97

附表 1.C.4　夏玉米各月作物系数 K_c 值

地区	6月	7月	8月	9月	全生育期
山东	0.47~0.88	0.92~1.08	1.27~1.56	1.06~1.27	1.05~1.18
河北	0.49~0.65	0.6~0.84	0.94~1.22	1.34~1.76	0.84~0.96
河南	0.47~0.85	1.13~1.35	1.67~1.79	1.06~1.32	0.99~1.14
陕西	0.5~0.54	0.67~1.05	0.94~1.43	0.99~1.86	0.85~1.07

附表 1.C.5　春玉米各月作物系数 K_c 值

地区	4月	5月	6月	7月	8月	9月	全生育期
辽宁	0.36~0.46	0.4~0.7	0.7~0.92	1.13~1.26	1.04~1.25	0.77~0.89	0.76~0.82
内蒙古	—	0.16	0.62	1.51	1.39	1.21	0.86
陕西	0.55	0.75~0.79	0.78~0.79	1.18~1.64	0.95~1.68	1.09~1.25	0.89~1.07

附表 1.C.6　早稻各月作物系数 K_c 值

地区	3月	4月	5月	6月	7月
湖南	—	1	1.03~1.32	1.29~1.48	1.17~1.45
广东	1.65	1.39~1.46	1.29~1.48	1.44~1.45	1.19~1.31
广西	—	1.02~1.09	1.11~1.12	1.1~1.14	0.99~1.03
福建	—	1.08~1.12	1.18~1.33	1.19~1.34	1.08~1.21
浙江	—	—	0.93~1.52	1.01~1.81	0.94~1.51
湖北	—	1	1.09~1.32	1.30~1.44	1.20~1.26
安徽	—	1.07	1.13~1.29	1.23~1.45	1.09~1.49

附表 1.C.7　晚稻各月作物系数 K_c 值

地区	6月	7月	8月	9月	10月	11月
湖南	—	0.9~1.07	1.12~1.29	1.33~1.57	1.18~1.57	1
广东	1.41	1.12~1.16	1.30~1.37	1.53~1.54	1.51~1.53	1.33~1.49
广西	—	—	1.03~1.05	1.1~1.15	1.09~1.12	1.05~1.10
福建	—	0.99~1	1.10~1.16	1.44~1.47	1.47~1.57	1.23~1.42
浙江	—	—	1.07~1.41	1.12~1.51	0.85~1.34	0.84~1.16
湖北	—	1.01~1.09	1.09~1.15	1.26~1.42	1.10~1.33	—
安徽	—	1.02~1.24	1.17~1.61	1.37~1.80	1.11~1.74	—

附表 1. C. 8　中稻各月作物系数 K_c 值

地区	5 月	6 月	7 月	8 月	9 月
安徽	1. 02	1 ~ 1. 33	1. 20 ~ 1. 35	1. 20 ~ 1. 45	1. 05 ~ 1. 30
四川	1. 0 ~ 1. 3	1. 1 ~ 1. 5	1. 1 ~ 1. 7	1. 2 ~ 1. 8	1. 0 ~ 1. 6
湖北	1. 35	1. 5	1. 4	0. 94	1. 24
云南	1. 3	1. 5	1. 7	1. 8	1. 5
陕西	1. 62	1. 28 ~ 1. 64	1. 54 ~ 1. 72	1. 37 ~ 1. 8	1. 79 ~ 1. 98

附录　1. D

(资料性附录)
主要作物需水临界期

主要作物的需水临界期见附表 1. D. 1。

附表 1. D. 1　主要作物的需水临界期

作物	需水临界期
冬小麦	孕穗至抽穗
春小麦	孕穗至抽穗
水稻	孕穗至开花
玉米	孕穗至乳熟
油菜	抽薹至开花
棉花	开花至成铃
大豆	开花至鼓粒
花生	开花下针至结荚
高粱	孕穗至灌浆
谷子	孕穗至灌浆
向日葵	花盘形成至开花
马铃薯	开花至块茎形成

附录　1.E

(规范性附录)
土壤湿度与田间持水量计算方法

土壤湿度通常用重量含水率表示,按式(1.E.1) 计算:

$$W=\frac{m_w-m_d}{m_d}\times 100\%\tag{1.E.1}$$

式中:

W——土壤湿度;

m_w——湿土重量,单位为克(g);

m_d——干土重量,单位为克(g)。

土壤田间持水量(f_{ci})测定和计算方法多采用田间小区灌水法:选择4 m^2(2 m×2 m)的小区,除草平整后,做土埂围好;对小区进行灌水,灌水量按式(1.E.2)计算 :

$$Q=b\times\frac{(a-W)\times\rho\times s\times h}{100}\tag{1.E.2}$$

式中:

Q——灌水量,单位为立方米(m^3);

a——所测土层中的假设平均田间持水量, 一般砂土取20%,壤土25%,黏土取27%;

W—— 灌水前的土壤湿度;

ρ—— 所测深度的土壤容重,单位为克每立方米(g/m^3),一般取1.5;

s——小区面积,单位为平方米(m^2);

h ——测定的深度,单位为米(m);

b——小区需水量的保证系数, 一般取2。

在土壤排除重力水后,测定土壤湿度,即田间持水量。土壤排除重力水的时间因土质而异, 一般砂性土需1 d~2 d, 壤性土需2 d~3 d, 黏性土需3 d~4 d。在测定土壤湿度时,每天取样一次,每次取4个重复的平均值,当同一层次前后两次测定的土壤湿度差值<2.0%时,则第2次的测定值即为该层的田间持水量。

参考文献

[1]　国家气象局. 农业气象观测规范[M]. 北京:气象出版社,1993.

[2]　Crop Evapotranspiration (guidelines for computing crop water requirements) FAO Irrigation and Drainage Paper No. 56. 1998.

[3]　朱炳海,王鹏飞,束家鑫. 气象学词典[M]. 上海:上海辞书出版社,1985.

[4]　中国农业科学院. 中国农业气象[M]. 北京:农业出版社,1999.

[5]　河海大学,水利部水利信息中心. 土壤墒情监测规范[M]. 北京:中国水利水电出版社,2005.

[6]　“华北平原作物水分胁迫与干旱研究”课题组. 作物水分胁迫与干旱研究[M]. 郑州:河南科学技术出版社,1991.

[7]　程纯枢,陶毓汾,韩湘玲,等. 中国农业百科全书(气象卷)[M]. 北京:气象出版社,1986.

[8]　李世奎,候光良,欧阳海,等. 中国农业气候资源和农业气候区划[M]. 北京:气象出版社,1988.

[9]　国家防汛抗旱总指挥部办公室,水利部南京水文水资源研究所. 中国水旱灾害[M]. 北京:中国水利水电出版社,1997.

[10]　张养才,何维勋,李世奎. 中国农业气象灾害概论[M]. 北京:气象出版社,1991.

附录二　气象干旱等级

（GB/T　20481—2017）

1　范围

本标准规定了气象干旱指数的计算方法、等级划分标准以及干旱过程的确定方法。

本标准适用于气象、农业、水文等相关领域的干旱监测、评估业务与科研。

2　规范性引用文件

下列文件对于本文件的应用是必不可少的。凡是注日期的引用文件，仅注日期的版本适用于本文件。凡是不注日期的引用文件，其最新版本（包括所有的修改单）适用于本文件。

GB/T 32135—2015　区域旱情等级

GB/T 32136—2015　农业干旱等级

3　术语和定义

下列术语和定义适用于本文件。

3.1　气象干旱 meteorological drought

某时段内，由于蒸散量和降水量的收支不平衡，水分支出大于水分收入而造成地表水分短缺的现象。

3.2　气象干旱指数 meteorological drought index

根据气象干旱形成的原理，构建由降水量、蒸散量等要素组成的综合指标，用于监测或评价某区域某时间段内由于天气气候异常引起的地表水分短缺的程度。

3.3　气象干旱等级 grades of meteorological drought

描述气象干旱程度的级别。

3.4　降水量距平百分率 precipitation anomaly in percentage;PA

某时段的降水量与同期气候平均降水量之差除以同期气候平均降水量的百分比,单位用百分率(%)表示。

3.5　潜在蒸散量 potential evapotranspiration;PET

在下垫面足够湿润条件下,水分保持充分供应的蒸散量,单位用毫米(mm)表示。

3.6　相对湿润度指数 relative moisture index;MI

某时段的降水量与同期潜在蒸散量之差除以同期潜在蒸散量的值。

3.7　标准化降水指数 standardized precipitation index;SPI

假设某时间段降水量服从Γ概率分布,对其经过正态标准化处理得到的指数。

3.8　标准化降水蒸散指数 standardized precipitation evapotranspiration index;SPEI

假设某时间段降水量与潜在蒸散量之差服从 log-logistic 概率分布,对其经过正态标准化处理得到的指数。

3.9　帕默尔干旱指数 palmer drought severity index;PDSI

基于土壤水分平衡原理,考虑降水量、蒸散量、径流量和土壤有效储水量等要素,由帕默尔(Wayne C. Palmer)等提出而建立的一种干旱指数。

3.10　气象干旱综合指数 meteorological drought composite index;MCI

综合考虑前期不同时间段降水和蒸散对当前干旱的影响而构建的一种干旱指数。

4 降水量距平百分率

4.1 概述

降水量距平百分率(PA) 是用于表征某时段降水量较常年值偏多或偏少的指标之一,能直观反映降 水异常引起的干旱, 一般适用于半湿润、半干旱地区平均气温高于 10 ℃的时间段干旱事件的监测和评估。

4.2 降水量距平百分率干旱等级

依据降水量距平百分率(PA) 划分的干旱等级见附表 2.1。

附表 2.1 降水量距平百分率干旱等级划分表

等级	类型	降水量距平百分率/%		
		月尺度	季尺度	年尺度
1	无旱	-40<PA	-25<PA	-15<PA
2	轻旱	-60<PA≤-40	-50<PA≤-25	-30<PA≤-15
3	中旱	-80<PA≤-60	-70<PA≤-50	-40<PA≤-30
4	重旱	-95<PA≤-80	-80<PA≤-70	-45<PA≤-40
5	特旱	PA≤-95	PA≤-80	PA≤-45

4.3 降水量距平百分率计算方法

降水量距平百分率的计算原理和方法见附录 2. A。

5 相对湿润度指数

5.1 概述

相对湿润度指数(MI)是用于表征某时段降水量与蒸散量之间平衡状况的指标之一。本指数反映作物生长季节大气中的水分平衡特征,适用于作物生长季节月以上尺度的干旱监测和评估。

5.2 相对湿润度指数干旱等级

依据相对湿润度指数划分的干旱等级见附表 2.2。

附表 2.2　相对湿润度干旱等级的划分表

等级	类型	相对湿润度
1	无旱	-0.40<MI
2	轻旱	-0.65<MI≤-0.40
3	中旱	-0.80<MI≤-0.65
4	重旱	-0.95<MI≤-0.80
5	特旱	MI≤-0.95

5.3　相对湿润度指数计算方法

相对湿润度指数的计算原理和方法见附录 B，其中潜在蒸散量的计算方法见附录 2.C。

6　标准化降水指数

6.1　概述

标准化降水指数(SPI) 是用以表征某时段降水量出现概率多少的指标，该指标适用于不同地区不同时间尺度干旱的监测与评估。

6.2　标准化降水指数干旱等级

依据标准化降水指数划分的干旱等级见附表 2.3。

附表 2.3　标准化降水指数干旱等级划分表

等级	类型	SPI
1	无旱	-0.5<SPI
2	轻旱	-1.0<SPI≤-0.5
3	中旱	-1.5<SPI≤-1.0
4	重旱	-2.0<SPI≤-1.5
5	特旱	SPI≤-2.0

6.3　标准化降水指数计算方法

标准化降水指数的计算原理和方法见附录 2.D。

7 标准化降水蒸散指数

7.1 概述

标准化降水蒸散指数(SPEI) 是用于表征某时段降水量与蒸散量之差出现概率多少的指标,该指标适合于半干旱、半湿润地区不同时间尺度干旱的监测与评估。

7.2 标准化降水蒸散指数干旱等级

依据标准化降水蒸散指数划分的干旱等级见附表 2. 4。

附表 2. 4 标准化降水蒸散指数干旱等级划分表

等级	类型	SPEI
1	无旱	-0. 5<SPEI
2	轻旱	-1. 0<SPEI≤-0. 5
3	中旱	-1. 5<SPEI≤-1. 0
4	重旱	-2. 0<SPEI≤-1. 5
5	特旱	SPEI≤-2. 0

7.3 标准化降水蒸散指数计算方法

标准化降水蒸散指数的计算原理和方法见附录 2. E。

8 帕默尔干旱指数

8.1 概述

帕默尔干旱指数(PDSI) 依据土壤水分平衡原理建立,用于表征某时间段某地区土壤实际水分供应相对于当地气候适宜水分供应的亏缺程度。针对不同的地区,需要对计算公式中用到的各种参数进行修订。该指标适用于月以上尺度的干旱监测和评估。

8.2 帕默尔干旱指数干旱等级

依据帕默尔干旱指数划分的干旱等级见附表 2. 5。

附表 2.5　帕默尔干旱指数干旱等级划分表

等级	类型	PDSI
1	无旱	-1.0<PDSI
2	轻旱	-2.0<PDSI≤-1.0
3	中旱	-3.0<PDSI≤-2.00
4	重旱	-4.0<PDSI≤-3.0
5	特旱	PDSI≤-4.0

8.3　帕默尔干旱指数计算方法

帕默尔干旱指数的计算原理和方法见附录 2.F。

9　气象干旱综合指数

9.1　概述

干旱是由于降水长期亏缺和近期亏缺综合效应累加的结果,气象干旱综合指数(MCI) 考虑了 60 天内的有效降水(权重累积降水)、30 天内蒸散(相对湿润度)以及季度尺度(90 天)降水和近半年尺度(150 天)降水的综合影响。该指数考虑了业务服务的需求,增加了季节调节系数。该指数适用于作物生长季逐日气象干旱的监测和评估。干旱影响程度依据 GB/T 32135—2015 确定。

9.2　气象干旱综合指数等级

依据气象干旱综合指数划分的气象干旱等级见附表 2.6。

附表 2.6　气象干旱综合指数等级的划分表

等级	类型	MCI	于旱影响程度
1	无旱	-0.5<MCI	地表湿润,作物水分供应充足;地表水资源充足,能满足人们生产、生活需要
2	轻旱	-1.0<MCI≤-0.5	地表空气干燥,土壤出现水分轻度不足,作物轻微缺水,叶色不正;水资源出现短缺,但对生产、生活影响不大

附表 2.6(续)

等级	类型	MCI	干旱影响程度
3	中旱	$-1.5<MCI\leq-1.0$	土壤表面干燥,土壤出现水分不足,作物叶片出现萎蔫现象;水资源短缺,对生产、生活造成影响
4	重旱	$-2.0<MCI\leq-1.5$	土壤水分持续严重不足,出现干土层(1 cm~10 cm),作物出现枯死现象;河流出现断流,水资源严重不足,对生产、生活造成较重影响
5	特旱	$MCI\leq-2.0$	土壤水分持续严重不足,出现较厚干土层(大于10 cm),作物出现大面积枯死;多条河流出现断流,水资源严重不足,对生产、生活造成严重影响

9.3 气象干旱综合指数计算方法

气象干旱综合指数(MCI)的计算见式(2.1):

$$MCI=Ka\times(a\times SPIW_{60}+b\times MI_{30}+c\times SPI_{90}+d\times SPI_{150}) \quad (2.1)$$

式中:

MCI——气象干旱综合指数;

MI_{30}——近30天相对湿润度指数,计算方法见附录2.B;

SPI_{90}——近90天标准化降水指数,计算方法见附录2.D;

SPI_{150}——近150天标准化降水指数,计算方法见附录2.D;

$SPIW_{60}$——为近60天标准化权重降水指数,计算方法见附录2.G;

a——$SPIW_{60}$ 项的权重系数,北方及西部地区取0.3,南方地区取0.5;

b——MI_{30} 项的权重系数,北方及西部地区取0.5,南方地区取0.6;

c——SPI_{90} 项的权重系数,北方及西部地区取0.3,南方地区取0.2;

d——SPI_{150} 项的权重系数,北方及西部地区取0.2,南方地区取0.1;

Ka——为季节调节系数,根据不同季节各地主要农作物生长发育阶段对土壤水分的敏感程度确定(见GB/T 32136—2015),取值方法参见附录2.H。

注:本标准中北方及西部地区指我国西北、东北、华北和西南地区,南方地区指我国华南、华中、华东地区等地。

附录　2. A

(规范性附录)

降水量距平百分率的计算方法

降水量距平百分率反映某一时段降水量与同期平均状态的偏离程度,按式(2. A. 1) 计算:

$$PA=\frac{P-\overline{P}}{\overline{P}}\times 100\% \qquad (2.A.1)$$

式中:

PA——某时段降水量距平百分率,%;

P——某时段降水量,单位为毫米(mm);

$\overline{P}$——计算时段同期气候平均降水量,单位为毫米(mm), 按式(2. A. 2)计算。

$$\overline{P}=\frac{1}{n}\sum_{i=1}^{n}P_i \qquad (2.A.2)$$

式中:

n ——一般取 30,指 30 日(月或年);

P_i——计算时段第 i 日(月或年)降水量,单位为毫米(mm)。

附录　2. B

(规范性附录)

相对湿润度指数的计算方法

相对湿润度指数为某段时间的降水量与同时段内潜在蒸散量之差再除以同时段内潜在蒸散量得到的指数,按式(2. B. 1) 计算:

$$MI=\frac{P-PET}{PET} \qquad (2.B.1)$$

式中:

MI——某时段相对湿润度；

P——某时段的降水量，单位为毫米(mm)；

PET——某时段的潜在蒸散量，用 FAO Penman-Monteith 或 Thornthwaite 方法计算，单位为毫米(mm)。

附录 2.C

(规范性附录)

潜在蒸散量的计算方法

2.C.1 潜在蒸散量的计算

本标准推荐两种方法计算潜在蒸散量，即 Thornthwaite 方法和 FAO Penman-Monteith 方法。FAO Penman-Monteith 方法计算误差小，但需要的气象要素多，Thornthwaite 方法计算相对简单，需要的气象要素少，但有一定的局限性。使用者请根据资料条件选择合适的计算方法。

2.C.2 Thornthwaite 方法

Thornthwaite 方法求算潜在蒸散量是以月平均温度为主要依据，并考虑纬度因子(日照长度)建立的经验公式，需要输入的因子少，计算方法简单，见式(2.C.1)：

$$PET = 16.0 \times \left(\frac{10T_i}{H}\right)^A \tag{2.C.1}$$

式中：

PET——潜在蒸散量，此处是指月的潜在蒸散量，单位为毫米每月(mm/月)；

T_i——月的平均气温，单位为摄氏度(℃)；

H——年热量指数；

A——常数。

各月热量指数 H_i 由式(2.C.2)计算：

$$H_i = \left(\frac{T_i}{5}\right)^{1.514} \tag{2.C.2}$$

年热量指数 H 计算见式(2. C. 3)：

$$H=\sum_{i=1}^{12}H_i=\sum_{i=1}^{12}\left(\frac{T_i}{5}\right)^{1.514} \tag{2. C. 3}$$

常数 A 由式(2. C. 4) 计算：

$$A=6.75\times10^{-7}H^3-7.71\times10^{-5}H^2+1.792\times10^{-2}H+0.49 \tag{2. C. 4}$$

当月平均气温 $T\leqslant0$ ℃时，月热量指数 $H=0$，潜在蒸散量 PET=0[mm/月]。

2. C. 3　FAO Penman-Monteith 方法

2. C. 3. 1　FAO Penman-Monteith 方法介绍

FAO Penman-Monteith 方法是世界粮农组织(FAO) 推荐计算潜在蒸散量的方法。这里，定义潜在蒸散量为一种假想参照作物冠层的蒸散速率。假设作物植株高度为 0. 12 m，固定的作物表面阻力为 70 m/s，反射率为 0. 23，非常类似于表面开阔、高度一致、生长旺盛、完全遮盖地面而水分充分适宜的绿色草地的蒸散量。FAO Penman-Monteith 修正公式表达如式(2. C. 5)：

$$\mathrm{PET}=\frac{0.408\Delta(R_n-G)+\gamma\dfrac{900}{T_{mean}+273}u_2(e_s-e_a)}{\Delta+\gamma(1+0.34u_2)} \tag{2. C. 5}$$

式中：

PET——潜在蒸散量，单位为毫米每天($mm\cdot d^{-1}$)；

R_n——地表净辐射，单位为兆焦每米天($MJ\cdot m^{-1}\cdot d^{-1}$)；

G——土壤热通量，单位为兆焦每平方米天($MJ\cdot m^{-2}\cdot d^{-1}$)；

T_{mean}——日平均气温，单位为摄氏度(℃)；

u_2——2 m 高处风速，单位为米每秒(m/s)；

e_s——饱和水汽压，单位为千帕(kPa)；

e_a——实际水汽压，单位为千帕(kPa)；

Δ——饱和水汽压曲线斜率，单位为千帕每摄氏度($kPa\cdot ℃^{-1}$)；

γ——干湿表常数，单位为千帕每摄氏度($kPa\cdot ℃^{-1}$)。

2. C. 3. 2　FAO Penman-Monteith 方法潜在蒸散量计算步骤

1. 计算日平均气温(T_{mean})

由于 FAO Penman-Monteith 公式中温度资料的非线性分布，某时段的平均气温以该时段的日最高气温、日最低气温计算得来。月、季、年的日最高气温、日最低气温为月、季、年日最高气温、日最低气温的总和除以月、季、年的总日数得到。FAO Penman-Monteith 公式中用到的日平均气温(T_{mean})，建议由日最高气温(T_{max}) 和日最低气温(T_{min}) 的平均值计算得到,而不是当日 24 h 逐时(或一日 4 次、8 次)观测气温的平均值,计算式如(2. C. 6):

$$T_{mean}=\frac{T_{max}+T_{min}}{2} \tag{2. C. 2}$$

式中:

T_{mean}——日平均气温,单位为摄氏度(℃);

T_{max}——日最高气温,单位为摄氏度(℃);

T_{min}——日最低气温,单位为摄氏度(℃)。

2. 计算 2 m 高处风速(u)

在计算潜在蒸散时,需要 2 m 高处测量的风速。其他高度观测到的风速可以根据式(2. C. 7) 进行订正:

$$u_2=u_z\frac{4.87}{\ln(67.8z-5.42)} \tag{2. C. 7}$$

式中:

u_2——2 m 高处的风速,单位为米每秒($m \cdot s^{-1}$);

u_z——z m 高处测量的风速,单位为米每秒($m \cdot s^{-1}$);

z——风速计仪器安放的离地面高度,单位为米(m)。

3. 计算平均饱和水汽压(e_s)

饱和水汽压 e_0 与气温相关,计算式如(2. C. 8):

$$e_0(T)=0.6108\times\exp\left[\frac{17.27T}{T+237.3}\right] \tag{2. C. 8}$$

式中:

$e_0(T)$——气温为 T 时的饱和水汽压,单位为千帕(kPa);

T——空气温度,单位为摄氏度(℃)。

由于饱和水汽压方程(2. C. 8) 的非线性,日、旬、月等时间段的平均饱和水汽压应当以该时段的日最高气温、日最低气温计算出来的饱和水汽压的平均值来计算,如式(2. C. 9):

$$e_s=\frac{e_0(T_{max})+e_0(T_{min})}{2} \tag{2. C. 9}$$

式中:

e_s——平均饱和水汽压,单位为千帕(kPa);

$e_0(T_{max})$——为日最高气温 T_{max} 时的饱和水汽压,单位为千帕(kPa);

$e_0(T_{min})$——为日最低气温 T_{min} 时的饱和水汽压,单位为千帕(kPa)。

如果用平均气温代替日最高气温和日最低气温会造成偏低估计饱和水汽压 e_s, 的值,相应的饱和水汽压与实际水汽压的差减少,最终的潜在蒸散量的计算结果也会减少。

4. 计算实际水汽压(e_a)

实际水汽压 e_a, 就是露点温度 T_{dew} 下的饱和水汽压,单位为千帕(kPa)。实际水汽压计算式如式(2. C. 10):

$$e_a = e_0(T_{dew}) = 0.6108 \times \exp\left[\frac{17.27T_{dew}}{T_{dew}+237.3}\right] \qquad (2. C. 10)$$

式中:

e_a——实际水汽压,单位为千帕(kPa)

T_{dew}——露点温度,单位为摄氏度(℃);

$e_0(T_{dew})$—— 为露点温度 T_{dew} 下的饱和水汽压,单位为千帕(kPa)。

5. 计算饱和水汽压曲线斜率(Δ)

饱和水汽压与温度的斜率 Δ 的计算式如式(2. C. 11):

$$\Delta = \frac{4098 \times \left[0.6108 \times \exp\left(\frac{17.27T}{T+237.3}\right)\right]}{(T+237.3)^2} \qquad (2. C. 11)$$

式中:

Δ——在气温为 T 时的饱和水汽压斜率,单位为千帕每摄氏度(kPa · ℃$^{-1}$);

T—— 空气温度,单位为摄氏度(℃)。

6. 计算土壤热通量(G)

运用复杂模式可以计算土壤热通量。相对于净辐射 R_n 来说,土壤热通量 G 是很小的量,特别是当地表被植被覆盖、计算时间尺度是 24 h 或更长时。当计算较长的时间尺度时,简化公式(2. C. 12) 可以用来计算土壤热通量:

$$G = c_s \frac{T_i - T_{i-1}}{\Delta t} \Delta z \qquad (2. C. 12)$$

式中:

G——土壤热通量,单位为兆焦每平方米天(MJ · m^{-2} · d^{-1});

c_s——土壤热容量,单位为兆焦每立方米摄氏度(MJ · m^{-3} · ℃$^{-1}$);

T_i——时刻 i 时的空气温度,单位为摄氏度(℃);

T_{i-1}—— 时刻 $i-1$ 时的空气温度,单位为摄氏度(℃);

Δt——时间步长,单位为天(d);

Δz——有效土壤深度,单位为米(m)。

土壤热容量与土壤组成成分和水分含量有关。

一天至十天的时间尺度,参考草地的土壤热容量相当小,可以忽略不计,如式(2. C. 13):

$$G_{\text{day}} \approx 0 \tag{2. C. 13}$$

月时间尺度,假设在适当的土壤深度、土壤热容量为常数 2.1 MJ · m^{-3} · ℃$^{-1}$ 时,由方程(2. C. 14)可以用来估算月土壤热通量 G:

$$G = c_s \frac{T_i - T_{i-1}}{\Delta t} \Delta z = \frac{c_s \Delta z}{\Delta t}(T_{\text{month},i} - T_{\text{month},i-1}) = 0.14(T_{\text{month},i} - T_{\text{month},i-1}) \tag{2. C. 14}$$

式中:

$T_{\text{month},i}$——第 i 月时的平均气温,单位为摄氏度(℃);

$T_{\text{month},i-1}$——上月平均气温,单位为摄氏度(℃)。

7. 计算干湿表常数(γ)

干湿表常数 γ 由式(2. C. 15)计算得到:

$$\gamma = \frac{c_p P}{\varepsilon \lambda} = 0.665 \times 10^{-3} P \tag{2. C. 15}$$

式中:

γ——干湿表常数,单位为千帕每摄氏度(kPa · ℃$^{-1}$);

λ——蒸发潜热,取值 2.45 MJ · kg^{-1};

c_p——空气定压比热,取值 1.013×10^{-3} MJ · kg^{-1} · ℃$^{-1}$;

ε——水与空气的分子量之比,取值 0.622;

z——当地的海拔高度,单位为米(m);

P——大气压,单位为千帕(kPa), 无观测值时,可由式(2. C. 16) 计算。

$$P = 101.3 \times \left(\frac{293 - 0.0065z}{293}\right)^{5.26} \tag{2. C. 16}$$

8. 计算地表净辐射(R_n)

净辐射 R_n 是收入的短波净辐射 R_{ns} 和支出的长波净辐射 R_{nl} 之差,如式(2. C. 17):

$$R_n = R_{ns} - R_{nl} \tag{2. C. 17}$$

式中:

R_a——净辐射,单位为兆焦每平方米天(MJ · m^{-2} · d^{-1});

R_{as}——太阳净辐射或短波净辐射,单位为兆焦每平方米天(MJ · m^{-2} · d^{-1});

R_{al}——长波净辐射，单位为兆焦每平方米天($MJ \cdot m^{-2} \cdot d^{-1}$)。

计算地表净辐射的步骤如下：

第一步计算地球外辐射(R_a)。不同纬度一年中每日的地球外辐射 R_a 可以由太阳常数、太阳磁偏角和这一天在一年中位置来估计，计算式如式(2. C. 18)：

$$R_a = \frac{24 \times 60}{\pi} G_{sc} d_r [\omega_s \sin(\varphi)\sin(\delta) + \cos(\varphi)\cos(\delta)\sin(\omega_s)] \quad (2. C. 18)$$

式中：

R_a——地球外辐射，单位为兆焦每平方米天($MJ \cdot m^{-2} \cdot d^{-1}$)；

G_{sc}——太阳常数，取值 0. 0820 $MJ \cdot m^{-2} \cdot min^{-1}$；

d_r——反转日地平均距离，由方程(2. C. 19) 计算；

ω_s——日落时角，单位为弧度(rad)，由方程(2. C. 21)和(2. C. 22) 计算

φ——纬度，单位为弧度(rad)；

δ——太阳磁偏角，单位为弧度(rad)，由方程(2. C. 20) 计算。

日地平均距离 d 和太阳磁偏角 δ 由式(2. C. 19)、式 (2. C. 20) 计算：

$$d_r = 1 + 0.033\cos\left(\frac{2\pi}{365}J\right) \quad (2. C. 19)$$

$$\delta = 0.408\sin\left(\frac{2\pi}{365}J - 1.39\right) \quad (2. C. 20)$$

式中：

J——日序，取值范围为 1 到 365 或 366，1 月 1 日取日序为 1。

日落时角 ω_s 由式(2. C. 21) 计算：

$$\omega_s = \arccos[-\tan(\varphi)\tan(\delta)] \quad (2. C. 21)$$

如果在所使用的计算机语言中没有反余弦函数，日落时角 ω_s，也可以用反正切函数计算，如式(2. C. 22)：

$$\omega_s = \frac{\pi}{2} - \arctan\left[\frac{-\tan(\varphi)\tan(\delta)}{X^{0.5}}\right] \quad (2. C. 22)$$

式中：

$$X = 1 - [\tan(\varphi)]^2[\tan(\delta)]^2 \quad (2. C. 23)$$

如果 $X \leqslant 0$，$X = 0.000\ 01$。

第二步计算可日照时数(N)，由式(2. C. 24) 计算：

$$N = \frac{24}{\pi}\omega_s \quad (2. C. 24)$$

式中：

N——可日照时角；

ω_s——为式(2. C. 21) 或式(2. C. 22) 计算的日落时角。

第三步计算太阳辐射(R_s)，如果没有太阳辐射 R_s 的观测值,可以由太阳辐射与地球外辐射和相对日照的关系式(2. C. 25) 求得：

$$R_s=\left(a_s+b_s\frac{n}{N}\right)R_s \quad (2. C. 25)$$

式中：

R_s——太阳辐射或短波辐射,单位为兆焦每平方米天($MJ\cdot m^{-2}\cdot d^{-1}$)；

n——实际日照时数,单位为小时(h)；

N——最大可能日照时数,单位为小时(h)；

n/N——相对日照；

R_s——地球外辐射,单位为兆焦每平方米天($MJ\cdot m^{-2}\cdot d^{-1}$)；

a_s——表示阴天($n=0$)时到达地球表面的地球外辐射的透过系数；

a_s+b_s——晴天($n=N$)时到达地球表面的地球外辐射透过率。

a_s 和 b_s 随大气状况(湿度、尘埃)和太阳磁偏角(纬度和月份)而变化。当没有实际的太阳辐射资料和经验参数可以利用时,推荐使用 $a_s=0.25$, $b_s=0.50$。

第四步计算太阳净辐射或短波净辐射(R_{ns})。地表短波净辐射由接收和反射的太阳辐射的平衡来计算,如式(2. C. 26)：

$$R_{ns}=(1-\alpha)R_s \quad (2. C. 26)$$

式中：

R_{ns}——太阳净辐射或短波净辐射,单位为兆焦每平方米天($MJ\cdot m^{-2}\cdot d^{-1}$)；

α——反照率,此处取绿色草地参考作物的反照率 0. 23；

R_s——接收的太阳辐射,单位为兆焦每平方米天($MJ\cdot m^{-2}\cdot d^{-1}$)。

第五步计算晴空太阳辐射(R_{sc})。在接近海平面或者 a_s 和 b_s 有经验参数可以利用时,晴空太阳辐射由式(2. C. 27) 计算：

$$R_{sc}=(a_s+b_s)R_a \quad (2. C. 27)$$

式中：

R_{sc}——晴空太阳辐射,单位为兆焦每平方米天($MJ\cdot m^{-2}\cdot d^{-1}$)；

a_s+b_s——晴天($n=N$)时到达地球表面的地球外辐射透过率；

R_a——地球外辐射,单位为兆焦每平方米天($MJ\cdot m^{-2}\cdot d^{-1}$)。

在没有 a_s 和 b_s 的经验值可以利用时,以下式(2. C. 28) 计算晴空太阳辐射：

$$R_{sc}=(0.75+2\times10^{-5}z)R_a \qquad (2.C.28)$$

式中：

z——为站点海拔高度，单位为米(m)。

第六步计算长波净辐射(R_{nl})。长波辐射与地表绝对温度的4次幂成比例关系，这种关系可以由斯蒂芬-波尔兹曼定律(Stefan-Boltzmann law)定量表示。然而，由于大气的吸收和向下辐射，地表的净能量通量要少于用斯蒂芬-波尔兹曼定律计算出来的值。水汽、云、二氧化碳和尘埃都吸收和释放长波辐射，在估算净支出辐射通量时应当知道它们的浓度。由于湿度和云量的影响大，所以在使用斯蒂芬-波尔兹曼定律时估算长波辐射净支出通量时，用这两个因子进行订正，并假设其他的吸收体的浓度为常数，计算式如式(2.C.29)：

$$R_{nl}=\sigma\left[\frac{T_{max,K}^4+T_{min,K}^4}{2}\right](0.34-0.14\sqrt{e_a})\left(1.35\frac{R_s}{R_{so}}-0.35\right) \qquad (2.C.29)$$

式中：

R_{nl}——长波净辐射，单位为兆焦每平方米天($MJ\cdot m^{-2}\cdot d^{-1}$)；

σ——斯蒂芬-波尔兹曼常数，数值为$4.903\times10^{-9}MJ\cdot K^{-4}\cdot m^{-2}\cdot day^{-1}$；

$T_{max,K}$——一天(24 h)中最高绝对温度，单位为开尔文(K)(K=℃+273.16)；

$T_{min,K}$——一天(24 h)中最低绝对温度，单位为开尔文(K)(K=℃+273.16)；

e_a——实际水汽压，单位为千帕(kPa)；

R_s——太阳辐射，单位为兆焦每平方米天($MJ\cdot m^{-2}\cdot d^{-1}$)；

R_{so}——晴空辐射，单位为兆焦每平方米天($MJ\cdot m^{-2}\cdot d^{-1}$)；

R_s/R_{so}——相对短波辐射(≤1.0)；

$(0.34-0.14\sqrt{e_a})$——空气湿度的订正项，如果空气湿度增加，该项的值将变小；

$\left(1.35\frac{R_s}{R_{so}}-0.35\right)$——云的订正项，如果云量增加，$R_s$将减少，该项的值也相应减少。

附录　2. D

(规范性附录)
标准化降水指数的计算方法

由于降水量的分布一般不是正态分布,而是一种偏态分布。所以在进行降水分析和干旱监测、评估中,采用Γ分布概率来描述降水量的变化。标准化降水指标(简称 SPI) 就是在计算出某时段内降水量的Γ分布概率后,再进行正态标准化处理,最终用标准化降水累积频率分布来划分干旱等级。

标准化降水指数(简称 SPI) 的计算步骤为:

(a)假设某时段降水量为随机变量 x, 则其 Γ 分布的概率密度函数如式(2. D. 1):

$$f(x)=\frac{1}{\beta^{\gamma}\Gamma(\gamma)}x^{\gamma-1}e^{-x/\beta}\quad x>0 \tag{2. D. 1}$$

其中:

$\beta>0,\gamma>0$ 分别为尺度和形状参数,β 和 γ 可用极大似然估计方法求得,如式(2. D. 2)、式(2. D. 3):

$$\hat{\gamma}=\frac{1+\sqrt{1+4A/3}}{4A} \tag{2. D. 2}$$

$$\hat{\beta}=\bar{x}/\hat{\gamma} \tag{2. D. 3}$$

其中:

$$A=\lg\bar{x}-\frac{1}{n}\sum_{i=1}^{n}\lg x_i \tag{2. D. 4}$$

式中:

x_i——为降水量资料样本;

$\bar{x}$——为降水量气候平均值。

确定概率密度函数中的参数后,对于某一年的降水量 x_0, 可求出随机变量 x 小于 x_0 事件的概率为:

$$F(x<x_0)=\int_0^{x_0}f(x)\,\mathrm{d}x \tag{2. D. 5}$$

利用数值积分可以计算用式(2. D. 1) 代入式(2. D. 5) 后的事件概率近似

估计值。

(b)降水量为0时的事件概率由式(2. D. 6)估计:

$$F(x=0)=m/n \tag{2. D. 6}$$

式中:

m——降水量为0的样本数;

n——总样本数。

(c)对Γ分布概率进行正态标准化处理,即将式(2. D. 5)、式(2. D. 6)求得的概率值代入标准化正态分布函数,即:

$$F(x<x_0)=\frac{1}{\sqrt{2\pi}}\int_0^{x_0}e^{-z^2/z}\mathrm{d}x \tag{2. D. 7}$$

对式(2. D. 7)进行近似求解可得:

$$Z=S\left\{t-\frac{(c_2t+c_1)t+c_0}{[(d_3t+d_2)t+d_1]t+1.0}\right\} \tag{2. D. 8}$$

其中:$t=\sqrt{\ln\frac{1}{F^2}}$,$F$为式(2. D. 5)或式(2. D. 6)求得的概率;并当$F>0.5$时,F值取$1.0-F$,$S=1$;当$F\leqslant 0.5$时,$S=-1$。

$c_0=2.515\ 517$;

$c_1=0.802\ 853$;

$c_2=0.010\ 328$;

$d_1=1.432\ 788$;

$d_2=0.189\ 269$;

$d_3=0.001\ 308$。

由式(2. D. 8)求得的Z值就是此标准化降水指数SPI。

附录　2. E

(规范性附录)

标准化降水蒸散指数的计算方法

2. E. 1　标准化降水蒸散指数原理

干旱不仅受到降水的影响,而且与蒸散密切相关。2010年Vicente-Serrano

采用降水与蒸散的差值构建了 SPEI 指数,并采用了 3 个参数的 log-logistic 概率分布函数来描述其变化,通过正态标准化处理,最终用标准化降水与蒸散差值的累积频率分布来划分干旱等级。

2. E. 2　标准化降水蒸散指数计算步骤

第一步计算潜在蒸散(PET)。Vicente-Serrano 推荐的是 Thornthwaite 方法,该方法的优点是考虑了温度变化,能较好反映地表潜在蒸散。

第二步用式(2. E. 1) 计算逐月降水量与潜在蒸散量的差值:

$$D_i = P_i - \mathrm{PET}_i \tag{2. E. 1}$$

式中:

D_i——降水量与潜在蒸散量的差值;

P_i——月降水量;

PET_i——月潜在蒸散量,计算方法见 2. C. 1。

第三步如同 SPI 方法,对 D_i 数据序列进行正态化处理,计算每个数值对应的 SPEI 指数。由于原始数据序列 D_i 中可能存在负值,所以 SPEI 指数采用了 3 个参数的 log-logistic 概率分布。log-logistic 概率分布的累积函数如式(2. E. 2):

$$F(x) = \left[1 + \left(\frac{\alpha}{x+\gamma}\right)^{\beta}\right]^{-1} \tag{2. E. 2}$$

上式中的参数 α、β、γ 分别采用线性矩的方法拟合获得,如式(2. E. 3)~式(2. E. 5):

$$\alpha = \frac{(W_0 - 2W_1)}{\Gamma(1+1/\beta)\Gamma(1-1/\beta)} \tag{2. E. 3}$$

$$\beta = \frac{(2W_1 - W_0)}{6(W_1 - W_0 - 6W_2)} \tag{2. E. 4}$$

$$\gamma = W_0 - \alpha\Gamma(1+1/\beta)\Gamma(1-1/\beta) \tag{2. E. 5}$$

式中,Γ 为阶乘函数,W_1、W_2、W_3 为原始数据序列 D_i 的概率加权矩。计算方法如式(2. E. 6)、式(2. E. 7):

$$W_s = \frac{1}{N}\sum_{i=1}^{N}(1 - F_i)^s D_i \tag{2. E. 6}$$

$$F_i = \frac{i-0.35}{N} \tag{2. E. 7}$$

式中,N 为参与计算的月份数。

然后对累积概率密度进行标准化:

$$P=1-F(x) \tag{2.E.8}$$

当累积概率 $P \leqslant 0.5$ 时：

$$W=\sqrt{-2\ln(P)} \tag{2.E.9}$$

$$\mathrm{SPEI}=W-\frac{c_0-c_1W+c_2W^2}{1+d_1W+d_2W^2+d_3W^3} \tag{2.E.10}$$

式中，$c_0=2.515\,517$，$c_1=0.802\,853$，$c_2=0.010\,328$，$d_1=1.432\,788$，$d_2=0.189\,269$，$d_3=0.001\,308$。

当 $P>0.5$ 时，P 值取 $1-P$：

$$\mathrm{SPEI}=-\left(W-\frac{c_0-c_1W+c_2W^2}{1+d_1W+d_2W^2+d_3W^3}\right) \tag{2.E.11}$$

附录　2.F

（规范性附录）

帕默尔干旱指数的计算方法

2.F.1　帕默尔干旱指数原理

帕默尔干旱指数 PDSI（Palmer Drought Severity Index）是表征在一段时间内，该地区实际水分供应持续地少于当地气候适宜水分供应的水分亏缺情况。基本原理是土壤水分平衡原理。该指数是基于月值资料来设计的，指数经标准化处理，指数值一般在-6（干）和+6（湿）之间变化，可以对不同地区、不同时间的土壤水分状况进行比较。PDSI 在计算水分收支平衡时，考虑了前期降水量和水分供需，物理意义明晰。

2.F.2　帕默尔干旱度指数计算方法

1. 第一步计算水分异常指数 Z

水分供需达到气候适应的水平衡方程表示如式（2.F.1）：

$$p=\widehat{\mathrm{ET}}+\hat{R}+\widehat{\mathrm{RO}}-\hat{L} \tag{2.F.1}$$

式中：

$\hat{P}$——气候适宜降水量；

$\hat{ET}$——气候适宜蒸散量；

$\hat{R}$——气候适宜补水量；

$\hat{L}$——气候适宜失水量；

$\hat{RO}$——气候适宜径流量。

上述气候适宜值分别由式(2. *F*. 2)～ 式(2. *F*. 5) 方程计算：

$$\hat{ET}=\alpha PET \tag{2. F. 2}$$

$$\hat{R}=\beta PR \tag{2. F. 3}$$

$$\hat{RO}=\gamma PRO \tag{2. F. 4}$$

$$\hat{L}=\delta PL \tag{2. F. 5}$$

式中：

PET—— 潜在蒸散量，由 FAO Penman-Monteith 或 Thornthwaite 方法计算，计算方法见附录 2. C；

PR ——土壤可能水分供给量，计算方程如式(2. F. 6)：

$$PR=AWC-(S_s+S_u) \tag{2. F. 6}$$

PRO——可能径流，计算方程如式(F. 7)：

$$PRO=AWC-PR=S_sS_u \tag{2. F. 7}$$

PL ——土壤可能水分损失量，计算方程如式(2. F. 8)～式(2. F. 10)：

$$PL=PL_S+PL_U \tag{2. F. 8}$$

$$PL_S=\min(PE,S_s)\text{；即：PE 和 } S_s \text{ 两者选小的} \tag{2. F. 9}$$

$$PL_U=(PE-PL_S)S_u/AWC \tag{2. F. 10}$$

式 2. F. 6~式 2. F. 10 中：

AWC——整层土壤田间有效持水量；

S_s——初始上层土壤有效含水量；

S_u—— 初始下层土壤有效含水量。

α、β、γ、δ 分别为蒸散系数、土壤水供给系数、径流系数和土壤损失系数，每站每月分别有四个相应的常系数值，计算如式(2. F. 11)～ 式(2. F. 14)：

$$\alpha=\frac{(\overline{ET})}{(\overline{PET})} \tag{2. F. 11}$$

$$\beta=\frac{(\overline{R})}{(\overline{PR})} \tag{2. F. 12}$$

$$\gamma=\frac{(\overline{RO})}{(\overline{PRO})} \tag{2. F. 13}$$

$$\delta=\frac{(\overline{L})}{(\overline{PL})} \tag{2. F. 14}$$

各量上面的横线代表其多年平均值。

式中：

$\overline{ET}$——平均实际蒸散量；

$\overline{PET}$——平均潜在蒸散量；

R—— 平均土壤实际水分供给量；

$\overline{PR}$——平均土壤可能水分供给量；

$\overline{RO}$——平均实际径流量；

$\overline{PRO}$——平均可能径流量；

$\overline{L}$——平均实际土壤水分损失量；

$\overline{PL}$——平均可能土壤水分损失量。

Palmer 假定土壤为上下两层模式，当上层土壤中的水分全部丧失，下层土壤才开始失去水分，而且下层土壤的水分不可能全部失去。在计算蒸散量、径流量、土壤水分交换量的可能值与实际值时，需要遵循一系列的规则和假定。另外，土壤有效持水量 AWC（Available Water Holding Capacity）也作为初始输入量。在计算 PDSI 过程中，实际值与正常值相比的水分距平 d 表示为实际降水量（P）与气候适宜降水量（$\hat{P}$）的差，如式（2. F. 15）：

$$d=P-\hat{P} \tag{2. F. 15}$$

式中：

d——水分距平；

P——实际降水量；

$\hat{P}$——气候适宜降水量。

为了使 PDSI 成为一个标准化的指数，水分距平 d 求出后，又将其与指定地点给定月份的气候权重系数 K 相乘，得出水分异常指数 Z，也称 Palmer Z 指数，表示给定地点给定月份，实际气候干湿状况与其多年平均水分状态的偏离程度，如式（2. F. 16）：

$$Z=dK \tag{2. F. 16}$$

式中：

Z —— 水分异常指数；

d ——水分距平；

K—— 气候权重系数。

气候权重系数 K 的取值由月份和地理位置决定，由式(2. F. 17) 计算。

2. 第二步计算修正的气候特征系数 K

式(2. F. 16) 的气候特征系数 K，根据中国气候特点进行修正得，如式(2. F. 17)：

$$K_i = \left[\frac{16.84}{\sum_{j=1}^{12} \overline{D}_j K_j'} \right] K_i' \tag{2. F. 17}$$

其中：

$$K_i' = 1.6 \cdot \log_{10} \left[\frac{\frac{\overline{\mathrm{PET}_i} + \overline{R_i} + \overline{\mathrm{RO}_i}}{\overline{P_i} + \overline{L_i}} + 2.8}{\overline{D_i}} \right] + 0.4 \tag{2. F. 18}$$

式中：

K——气候特征系数或权重因子；

i——表示第 i 个月，$i=1,2,\cdots,12$；

$\sum_{j=1}^{12} \overline{D_i} K_j'$ ——多年平均年绝对水分异常，j 表示 1~12 月；

$\overline{D_i}$——第 i 月的水分距平 d 的绝对值的多年平均值

$\overline{\mathrm{PET}_i}$——第 i 月的平均潜在蒸散量；

$\overline{R_i}$——第 i 月的平均土壤实际水分供给量；

$\overline{\mathrm{RO}_i}$ 第 i 月的平均实际径流量；

$\overline{P_i}$——第 i 月的平均实际降水量；

$\overline{L_i}$——第 i 月的平均实际土壤水分损失量。

3. 第三步建立修正帕默尔干旱指数

根据帕默尔旱度模式的思路，利用我国气象站资料对帕默尔旱度模式，进行修正得式(2. F. 19)：

$$\mathrm{PDSI}_i = 0.755\mathrm{PDSI}_{i-1} + \frac{1}{1.63} Z_i \tag{2. F. 19}$$

式中：

$PDSI_i$—— 第 i 月 PDSI 干旱指数值；

Z_i——i 月水分异常指数；

$PDSI_{i-1}$—— 第 i-1 月的 PDSI 干旱指数值。

式(2. F. 19) 中的 0. 755 和$\frac{1}{1.63}$为持续因子,起始月份的 $PDSI_i$ 的计算如式(2. F. 20)

$$PDSI_i = \frac{1}{1.63} Z_i \tag{2. F. 20}$$

附录 2. G

(规范性附录)

标准化权重降水指数的计算方法

标准化权重降水指数(SPIW) 首先对某一时段内逐日降水量进行加权累积,然后对权重累积的降水量(WAP,Weighted Average of Precipitation)进行标准化处理而得到的指数,标准化处理方法见附录 2. D。

标准化降水权重指数的计算步骤为:

(a) 第一步计算权重累积降水量,按式(2. G. 1) 计算:

$$WAP = \sum_{n=0}^{N} a^m P_n \tag{2. G. 1}$$

式中:

WAP—— 权重累积降水量,单位为毫米(mm);

N—— 某一时段的长度,单位为天(d);

a—— 贡献参数,当 N 为 60 天时,则 a 取 0. 85;

P_N—— 距离当天前第 n 天的降水量,单位为毫米(mm)。

(b) 第二步计算标准化权重降水指数,按式(2. G. 2) 计算:

$$SPIW = SPI(WAP) \tag{2. G. 2}$$

式中:

SPIW——标准化权重降水指数;

SPI—— 标准化处理,计算方法见附录 2. C;

WAP ——权重累积降水指数,单位为毫米(mm), 计算见式(2. G. 1)。

附录 2. H

(资料性附录)

季节调节系数 Ka 的取值方法

季节调节系数 Ka，根据各地不同季节主要农作物生长发育阶段对土壤水分的敏感程度确定，一般取 0. 4~1. 2。作物生长旺季(一般指 3 月 ~9 月),作物需水量较大,对土壤水分敏感度较高,Ka 取值则较大(一般在 1. 0~1. 2);作物生长初期或成熟期(一般指 10 月至次年 2 月),作物需水量较小，对土壤水分敏感度较低,则 Ka 取值较小(一般在 0. 4~1. 0)。无农作物或植被生长区域或常年干旱区,不考虑气象干旱,Ka 值一般取 0。草原区和森林区可根据当地情况设定调节系数。

中国各省(市、区)不同月份的 Ka 取值参考值见附表 2. H. 1,各地根据本地实际情况可以进行修正。如用于逐日干旱监测,可把附表 2. H. 1 中的值作为每月 15 日的值,其余日期的 Ka 值可通过线性插值获得。

附表 2. H. 1　各省(区、市)不同月份季节调节系数 Ka 取值参考表

省(区、市)	农业气候区	月份											
		1	2	3	4	5	6	7	8	9	10	11	12
北京	小麦玉米区	0. 4	0. 8	1. 0	1. 2	1. 2	1. 2	1. 2	1. 0	1. 0	0. 8	0. 6	0. 4
天津		0. 4	0. 8	1. 0	1. 2	1. 2	1. 2	1. 2	1. 0	1. 0	0. 8	0. 6	0. 4
河北		0. 4	0. 8	1. 0	1. 2	1. 2	1. 2	1. 2	1. 0	1. 0	0. 8	0. 6	0. 4
山西		0. 4	0. 8	1. 0	1. 2	1. 2	1. 2	1. 2	1. 0	1. 0	0. 8	0. 6	0. 4
山东		0. 4	0. 8	1. 0	1. 2	1. 2	1. 2	1. 2	1. 0	1. 0	0. 8	0. 6	0. 4
河南		0. 6	0. 8	1. 0	1. 2	1. 2	1. 2	1. 2	1. 1	1. 0	0. 8	0. 6	0. 4

附表 2.H.1(续)

省(区、市)	农业气候区	月份											
		1	2	3	4	5	6	7	8	9	10	11	12
内蒙古	玉米区	0	0	0	0.6	1.0	1.2	1.2	1.0	0.9	0.4	0	0
辽宁		0	0	0	0.8	1.0	1.2	1.2	1.0	0.9	0.4	0	0
吉林		0	0	0	0.6	1.0	1.2	1.2	1.0	0.9	0.4	0	0
黑龙江		0	0	0	0.6	1.0	1.2	1.2	1.0	0.9	0.4	0	0
陕西	小麦玉米区	0.4	0.8	1.0	1.2	1.2	1.2	1.2	1.0	1.0	0.8	0.6	0.4
甘肃		0.4	0.8	1.0	1.2	1.2	1.2	1.2	1.0	1.0	0.8	0.6	0.4
宁夏		0.4	0.8	1.0	1.0	1.0	1.2	1.2	1.0	0.9	0.8	0.6	0.4
青海	玉米草原区	0	0	0	0.6	1.0	1.2	1.2	1.0	0.9	0.4	0	0
新疆		0	0	0	0.6	1.0	1.2	1.2	1.0	0.9	0.4	0	0
西藏		0	0	0	0.6	1.0	1.2	1.2	1.0	0.9	0.4	0	0
四川	小麦玉米	1.0	1.0	1.1	1.2	1.0	1.2	1.2	1.2	1.0	1.0	1.0	1.0
重庆		1.0	1.0	1.1	1.2	1.0	1.2	1.2	1.2	1.0	1.0	1.0	1.0
贵州		1.0	1.0	1.1	1.2	1.0	1.2	1.2	1.2	1.0	1.0	1.0	1.0
云南		1.0	1.0	1.1	1.2	1.0	1.2	1.2	1.2	1.0	1.0	1.0	1.0
湖北	冬小麦水稻区	1.0	1.0	1.1	1.2	1.0	1.2	1.2	1.2	1.0	1.0	1.0	1.0
安徽		1.0	1.0	1.1	1.2	1.0	1.2	1.2	1.2	1.0	1.0	1.0	1.0
江苏		1.0	1.0	1.1	1.2	1.0	1.2	1.2	1.2	1.0	1.0	1.0	1.0
浙江	水稻区	0.9	0.9	1.0	1.0	1.2	1.2	1.2	1.2	1.0	1.0	0.9	0.9
湖南		0.9	0.9	1.0	1.0	1.2	1.2	1.2	1.2	1.0	1.0	0.9	0.9
江西		0.9	0.9	1.0	1.0	1.2	1.2	1.2	1.2	1.0	1.0	0.9	0.9
福建		0.9	0.9	1.0	1.0	1.2	1.2	1.2	1.2	1.0	1.0	0.9	0.9
广东		0.9	0.9	1.0	1.0	1.2	1.2	1.2	1.2	1.0	1.0	0.9	0.9
广西		0.9	0.9	1.0	1.0	1.2	1.2	1.2	1.2	1.0	1.0	0.9	0.9
海南		0.9	0.9	1.0	1.0	1.2	1.2	1.2	1.2	1.0	1.0	0.9	0.9

表中给出的 Ka 值为作物种植区的调节系数,主要考虑了小麦、玉米和水稻三大粮食作物不同生育期对土壤水分的敏感程度,如果各地考虑其他农作物,可根据实际情况设定调节系数。

参 考 文 献

[1] 丁一汇,王绍武,郑景云,等. 中国自然地理系列专著:中国气候[M]. 北京:科学出版社,2013.

[2] PENMAN H. L. Natural evaporation from open water,bare soil and grass[J]. Proceedings Royal Society Series A,1948,193:454-465.

[3] THORNTHWAITE C W. An approach toward a rational classification of climate[J]. Geographical Review,1948,38(1):57-94.

[4] 安顺清,邢久星. 修正的帕默尔干旱指数及其应用[J]. 气象,1985,11(12):17-19.

附录三 农业遥感调查通用技术
农作物干旱监测技术规范

NY/T 4378—2023

1 范围

本文件规定了农作物干旱遥感监测的监测流程、数据获取与处理、地面观测、遥感监测、监测成果编制的基本要求,描述了监测结果的验证方法。

本文件适用于基于光学卫星遥感数据的农作物干旱监测。

2 规范性引用文件

下列文件中的内容通过文中的规范性引用而构成本文件必不可少的条款。其中,注日期的引用文件,仅该日期对应的版本适用于本文件;不注日期的引用文件,其最新版本(包括所有的修改单)适用于本文件。

GB/T 20257 (所有部分) 国家基本比例尺地图图式

GB/T 28923.1 自然灾害遥感专题图产品制作要求第 1 部分:分类、编码与制图

GB/T 32136 农业干旱等级

GB/T 34809 甘蔗干旱灾害等级

NY/T 2283 冬小麦灾害田间调查及分级技术规范

NY/T 2284 玉米灾害田间调查及分级技术规范

NY/T 3043 南方水稻季节性干旱灾害田间调查及分级技术规程

NY/T 3526 农情监测遥感数据预处理技术规范

QX/T 446 大豆干旱等级

3 术语和定义

下列术语和定义适用于本文件。

3.1　农作物干旱 crop drought

农作物生长季内,因水分供应不足导致农田水量供需不平衡,阻碍作物正常生长发育的现象。

[来源:GB/T 32136—2015,3.8, 有修改]

3.2　植被指数 vegetation index

利用遥感影像不同谱段数据的线性或非线性组合形成的反映绿色植物生长状况和分布的特征指数。

[来源:GB/T 30115—2013,3.11,有修改]

3.3　土壤水分 soil moisture

吸附于土壤颗粒和存在于土壤孔隙中的水。

注:主要为液态水,少数为寒冷季节冻结的固态冰和以水汽形式存在的气态水。

[来源:GB/T 40039—2021,3.1]

3.4　土壤相对含水量 relative soil moisture

土壤实际含水量占田间持水量的百分数,也称土壤相对湿度。

[来源:NY/T 3921—2021,3.5]

3.5　农作物干旱等级 grade of crop drought

描述农作物干旱程度的级别标准。

3.6　植被覆盖度 fractional vegetation cover

单位面积内植被冠层(包括叶、茎、枝)垂直投影面积所占的比例。

注:无量纲,取值范围 0~1。

[来源:GB/T 41280—2022,3.2]

4　缩略语

下列缩略语适用于本文件。

ATI: 表观热惯量(Apparent Thermal Inertia)

AVI: 距平植被指数(Anomaly Vegetation Index)

LST：地表温度(Land Surface Temperature)

MEI：改进能量指数(Modified Energy Index)

MODIS：中分辨率成像光谱仪(Moderate-Resolution Imaging Spectroradiome-
ter) NDVI：归一化差值植被指数(Normalized Difference Vegetation Index)

NDWI：归一化差异水分指数(Normalized Difference Water Index)

PDI：垂直干旱指数(Perpendicular Drought Index)

TCI：温度状态指数(Temperature Condition Index)

TVDI：温度植被干旱指数(Temperature Vegetation Dryness Index)

VCI：植被状态指数(Vegetation Condition Index)

VHI；植被健康指数(Vegetation Health Index)

VI：植被指数(Vegetation Index)

VSWI：植被供水指数(Vegetation Water Supply Index)

5　基本要求

5.1　空间基准

5.1.1　大地基准应采用 2000 国家大地坐标系。

5.1.2　高程基准应采用 1985 国家高程基准。

5.1.3　投影方式，省级及以上尺度(直辖市除外)应采用阿尔伯斯投影；省级以下尺度(含直辖市)应采用高斯-克吕格投影。

5.2　监测时间

农作物干旱遥感监测应在农作物生育期内结合实际需要进行。

6　监测流程

农作物干旱遥感监测流程应包括数据获取与处理、地面观测、遥感监测、监测成果编制 4 个步骤，如附图 3.1 所示。

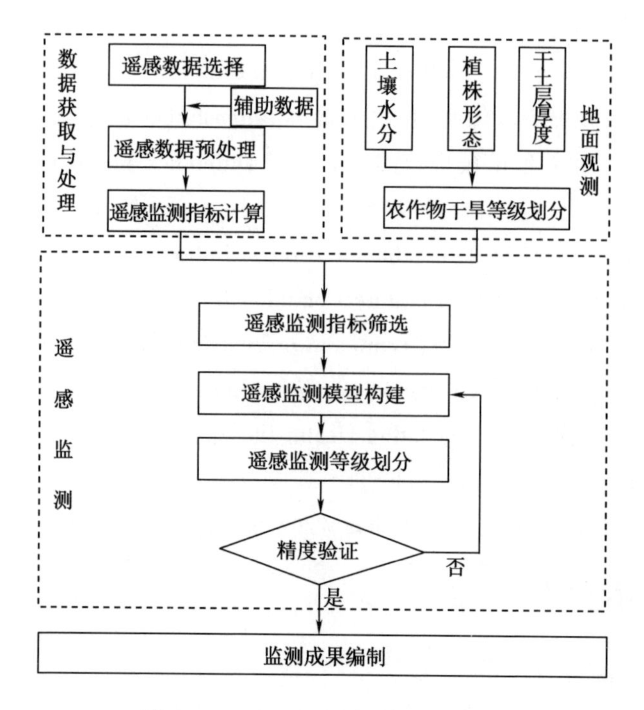

附图 3.1　农作物干旱遥感监测流程

7　数据获取与处理

7.1　遥感数据的选择

7.1.1　光学遥感数据至少应具有蓝波段、绿波段、红波段、近红外波段、热红外波段。常用的农作物干旱监测光学遥感数据源见附录 3. A 的附表 3. A. 1。

7.1.2　监测区域为农作物种植区,影像应无云或浓雾覆盖,如有云或浓雾覆盖,通过邻近时相晴空影像替代 。

7.1.3　监测时段影像应根据监测区域、监测频次等要求进行选择。对于省级及以上尺度监测,应选择空间分辨率为 100 m~1 000 m（含 1 000 m）影像;对于市县级尺度监测,应选择空间分辨率为 10 m~100 m（含 100 m）影像;对于村镇级及以下尺度监测,应选择空间分辨率优于 10 m 影像。

7.1.4　遥感数据应无明显条纹、点状和块状噪声,无数据丢失,无严重畸变。

7.2　遥感数据预处理

遥感数据预处理步骤按照 NY/T 3526 的规定执行。

7.3　遥感监测指标计算

遥感监测指标计算方法见附录 3. B 的附表 3. B. 1。

7.4　辅助数据

辅助数据包括但不限于:
(a)监测区域农作物空间分布数据;
(b)监测区域行政区划基础地理信息;
(c)监测区域农作物物候信息;
(d)监测区域在监测时段的气象信息。

8　地面观测

8.1　目的

为辅助农作物干旱遥感监测,需要进行地面观测,获取田块内的土壤水分、干土层厚度、植株形态等农作物干旱指标数据,作为农作物干旱遥感监测与等级评估的训练样本与验证样本。

8.2　观测时间

观测时间参见 NY/T 3921。

8.3　地面观测样点布设

地面观测样点布设参见 NY/T 3921。按 3∶2比例随机划分训练样本和验证样本。

8.4 农作物干旱等级

农作物干旱应分为 5 个等级:无旱、轻旱、中旱、重旱、特旱。

8.5　干旱等级划分标准

8.5.1　冬小麦作物按照 NY/T 2283 的规定执行。

8.5.2　玉米作物按照 NY/T 2284 的规定执行。

8.5.3　南方水稻作物按照 NY/T 3043 的规定执行。

8.5.4　大豆作物按照 QX/T 446 的规定执行。

8.5.5　甘蔗作物按照 GB/T 34809 的规定执行。

8.5.6　其他农作物按照 GB/T 32136 的规定执行。

9　遥感监测

9.1　遥感监测指标筛选

9.1.1　在农作物播种期或生长早期，干旱监测指标选择表观热惯量(ATI)、垂直干旱指数(PDI)和改进能量指数(MEI)等。

9.1.2　在农作物其他生育时期，干旱监测指标选择植被供水指数(VSWI)、植被健康指数(VHD)、归一化差异水分指数(NDWI)、距平植被指数(AVI)和植被状态指数(VCI)等。

9.1.3　对于监测区域的植被覆盖度包含从裸土到全覆盖的情况，干旱监测指标选择温度干旱植被指数(TVDI)等。

9.2　遥感监测模型构建与等级划分

9.2.1　基于土壤水分的干旱监测模型

以地面观测中的土壤水分数据为训练样本，采用统计回归法、机器学习法等构建土壤水分反演模型（见附录3.C 的3.C.1 和3.C.2），输入变量为遥感监测指标，输出结果为土壤水分，根据7.6.1 干旱等级划分标准进行干旱等级划分。这种模型构建方法适用于农作物播种期或生长早期干旱监测。在农作物其他生育时期，如缺少植株形态、干土层厚度等地面观测数据，也可使用该方法。

9.2.2　基于干旱等级指标的干旱监测模型

以地面观测中的干旱等级数据为训练样本，采用模糊数学法、机器学习法等构建干旱监测模型(见3.C.3)，输入变量为遥感监测指标，输出结果为干旱等级划分结果。这种模型构建方法适用于农作物各生育时期干旱监测。

9.3　精度验证

采用总体精度验证方法。利用地面观测数据对农作物干旱遥感监测结果进行精度评价，按照公式(3.1)计算总体精度。

$$P_C = \frac{N^*}{N} \times 100 \qquad (3.1)$$

式中：

P_C—— 总体精度，单位为百分号（%）；

N—— 总样本数；

N^*—— 分级正确数。

当缺乏地面观测数据时，利用时空变化趋势分析方法进行检验，具体过程参照 GB/T 36296 的规定执行。

10　监测成果编制

10.1　监测专题图

10.1.1　农作物干旱遥感监测专题图要素包括图名、图例、比例尺、干旱等级、行政区划基础地理信息等。

10.1.2　基本地图要素制作方式按照 GB/T 20257 的规定执行，农作物干旱等级分布图的制作方式按照 GB/T 28923.1 的规定执行。

10.2　监测报告

10.2.1　农作物干旱遥感监测报告内容应包括描述农作物干旱监测时段及对应的气象信息、卫星及传感器、干旱等级、不同干旱等级的面积及比例、图片、统计表等信息。

10.2.2　统计表应包括行政区划名称、不同干旱等级的面积及比例等信息。统计单元依据监测范围来定，如果是国家级监测范围，以省级行政区划基础地理信息为统计单元，行政区划名称为省级行政区划名称，依此类推。统计表见附录 3.D 的 3.D.1。

10.2.3　图片信息应包括反映农作物干旱状况的遥感监测专题图、实地照片等。

附录 3.A

（资料性）

常用农作物干旱监测光学遥感数据源

常用农作物干旱监测光学遥感数据源见附表 3.A.1。

附表 3. A. 1　常用农作物干旱监测光学遥感数据源

传感器/卫星	空间分辨率	波段	光谱范围	数据时间	重访周期
AVHRR/ NOAA	1 000 m	1 2 3 4 5	0. 58 μm~0. 68 μm 0. 725 μm~1. 1 μm; 1. 58 μm~1. 64 μm 10. 5 μm~11. 3 mm 11. 5 μm~12. 5 mm	1989 年至今	1 d
MODIS/ Terra/ Aqua	250 m, 500 m, 1 000 m	1 2 3 4 5 6 7 29 31 32	0. 62μm~0. 67 μm 0,841 μm~0,876 μm; 0. 459 μm~0. 479 μm 0. 545 μm~0. 565 mm 1. 23 μm~1. 25 μm 1. 628 μm~1. 652 μm 2. 105μm~2. 155 μm 8. 4 μm~8. 7 μm 10. 78 μm~11. 28 μm 11. 77 μm~12. 27 μm	2000 年至今	1 d~2 d
MERSI/ FY-3 系列	250 m, 1 000 m	 1 2 3 4 5	中心波长 0. 47 μm 0. 55 μm 0. 65 μm 0. 865 pm 11. 25 μm	2008 年至今	1 d~2 d
OLI/TIRS/ Landsat8	15 m,30 m	2 3 4 5 6 7 10 11	0. 450 μm~0. 515 μm 0. 525 μm~0. 600 μm 0. 63 μm~0. 68 μm 0. 845 μm~0,885 μm 1. 56μm~1. 66 μm 2. 1 μm~2. 3 μm 10. 60 μm~11. 19 μm 11. 50 μm~12. 51 μm	2013 年至今	16 d

表 A.1(续)

传感器/卫星	空间分辨率	波段	光谱范围	数据时间	重访周期
CCD/IRS/HIS/HJ-1A/B	30 m, 100 m, 150 m, 300 m	1 2 3 4 5 6 8	0.43 μm~0.52 μm 0.52 μm~0.60 μm 0.63 gm~0.69 pm 0.76μm~0.90 μm 0.75 μm~1.10 μm 1.55μm~1.75μm 10.5 μm~12.5 μm HIS (0.45 μm~0.95μm)	2008 年至今	4 d
MSI/Sentinel2A/2B	10 m, 20 m, 60 m	2 3 4 5 6 7 8 8A 11 12	中心波长 0.49 pm 0.56 gm 0.665 mm 0.705 gm 0.74 pm 0.783 um 0.842 pn 0.865 pm 1.61 pm 2.19 μm	2015 年至今	5 d
GF 系列卫星	GF-1:2 m; 8 m,16 m GF-2.1 m; 4 m GF-6:2 m; 8 m,16 m	2 3 4 5	0.45 μm~0.52 pm 0.52μm~0.59 μm 0.63 μm~0.69 μm 0.77 μm~0.89 μm GF-6 红边 0.63 μm~0.69 μm	2013 年至今	4 d
PlanetScope	3 m	2 3 4 6 7 8	0,455μm~0.515 μm 0.513 μm~0.549 μm 0.547 μm~0.583μm 0.650 μm~0.680 pm 0.697 μm~0.713 μm 0.845μm~0.885 μm	2014 年至今	1 d~2 d

附录 3.B

（资料性）

典型的农作物干旱遥感监测指标及算法

典型的农作物干旱遥感监测指标及算法见附表 3.B.1。

附表 3.B.1　典型的农作物干旱遥感监测指标及算法

名称	缩写	计算公式	作者及年份
表观热惯量	ATI	$ATI=\frac{1-A}{\Delta T}$ A——地表反照率 ΔT——地表温度日较差	PRICE,1985
垂直干旱指数	PDI	$PDI=\frac{\rho_{red}+M\times\rho_{nir}}{\sqrt{M^2+1}}$ ρ_{red}——红波段反射率 ρ_{nir}——近红外波段反射率 M——土壤线斜率	GHULAM et al.,2006
改进能量指数	MEI	$MEI=\frac{1-\rho}{T}$ ρ_{nir}——近红外波段反射率 T_s——农作物冠层温度	张学艺等,2009
温度植被干旱指数	TVDI	$TVDI=\frac{T_s-T_{s,min}}{T_{s,max}-T_{s,min}}$ $T_{s,max}=a_1+b_1\times NDVI$ $T_{s,min}=a_2+b_2\times NDVI$ T_s——地表温度 $T_{s,max}$——相同 NDVI 值的最大地表温度，对应 T_s-NDVI 特征空间的干边 $T_{s,min}$——相同 NDVI 值的最小地表温度，对应 T_s-NDVI 特征空间的湿边 a_1、a_2、b_1、b_2——拟合系数	SANDHOLT et al.,2002

附表 3. B. 1(续)

名称	缩写	计算公式	作者及年份
距平植被指数	AVI	$AVI = NDVI - NDVI_{mean}$ NDVI——某一时期的归一化植被指数 $NDVI_{mean}$——多年同一时期 NDVI 的平均值	陈维英等,1994
植被状态指数	VCI	$VCI = \frac{NDVI - NDVI_{max}}{NDVI - NDVI_{min}}$ $NDVI_{max}$——对应像元多年同一时期 NDVI 数据中的最大值 $NDVI_{min}$——对应像元多年同一时期 NDVI 数据中的最小值	KOGAN,1995
植被供水指数	VSWI	$VSWI = \frac{NDVI}{T_s}$ NDVI——某一时期的归一化植被指数 T_s——地表温度	CARLSON et al.,1990
温度条件指数	TCI	$TCI = \frac{T_{max} - T}{T_{max} - T_{min}}$ T——某一时期的地表亮度 T_{max}——对应像元多期 T 数据集中的最大值 T_{min}——对应像元多期 T 数据集中的最小值	KOGAN,1995
植被健康指数	VHI	$VHI = a \times VCI + (1 - a) \times TCI$ a——权重系数,$a = 0.5$	KOGAN,1995
归一化差异水分指数	NDWI	$NDWI = \frac{\rho_{nir} - \rho_{swir}}{\rho_{nir} + \rho_{swir}}$——近红外波段反射率 p_{swir}——短波红外波段反射率;可用绿波段替代	GA0,1996 Mefeeters,1996

附录 3. C

(资料性)

常用的农作物干旱遥感监测模型构建方法

3. C. 1　基于统计回归的土壤水分反演模型

干旱遥感监测指标和土壤水分之间存在线性或非线性的关系,以干旱遥感监测指标为自变量,以土壤 水分为因变量,建立土壤水分反演模型。常见的拟合模型见公式(3. C. 1) ~ 公式(3. C. 5)。

$$线性函数: y=ax+b \tag{3. C. 1}$$

$$对数函数: y=a\ln(x)+b \tag{3. C. 2}$$

$$指数函数: y=ae^{bx} \tag{3. C. 3}$$

$$幂函数: y=ax^{b} \tag{3. C. 4}$$

$$二次多项式: y=ax^{2}+bx+e \tag{3. C. 5}$$

式中:

y—— 土壤水分;

x—— 干旱遥感监测指标;

a、b、c——回归模型系数。

3. C. 2　基于机器学习法的土壤水分反演模型

径向基函数神经网络(radial basis function neural network, RBF-NN)是机器学习法中的一种常用方法。它是一种具有单隐层的 3 层前馈网络,在逼近能力、学习速度和结构等方面具有优势。利用 RBF-NN 构建土壤水分反演模型,其具体过程为:

(a)构建输入层,由选取适宜的遥感干旱监测指标集构成,记作 m 维向量 $\boldsymbol{X}'=\{\boldsymbol{X}_{p1},\boldsymbol{X}_{p2}\cdots,\boldsymbol{X}_{pm}\}$

(b)确定隐含层,其节点数 j 视所描述问题的需要而定,该层的变换函数采用 RBF。隐含层是非线性优化策略,采用高斯核函数,见公式(3. C. 6)。

$$g(X',\sigma)=exp[-(\boldsymbol{X}'-C_j)^2/2\sigma_j^2] \tag{3. C. 6}$$

式中:

φ——高斯函数;

X'—— 遥感干旱监测指标集;

C_j—— 第 j 个隐含层单元对应的核函数中心；

σ_j—— 第 j 个隐含层单元对应的宽度向量，用来控制函数的径向作用范围。

确定 RBF 中心 C 和宽度 a 的过程采用自组织学习(无监督)方法。

(c) 输出层结果输出，即为地面观测点的土壤相对含水量。该层对输入模式做出的响应采用线性优 化策略，对隐含层神经元输出的信息进行线性加权后输出。见公式(3. C. 7)。

$$y_i = \sum_{k-1}^{W} W_k \times \varphi(X', \sigma) \tag{3. C. 7}$$

式中：

W——权值；

K—— 输出层的个数($k=1,2,\cdots,m$)。

3. C. 3　基于信息扩散法的农作物干旱监测

信息扩散法是模糊数学法中的一种常用方法。它是通过一定方式将原始信息直接过渡到模糊关系，从而避开隶属度函数的求取，最大可能地保留原始数据所携带的原始信息。基于信息扩散方法的农作物干旱遥感监测模型构建，以农作物干旱遥感监测指数为模型输入变量，干旱等级为输出变量。基于信息扩散法的干旱监测一般步骤是将输入输出样本在论域进行扩散，建立由信息增量构成的信息矩阵，然后由信息矩阵得到干旱遥感监测指标与干旱等级之间的模糊关系，即模糊关系矩阵，最后通过模糊近似推理方法，由输入样本得到模拟输出干旱等级。

设 $X=\{x_1, x_2, \cdots, x_n\}$ 是一个随机样本，随机变量 X 所有可能取值的集合，称为 X 的论域，用 U 来 表示，即 U 是随机变量 X 的定义域。

设 Z 是论域 U 上的一个子集，那么从 $X\times Z$ 到$[0,1]$的一个映射，

$$\mu: X\times Z \to [0,1]$$

$$(x,z) \mapsto \mu(x \cdot z),\ \forall (x,z) \in X\times Z \tag{3. C. 8}$$

如公式(3. C. 8) 所示，就称为样本 X 在 Z 上的一个信息扩散，μ 就是一个扩散函数，Z 称作一个监控空间，如果它是递减的，即：$\forall x \in X$, $\forall =z', z'' \in Z$，如果$||z'-x|| \leqslant ||z''-x||$，则$\mu(x,z') \geqslant \mu(x-z'')$。

信息分配是种特殊的信息扩散，它的控制点空间 U 是样本 X 的一个离散论域。信息扩散时，监控空间 Z 是随机变量 X 的定义域 U 的一个子集。信息分配的控制点空间是随机变量 X 的定义域 U 的一个真子集，信息分配函数是不充分的，而对信息扩散来说，只有当监控空间 Z 就是随机变量 X 定义域本身 U 时，

信息扩散才是充分的。

在应用信息扩散技术进行实际计算时,监控区间 Z 的构造通常依据样本数据 X 本身,构造过程如公式(3.C.9) 所示。

$$\begin{cases} X=\{x_1,x_2,\cdots,x_n\} \\ Z=\{z_1,z_2,\cdots,z_k\} \\ z_1=\min(X)-\Delta z/2 \\ z_{i+1}=z_i+1 \\ k=[\max(X)-\min(X)]/\Delta z+1 \\ 0<z\leqslant\min\limits_{x_i\neq x_j}(|x_i-x_j|) \\ i,j=1,2,\cdots,n \end{cases} \tag{3.C.9}$$

式中:

X——原始样本数据;

Z——监控点序列;

v_i——序列 Z 中的第 i 个监控点;

k——Z 中需要构造的监控点个数;

$\Delta z=$——监控点序列的步长。

正态信息扩散的估计函数如公式(3.C.10) 所示。

$$\overline{P}_n(x)=\frac{1}{nh\sqrt{2\pi}}\sum_{i=1}^{N}\exp\left[-\frac{(x-x_i)^2}{2h^2}\right] \tag{3.C.10}$$

式中:

n——样本数量;

h—— 扩散系数。

扩散系数 h 按公式(3.C.11) 计算。

$$h=\begin{cases} 0.814\,6(b-a),n=5 \\ 0.569\,0(b-a),n=6 \\ 0.456\,0(b-a),n=7 \\ 0.386\,0(b-a),n=8 \\ 0.336\,2(b-a),n=9 \\ 0.298\,6(b-a),n=10 \\ 2.685\,1(b-a)/(n-1),n\geqslant 11 \end{cases} \tag{3.C.11}$$

其中,$b=\max\limits_{1\leqslant i\leqslant a}\{x_i\}$,$a=\min\limits_{1\leqslant i\leqslant a}\{x_j\}$。

利用信息扩散技术估计样本数据时,遵循以下步骤:

(a)根据式(3. C. 9)，利用样本数据 X 构造监控点序列 Z；

(b)根据式(3. C. 11) 计算扩散系数 h；

(c)根据式(3. C. 10) 将 Z 中监控点序列 z_i 作为变量 x 的值，代入信息扩散函数 $\tilde{p}_n(x)$ 进行计算，得到 样本数据扩散给每个监控点的信息量 $p(z_i)$；

(d)将所有监控点的信息量序列按照公式(3. C. 6) 进行归一化处理后，得到模糊关系矩阵；

(e)代入重心公式(3. C. 12)，计算监控点的重心值，作为样本数据的估计值 z'，见公式(3. C. 13)。

$$\begin{cases} p(z_i)'=p(z_i)/\max(p(z_i)) \\ i=1,2,\cdots,k \end{cases} \tag{3. C. 12}$$

$$z'=[\sum_{i-1}^{k} z_i \times p(z_i)']/[\sum_{i-1}^{k} p(z_i)'] \tag{3. C. 13}$$

式中：

z'——计算的监控点重心值；

z_i—— 第 i 个监控点；

$p(z_i)'$—— 归一化后的第 i 个监控点的信息量。

附录 3. D

(资料性)

农作物干旱监测统计表

农作物干旱监测统计表见附表 3. D. 1。

附表 3. D. 1 **农作物干旱监测统计表**

行政区划名称	农作物名称(如玉米、小麦等)	干旱面积/hm^2					干旱比例/%					备注
		无旱	轻旱	中旱	重旱	特旱	无旱	轻旱	中旱	重旱	特旱	

注 1:干旱比例为对应干旱程度的面积占监测区域总面积的比例,单位为百分号(%)。监测区域总面积是监测区域无旱面积、轻旱面积,中旱面积、重旱面积、特旱面积的总和。

注 2:如果是国家级监测范围,行政区划名称应为省级行政区划名称;如果是省级监测范围,行政区划名称应为市级行政区划名称;依此类推。

参 考 文 献

[1] GB/T 30115—2013 卫星遥感影像植被指数产品规范
[2] GB/T 36296—2018 遥感产品真实性检验导则
[3] GB/T 40039—2021 土壤水分遥感产品真实性检验
[4] GB/T 41280—2022 卫星遥感影像植被覆盖度产品规范
[5] NY/T 3921—2021 面向遥感的土壤墒情和作物长势地面监测技术规程